Geschichte

des

siebenjährigen Krieges

in

Deutschland

von 1756 bis 1763

durch

J. W. von Archenholtz,

vormals Hauptmann in Königl. Preuß. Diensten.

Mit einer illuminirten Charte vom Kriegstheater.

WIEN

gedruckt bey Johann Thomas Edlen von Trattnern,

k. k. Hofbuchdrucker und Buchhändler.

1791.

Vorbericht.

Zu einer Zeit, da die Deutschen das schreib=
seligste und das gelehrteste Volk in Europa
sind, muß man erstaunen, daß noch keine Ge=
schichte des so merkwürdigen, in unsern Tagen
erlebten, siebenjährigen Krieges für unmilitäri=
sche Stände vorhanden war. Bey dem größten
Ueberfluß an Kriegsmaterialien, und Tagebüchern
hoher und niedriger Officiers, worin die gering=
sten Märsche des kleinsten Corps genau beschrie=
ben, die unbedeutendsten Scharmützel umständlich
erzählt, kurz, eine Menge für den großen Haufen
der Menschen sehr entbehrliche Dinge aufgezeich=
net sind, blieb es bey biographischen Fragmen=
ten, oder bey bänderreichen zwecklosen Wer=

ten,

ken, die niemand las. Selbst der Krieger traf nirgends eine zusammenhängende militärische Geschichte dieser großen Weltbegebenheit an. Tielkens lehrreiche Beyträge waren nur Bruchstücke, die einzelne Vorfälle erörterten. Endlich trat mehr als zwanzig Jahre nach geendigtem Kriege Tempelhof auf, und seine vortreffliche Geschichte dieser Epoche, tactisch beschrieben, gewährt nicht allein für die lebenden Krieger jedes Ranges, sondern auch für die ganze militärische Nachwelt den angenehmsten und zweckmäßigsten Unterricht. Nie, seitdem Nationen Krieg führten, sind kriegerische Thaten und die Entwürfe der Heerführer so umständlich entwickelt worden, als von ihm. Indessen fehlte doch ein kurzgefaßtes Buch dieser Art für alle Volksklassen, worin die Begebenheiten, ihre Ursachen und Folgen, nicht tactisch, sondern bloß historisch dargestellt, und der Geist der kriegführenden Völker sowohl, als der Geist des Zeitalters durch Handlungen aller Art bezeichnet werden.

Hier

Hier ist davon ein Versuch. Es war hohe
Zeit, dergleichen Nachrichten von Augenzeugen zu
sammeln, da die Generation der Menschen, in
deren Lebenstagen so außerordentliche Dinge auf
deutschem Boden geschahen, anfängt nach und
nach abzusterben. Wenn daher je eine Geschichte als Volksbuch unter allen Ständen der deutschen Nation verbreitet zu seyn verdient, so ist
es wohl diese vaterländische, die Deutschland in
so vieler Rücksicht Ehre macht, und den Geist
des Volks zu erhöhen vermögend ist. In diesem Betrachte war sie gewiß ein sehr wohl gewähl-
ter Gegenstand für den, seinem Plan nach, treflichen historischen Kalender, den Herr Karl
Spener in Berlin seit einigen Jahren herauszu-
geben angefangen hat. Aber eben diese Kalender-
form, (die übrigens sehr lobenswürdige Zwecke be-
fördert,) beschränkte zugleich den Umfang dieser
Erzählung. Die Leser werden deshalb gebeten, diese
nothgedrungene Einschränkung, und den Gesichts-
punct des Verfassers, der immer auf das Ganze

gerichtet war, nicht aus den Augen zu verlieren. Auch die Erinnerung ist nothwendig, daß ich hier nicht Friedrichs Feldzüge, sondern die Geschichte des Krieges überhaupt beschreibe. Ich trete daher nicht als der eigentliche Lobredner dieses großen Monarchen auf; denn die getreue Erzählung seiner Thaten macht alles wörtliche Lob überflüssig. Allein das glänzende Kolorit, das diese Thaten selbst ohne fremden Zusatz in einem Gemälde geben, konnte nicht wohl ohne einigen Schatten seyn. Nur denjenigen kann dieser Schatten mißfallen, die, mit den Gesetzen der Natur unbekannt, allenthalben unvermischtes Licht sehen wollen. Konnte die Geistesgröße Friedrichs wohl von demjenigen Geschichtschreiber verkannt werden, der an vielen Stellen bis zur Begeisterung hingerissen, die Sprache für seine Empfindungen zu arm fand? Bemerkungen, die menschliche Mängel betreffen, auf Thatsachen gegründet, gleichviel wer der Gegenstand ist, sollte er auch der Held seines Jahrhunderts seyn, wenn sie zur

Ge=

Geschichte gehören und zur Aufklärung des Ganzen erforderlich sind, darf der Geschichtschreiber nicht verschweigen; am wenigsten, wenn seine Geschichte voll außerordentlicher Handlungen ist. Die Wahrheit derselben wird sodann nicht verdächtig; sie erhält vielmehr durch die freymüthige Berührung von Schwachheiten, denen die größten Sterblichen eben so gut wie die niedrigsten unterworfen sind, eine größere Glaubwürdigkeit, da sie mit dem Stempel der Unpartheilichkeit bezeichnet ist.

Nun noch einige Worte, die Qualification des Geschichtschreibers zu dieser Unternehmung betreffend. Ich habe vom December 1758 an dem Krieg bey Friedrichs eignem Heere beygewohnt. Obgleich damals sehr jung, und folglich unfähig aus Mangel an Erfahrung selbst richtig zu urtheilen, hörte ich doch wißbegierig auf die Urtheile alter Krieger, deren Werth ich hernach in einem reifern Alter näher prüfte. Ohne je an die Verfassung einer solchen Geschichte

zugedenken, sammlete ich auf meinen Reisen viele
damit verbundene Nachrichten, da sie einen Zeitpunct meines jugendlichen Lebens illustrirten, und
der siebenjährige Krieg, nach dem Maaß, daß
ich die Jahrbücher der Nation studirte, mir
immer merkwürdiger wurde. Hier habe ich davon Gebrauch gemacht, und die hier folgenden
Bücher dabey benutzt. Geschrieben Hamburg,
den 4ten Januar 1788.

v. Archenholtz.

Verzeichniß
der
zu dieser Geschichte gebrauchten Bücher.

Beyträge zur Staats = und Kriegsgeschichte. 19. Bände. Danzig 1764. Ein Werk voller Urkunden.

Geschichte des siebenjährigen Krieges in Deutschland, von G. F. von Tempelhof, Königlich = Preußischen Major beym Feld = Artilleriecorps. 3 Theile. Berlin 1785.

Beyträge zur Kriegskunst und Geschichte des Krieges von 1756 bis 1763 mit Plans und Charten, von J. G. Tielke, Churfürstl. Sächs. Artillerie = Hauptmann. 5 Stücke. Freiberg 1781.

Von Schlesien. 2 Theile. Freiburg 1785.

Briefwechsel des Marquis von Mont = Alembert, in den Feldzügen von 1757 bis 1761. 3 Theile. Breslau 1780.

Abriß der drey Schlesischen Kriege, von Ludwig Müller, Königl. Preuß. Ingenieur = Lieutenant. Berlin 1786.

Die Feldzüge der Preußen wider die Sachsen, Oesterreicher, Franzosen, Reichstruppen, Russen und Schweden. Vom Jahre 1756 bis 1760. 6 Theile. Frankfurt und Leipzig 1763.

Leo

Lebens = und Regierungs = Geschichte Königs Friedrichs des Andern in Preußen. 2 Theile. Leipzig 1784.

The Generale History of the War from 1755, to the Peace in 1763. By the Rev. John Entick. 5 Volumes. London 1784.

Commentaires fur les Commentaires du Comte de Turpin fur Montecucúli etc. Par. M. de W. G. M. 2 Tomes. A St. Mariao 1777.

Remarques fur l'Essai Général de Tactique, de Guibert. Par Le General de Warnery. à Varsovie 1782.

Nachrichten, die Feldzüge von 1756 bis 1763 betreffend. Dresden 1785.

Sammlung ungedruckter Nachrichten, die die Geschichte der Feldzüge der Preußen von 1740 bis 1779 erläutern. 5 Theile. Dresden 1782.

Militärische Monatsschrift. Dieses periodische Werk sowohl als das folgende sind beide voll genau erzählter Kriegsnachrichten und Fragmente aus militärischen Tagebüchern, oft von respectablen Männern niedergeschrieben.

Bellona. Ein militärisches Journal.

Hiezu kommen eine Menge benutzter Manuscripte und viele vom Verfasser selbst gesammlete Nachrichten.

Ge-

<hr>

Geschichte

des

siebenjährigen Krieges

in Deutschland.

(1756) Der Achner Friede hatte nach einem langwierigen Kriege allen Völkern Europens Ruhe verschafft; die Künste des Friedens blühten wieder, und man hielt die Erneuerung kriegrischer Scenen auf viele Jahre entfernt. Indessen waren doch die größten Beherrscher dieses Welttheils zu eben der Zeit nichts weniger als friedlich gesinnt. Nie wurde in den Cabinettern mit größerm Eifer gearbeitet, dem Dämon des Krieges neue Opfer zu bringen. Es gelang auch. Bündnisse wurden nicht sowohl auf die Grundsäulen einer weisen Staatskunst, als auf Privatleidenschaften errichtet. Der Wunsch Eroberungen zu machen war ganz der Begierde untergeordnet, Haß und Rache zu befriedigen. Zwey Fürstinnen, die damals als Selbstherrscher zahlreiche Völker regierten, glaubten persönlich von einem Monarchen beleidigt zu seyn, auf den die Augen aller Nationen geheftet waren, der mit Lorbern gekrönt zwey Kriege geendigt hatte, dessen hohe Geistesfähigkeiten allgemeine Bewunderung erregten, und der in seinen Regententugenden als das Muster der Könige gepriesen wurde. Ihn zu demüthigen, oder vielmehr seine politische Existenz zu vernichten, wurden daher die zweckmäßigsten Entwürfe gemacht.

So

So entstand ein Krieg, der in Ansehung der großen Menge bewaffneter Heerschaaren von so verschiedenen Völkern und Zungen, der Feldherrn und ihrer Thaten, der angewandten verfeinerten Kriegskunst, der blutigen Schlachten zu Lande und zu Wasser, nebst deren Folgen, der sonderbaren Begebenheiten so mannigfaltiger Art, und der Ausdehnung in allen Welttheilen, zu den außerordentlichsten gehört, die je die Erde verwüstet haben.

Schlesien, ein schönes mit arbeitsamen Einwohnern bevölkertes Land, das Friedrich der Zweyte, König von Preußen, gleich nach seiner Thronbesteigung erobert, und mit dem Schwerdt sowohl im Breslauer, als im Dresdner Frieden behauptet hatte, konnte von der Kaiserin Königin Maria Theresia nicht verschmerzt werden. Sie war gezwungen worden es dem Sieger zu überlassen, der nach ihrem Regierungsantritt von allen ihren gekrönten Feinden zuerst mit den Waffen in der Hand erschien, und unerwartete Forderungen that. Der Werth des Verlustes wurde erst erkannt, als Friedrich dies Land auf eine ihm eigne Art zu benutzen wußte. Es durch furchtbare Verbindung wieder zu erobern, schien ein leichtes zu seyn. Der König von Pohlen und Churfürst von Sachsen, August der Dritte, der durch seinen mächtigen Nachbar schon einmal aus seiner Reßdenz vertrieben worden war, und der bey dessen Demüthigung Sicherheit für die Zukunft und neue Provinzen zu erhalten hoffte, trat zuerst dem Bunde bey; ein gleiches that Elisabeth, Kaiserin von Rußland, die sich durch eine nachtheilige Aeußerung Friedrichs über ihren Privat-Character höchlich beleidigt fand, und endlich auch Ludwig der Funfzehnte, König von Frankreich, dem die von ihm durch Subsidien abhängende Schweden folgten.

Diese Allianz zwischen Oesterreich und Frankreich, die die Welt in Erstaunen setzte, und als das größte

Mei-

Meisterstück der Politik betrachtet wurde, war ein bloßer
Zufall; denn nie wünschte Frankreich ernsthaft den König
von Preußen zu Grunde zu richten. Die Hauptent-
würfe dieses Hofes giengen auf England, man wollte
Hannover erobern, um dadurch höhere Absichten in
America zu erreichen. Da nun durch dies Oesterreichische Bündniß Frankreich Gelegenheit bekam, Truppen
in Deutschland rücken zu lassen, so versprach dieser Hof
der Kaiserin Königin 20,000 Mann Hülfstruppen zu
geben. Diese wuchsen aber bald durch mancherley Ver-
anlassungen, durch neue Grundsätze, durch abgeänderte
Entwürfe, durch Intriguen, und durch die Schicksale
des Kriegs, zu mehr als 200,000 Mann an.

Der Untergang Friedrichs, der durch seinen großen
Geist und durch sein Glück nachher vereitelt wurde,
wäre ganz unvermeidlich gewesen, wenn er nicht durch
Verrätherey Nachricht von dem ihm so gefährlichen
Bündnisse bekommen hätte. Seine zerstreute Staaten, seine größtentheils offne Provinzen, und seine
Sicherheit, alles lud die Verbündeten ein, einen Feldzug anzufangen, der keinen beschwerlichen Krieg, sondern eine Reihe leichter Triumphe im Prospect zeigte.
Die zeitige Entdeckung dieser politischen Entwürfe aber,
schwächte außerordentlich die Gefahr eines Fürsten,
der auf eine bisher noch nie erhörte Art beständig zum
Kriege vorbereitet war, der das große Talent eines
Heerführers in einem seltenen Grade besaß, der
200,000 Mann der geübtesten Soldaten, und eine
reichlich gefüllte Schatzkammer hatte. Diese Vortheile mußte sein großer Geist aufs beste zu nutzen, und da
sich der Wiener Hof wiederholt weigerte, ihm die verlangten Friedenszusicherungen zu thun, entschloß er
sich schleunig seinen Feinden zuvorzukommen, und griff
selbst zuerst zum Schwerdt.

Die Bundsgenossen hatten damals ihre Zurüstungen kaum angefangen; es fehlte allenthalben an Geld,
und die zum Kriege bestimmten Truppen lagen noch
größ-

größtentheils ruhig in ihren Standquartieren, von dem pyrenäischen Gebirgen bis zum caspischen Meere, als der König von Preußen im Monat August 1756 sich wie ein Riese von seinem Lager erhob, und mit 60,000 Mann in Sachsen einfiel. Die Besitznehmung dieses Landes war ihm zum Eindringen in Böhmen durchaus nothwendig. Er hatte keinen Alliirten, als den König von England, Georg den Zweyten, der, wegen seines Churfürstenthums Hannover besorgt, ein Bündniß mit Friedrich eingegangen war, davon die Vortheile sich aber nur noch sehr in der Ferne zeigten. Die Rettung des preußischen Monarchen hing also ganz allein von der Geschwindigkeit und dem Nachdruck seiner Kriegsoperationen ab. Der Einmarsch in Sachsen geschah in drey Colonnen, deren Anführer der König, der Herzog Ferdinand von Braunschweig und der Herzog von Bevern waren, und die sich sämmtlich bey Dresden vereinigen sollten.

Sobald man hier die erste Nachricht von Friedrichs Aufbruch erhielt, war die Bestürzung des Hofes außerordentlich. Man hielt geheime Rathsversammlungen, bey denen der Graf von Brühl präsidirte; ein Minister, dessen Größe nicht in einer tiefen Staatskunst, sondern in dem Talent bestand, einen königlichen Aufwand zu machen, und seinen Monarchen unumschränkt zu beherrschen. Es wurde also in dieser gefährlichen Lage unter allen möglichen Maaßregeln die aller unweiseste genommen. Man zog in größter Eil die Sächsischen Truppen zusammen, die eine Armee von 14,000 Mann ausmachten, und schlug an den Böhmischen Gränzen ohnweit Pirna ein Lager auf. Die Lage desselben war von Natur fest, und die Kunst that nun das Uebrige, um es unbezwinglich zu machen. Man dachte aber blos sich gegen das Schwerdt der Preußen in Sicherheit zu setzen, und vergaß darüber einen weit fürchterlichern Feind von dem Lager zu entfernen, der seit Jahrtausenden so viel Heere besiegt,

so

so viele große Feldherren zur Flucht gebracht, oft die
größten Siege vereitelt, und die langwierigsten Kriege
auf einmal geendigt hat.   Das Wort Hunger und
dessen schreckliche Wirkung mußte einem Minister unbekannt seyn, der im asiatischen Ueberfluß zu leben gewohnt, an keinen Mangel dachte, der folglich die unbedeutendsten Anstalten zum Unterhalt seiner braven
muthigen Truppen machte, und selbst in dieser kum-
mervollen Lage beständig eine prachtvolle Tafel hielt.
Indessen hatte die Armee nur auf funfzehn Tage Lebensmittel im Lager.   Man versah sich mit Pallisaden,
aber nicht mit Brodt, und verließ sich auf die Kaiserlichen Truppen, die unter dem Commando des Feldmarschalls Grafen Brown in Böhmen eiligst zusammengezogen wurden.

Mittlerweile war Friedrich in Sachsen eingetroffen, und machte alle Anstalten sich in diesem Lande zu
behaupten, unter der Versicherung, daß er es nur in
Depot nehmen wollte; eine Erfindung der neuern
Staatskunst, um der Besitznehmung eines benachbarten Landes das Ansehn eines feindlichen Einfalls zu
benehmen, die aber von den Gegnern gewöhnlich mit
dem wahren Namen bezeichnet wird. Es wurden zur
Verpflegung der Preußischen Truppen große Lieferungen an Getreide, Vieh und Fourage ausgeschrieben;
die Stadt Torgau wurde befestigt, und mit Canonen
besetzt, die man in den verschiedenen Sächsischen Städten gefunden hatte. Einige tausend Bürger und
Bauern mußten an diesen Festungswerken arbeiten,
wofür sie jedoch anfangs bezahlt wurden. In diese
Stadt wurde sodann das Preußische General-Kriegs-
Commissariat und die Feld-Kriegskasse verlegt, wohin
auch alle Contributionen des Landes geliefert werden
mußten.

Der König von Preußen selbst rückte den 10ten
September ohne Widerstand in das von allen Truppen
entblößte Dresden ein, und besetzte die Stadt und das
König-

königliche Schloß. Sein und seiner Soldaten Betra=
gen bey dieser Gelegenheit characterisirte den Geist un=
sers Zeitalters, wo man sich bemüht, selbst im Kriege
mitten unter harten Demüthigungen, unter höchst
kränkenden, ia schrecklichen Scenen, verfeinerte Sit=
ten, Empfindsamkeit und Höflichkeiten anzubringen.
Friedrich nahm sein Hauptquartier in einem Garten
in der Vorstadt, in deren Nähe seine Armee campirte.
Alle Maaßregeln wurden genommen, um das scheus=
liche Bild des Kriegs in den Augen der betäubten Sach=
sen weniger schrecklich zu machen, und den neuen Ge=
bieter in einer liebenswürdigen Gestalt zu zeigen. Er
wollte als Freund, als künftiger Bundsgenosse und
als Gast angesehn seyn. Nichts gieng daher seinem
gnädigen Betragen ab. Den auswärtigen Gesandten
wurde Audienz ertheilt, wobey man scherzte und auf=
geräumt war. Fast alle Standespersonen, die sich in
Dresden befanden, machten ihre Aufwartung; ein
gleiches that der Stadtmagistrat. Alle wurden wohl
aufgenommen; der König hielt öffentliche Tafel, wo=
bey die Sachsen in zahlreichen Haufen als Zuschauer
erschienen; er ließ die königliche Familie complimenti=
ren; sie blieb dafür nichts schuldig, und trieb die Höf=
lichkeit so weit, ihn zur Tafel einzuladen, und Kam=
merherren zur Aufwartung anzubieten, welches beides
jedoch nicht angenommen wurde. Dieser Höflichkeiten
ohngeachtet aber wurden in Dresden die Kanzleyen
versiegelt, die Collegiensäle verschlossen, einige der vor=
nehmsten Civilbeamten ihrer Dienste entlassen, die
ganze Artillerie nebst der Munition aus dem Arsenal
der Residenz nach Magdeburg gebracht, und im gan=
zen Lande die churfürstlichen Gassen in Beschlag ge=
nommen; dabey wurde alle Communication zwischen
Dresden und dem Sächsischen Lager abgeschnitten, so
daß der Weg dahin blos den mit Victualien für des
Königs von Pohlen eigene Tafel beladenen Wagen, den
Couriers der beiden Könige und den abgesandten Trom=
petern offen war.   Das

Das zum Untergang des Königs von Preußen entworfene Bündniß war zwar diesem Monarchen verrathen worden, er hatte auch Abschriften vieler dazu gehörigen wichtigen Papiere, allein es war noch manches dunkel geblieben. Die genaue Kenntniß der gemachten Entwürfe war ihm jedoch zu seiner Selbsterhaltung äußerst nöthig; hiezu kam die politische Pflicht, seinen Einfall in Sachsen, der alle europäische Höfe in Erstaunen setzte, durch unverwerfliche Documente zu rechtfertigen. Diese Betrachtungen legten ihm die Nothwendigkeit auf, sich des Sächsischen Archivs zu bemächtigen. Man hatte seinen Wunsch vorhergesehn, und daher diese Staatsheiligthümer in das Appartement der Königin von Pohlen gebracht; sie selbst hatte dazu allein den Schlüssel, und bewachte das Archiv wie den kostbarsten Schatz. Das Ansuchen Friedrichs es auszuliefern, wurde daher von dieser Dame, seiner erklärten Feindin, rund abgeschlagen. Der Preußische General Winterfeld, Liebling des Königs, ein so vortreflicher Krieger, als feiner Hofmann, wurde darauf an sie abgeschickt. Alle seine Vorstellungen aber waren vergebens; sie beharrte steif bey ihrem Entschluß, obgleich Winterfeld sich vor ihr auf die Kniee warf, um sie zu bewegen und den Willen seines Königs zu erfüllen. Er entfernte sich; und bald nachher erschienen andre Abgeordnete, die militärisch verfuhren, und den verschlossenen Schrank mit Instrumenten öffnen wollten. Die Königin glaubte ihn durch ihren eignen Körper hinreichend zu beschützen: sie stellte sich daher vor denselben, und spannte ihre Arme aus. Diese Entschlossenheit aber diente zu nichts, als sie noch mehr zu demüthigen. Man trug sie von ihrem Posten weg, ohne auf ihr großes Geschrey und ihre thätige Widersetzlichkeit zu achten, und Friedrich erhielt die gewünschten Papiere.

Diese unehrerbietige Berührung eines königlichen Leibes, obgleich die Umstände es vollkommen rechtfertigten,

B

tigten, wurde als eine Art von seltener Grausamkeit betrachtet. Der Vorfall, mit großen Zusätzen von den Leide, den an alle Höfe berichtet, und Friedrichs Verfahren in Sachsen überhaupt mit den schwärzesten Farben geschildert, trug nicht wenig bey, seine Fe.nde zu vermehren, und viele seiner Freunde kaltsinnig zu machen. Es ist bekannt, daß die damalige Dauphine, Mutter des ietzigen Königs von Frankreich, eine Tochter der gebeugten Königin von Pohlen, Ludwig dem Funfzehnten in Thränen zerfließend zu Füßen fiel, und um seinen Beystand flehete, ihre königlichen Eltern und ihr Vaterland zu retten. Die Grundsäße der Staatskunst wurden nunmehr an dem Hofe von Versailles aus den Augen gesetzt, und Frankreich steng ietzt ernsthaft an, Antheil an einem Kriege zu nehmen, der so sehr mit seinem wahren Staatsinteresse stritt, und den es daher bis ietzt nur wie eine politische Farce betrachtet hatte.

Es wurde iedoch immer noch mit großem Eifer gearbeitet, zwischen den Königen von Preußen und von Pohlen einen Frieden zu stiften. Die Englischen und Holländischen Gesandten, Graf Stormont und Herr Caltoen widmeten besonders alle ihre Kräfte diesem wohl thätig n Geschäfte. Friedrich verlangte vom König von Pohlen eine genaue Reutralität, und zum Beweis derselben sollten die Sächsischen Truppen aus einander gehen und ihre Quartiere beziehen. August versprach neutral zu bleiben; allein er schlug es ab, seine Zusicherung durch Handlungen zu bestätigen. Er forderte seine Truppen durch eine öffentliche Erklärung auf, die Ehre ihres Königs zu retten, und sich bis auf den letzten Blutstropfen zu vertheidigen. Die getreuen Sachsen, zu deren Charakteristik es gehört, ihre Herrscher, wie sie auch immer beschaffen seyn mögen, leidenschaftlich zu lieben, zeigten ihre Bereitwilligkeit, Augusts Erwartungen zu erfüllen. Der Mangel herrschte iedoch in ihrem Lager schon so sehr, daß Menschen

und

und Pferden ihr bestimmter Unterhalt um ein Drittheil
verkürzt wurde. Ihr Muth wuchs jedoch, da sie von
der Annäherung der Oesterreichischen Armee hörten, die
damals schon über 70,000 Mann in Böhmen stark war.

Brown hatte von seinem Hofe die gemessensten
Befehle, alles zu wagen, um die Sachsen zu entsetzen.
Die Vereinigung beider Heere unter einem so erfahrnen Feldherrn hätte dem Kriege sodann eine andre Gestalt gegeben. Friedrich war davon überzeugt, und
verdoppelte deshalb seine Anstalten das Sächsische Lager einzuschließen, und den darin befindlichen Truppen
alle Hülfe abzuschneiden. Um diesen Zweck desto besser
zu erreichen, mußte der Feldmarschall Keith mit einem
starken Corps in Böhmen vorrücken, und die Bewegungen der Oesterreicher beobachten. Der Preußische
Feldmarschall, Graf Schwerin, war schon von Schlesien aus mit einer Armee von 35,000 Mann in Böhmen eingedrungen, und hatte sich ohnweit Königsgrätz
gelagert. Diese beiden Preußischen Armeen sollten nach
Friedrichs Entwurf die Feinde in ihrem eignen Lande
so beschäftigen, daß sie an die Sachsen nicht denken
könnten. Er selbst harrte täglich auf die Uebergabe,
weil er bedenklich fand, vorher nach Böhmen zu gehn,
wo er keine Magazine hatte; auch wären die Sächsischen Truppen durch diese Preußische Operation Meister von der Elbe geworden, und ihm im Rücken geblieben. Es fehlte ihm überdem für jetzo an einer hin-
reichenden Anzahl von Fuhrwerken und Fahrzeugen
zum Transport der Lebensmittel; und die fürchterlichen Deflern, die die Zugänge dieses Königreichs von
allen Seiten decken, machten auch noch mancherley Vorkehrungen nothwendig.

Brown mußte, um die Sachsen zu entsetzen,
über die Eger gehn; allein er hatte noch keine Ponton.
Diese mit der nöthigen Artillerie kamen erst den 30sten
September in seinem Lager an, da er sich denn sogleich
in Bewegung setzte. Friedrichs Absicht war nun, durch

B 2   eine

eine Schlacht ihn zum Rückzug zu nöthigen; er brach
daher den 30sten September auf, an eben dem Tage,
da Brown wirklich die Eger passirt war. Am folgenden Morgen, gleich nach Tagesanbruch, trafen beide
Armeen auf einander, ohnweit Lowosiß, einem böhmischen Dorfe. Die Oesterreichische war zwey und
funfzig Bataillons, und zwey und siebenzig Schwadrons stark, dabey hatte sie acht und neunzig Canonen;
die Preußische bestand aus sechs und zwanzig Bataillons
und sechs und fünfzig Schwadrons; sie führte hundert
und zwey Canonen. Es war ein so starker Nebel, daß
man nur wenige Schritte vor sich sehen konnte. Die
Anhöhen von Lobosch und Radostiz, die die Stellung
der Oesterreicher commandirten, waren von Brown
unbesetzt geblieben. Dieser Umstand verleitete Friedrich zu glauben, daß die Oesterreicher über die Elbe
gegangen wären, und er blos auf die Arriere-Garde
gestoßen sey. Einige tausend Mann Croaten und Un-
garischer Infanterie, die am Fuße des Loboscher Ber-
ges in Weingärten postirt waren, und ein verlohrnes
Feuer auf die anrückenden Preußen machten, bestätigten diese Meinung, da mit solchen leichten Truppen
gewöhnlich ein Abzug gedeckt wird. Die Kaiserliche Kavallerie, die sich dem Canonenfeuer der Preußen
aussetzte, und Stand hielt, als ob sie dadurch andre
Absichten bewirken wollte, vollendete diesen Irrthum.
Man kämpfte im Nebel, ohne einander zu sehn. Indessen hatte der König doch die Anhöhen in Besitz nehmen lassen.

Da Browns Stellung gegen die Mitte seiner Linie und auf dem linken Flügel durch Sümpfe und andre undurchdringliche Zugänge gegen allen Angriff gesichert war, so hatte er seine ganze Aufmerksamkeit
auf das Dorf Lowosiß gerichtet, das seinen rechten
Flügel deckte, und in dasselbe seine beste Infanterie
nebst einer großen Menge Geschütz geworfen; auch vor
demselben war eine starke Batterie und Redouten. Gegen

gen Mittag verlohr sich der Nebel, und man bekam sich einander ins Auge. Die Preußische Cavallerie that nun einen regelmäßigen Angriff, und warf die Oesterreichische über den Haufen, verfolgte sie aber mit übereilter Hitze bis unter die Kanonen von Lowosih. Das heftige Feuer der hier aufgepflanzten Artillerie trieb sie jedoch mit großem Verlust wieder zurück. Die nächste Unternehmung der Preußen war nun, die Kroaten aus den Weingärten zu jagen, deren Zäune und Mauern diesen Truppen zu Bollwerken dienten. Es geschah auch, obwohl mit großer Mühe. Allein nun ließ Brown durch seine beste Infanterie die Anhöhen angreifen; jedoch die darauf postirten Preußen wehrten sich wie die Löwen, und da einige Regimenter alle ihre Patronen verschossen hatten, giengen sie mit gefälltem Bajonet auf die stürmenden Feinde los, und schlugen mit den Kolben wie mit Keulen um sich herum. Dieß entsetzliche Handgemenge dauerte bis die Oesterreicher den Berg herunter und in Lowosih herein getrieben waren. Die Preußen benutzten die Unordnung der Oesterreicher, um das Dorf in Brand zu stecken, und in dieser Verwirrung alle feindliche Truppen herauszujagen, wodurch das Schicksal des Tages endlich entschieden wurde. Brown machte einen meisterhaften Rückzug, und überließ dem Könige das Schlachtfeld, ohne jedoch seine Ansprüche auf den Sieg aufzugeben. Dieser war indessen nicht zweifelhaft, wie die Folgen bewiesen; obgleich das Preußische Heer einen größern Verlust an Soldaten erlitten hatte, und beide Theile Gefangene zählten.

So war die erste Schlacht in diesem denkwürdigen Kriege beschaffen, die von sieben Uhr des Morgens bis um drey Uhr Nachmittags dauerte, und gleichsam das Handgeld der Preußischen Tapferkeit für die folgenden Schlachten war. Der Verlust der Sieger an Todten, Verwundeten und Gefangenen war 3,300 Mann;

die

die Oesterreicher verlohren dabey einige hundert Soldaten weniger.

Brawn war nun genöthigt sich über die Eger zurückzuziehen, und mußte seine Entwürfe, die Sachsen
zu befreien, ganz abändern. Es wurde beschlossen,
daß diese bedrängten Bundsgenossen in der Nacht vom
11ten October bey Königstein über die Elbe gehen sollten, sodann wollte man die Preußen von beiden Seiten angreifen. Ein außerordentlich regnichtes und stür-
misches Wetter aber verzögerte diesen Uebergang. Es
wurde auf zwey Tage später verschoben. Diese kostbare Zeit benützte Friedrich, die Posten an der Elbe zu
verstärken, und sie durch Verschanzungen und Ver-
haue zu befestigen. Der Boden auf der rechten Seite
dieses Flusses bey Pirna und Königstein ist voller hohen
Berge, die mit dickem Gehölze bedeckt sind. Die tiefen Gründe, die sie von einander absondern, zeigen
nichts als unwegsame Gegenden, die am wenigsten
zum Marsch eines Kriegsheers gemacht sind, besonders
wenn ein mächtiger Feind in der Nähe ist, und die Anhöhen besetzt hat. Die Sachsen hofften, da sie über
die Elbe gekommen waren, etwas von der Annäherung
der Oesterreicher zu hören; allein sie fanden keine Spur
von ihren Bundsgenossen, die durch ein Preußisches
Corps vom weitern Vorrücken abgehalten wurden; dagegen sahen sie die Preußen Meister von den Defileen,
die man passiren mußte, um Böhmen zu erreichen.
Sie versuchten indessen sich am Fuße des Liliensteins
zu formiren, welches aber der enge Raum nicht gestattete; daher sie sich ohne Ordnung und muthlos lagerten, voll banger Erwartung ihres traurigen Schicksals. Diese nunmehr verschlimmerte Lage hatte gänzlich darin ihren Grund, daß weder die Oesterreicher,
noch selbst die Sachsen das Terrain kannten, und daher auf gut Glück Entwürfe machten.

Das verlassene Sächsische Lager bei Pirna wurde
sogleich von den Preußen besetzt, die dabey auf die An-
ieres

viere = Garde der Sachsen stießen. Man nahm sie ge=
fangen, und bemächtigte sich des größten Theils der
Bagage und der Artillerie. Dieß war ein wichtiger
Transport, der nicht zu den Truppen hatte stoßen kön=
nen, weil die Brücke gebrochen war.

Nie befand sich ein wohl disciplinirtes Kriegsheer
eines tapfern Volks in einer traurigern Lage. Es war
ganz die Geschichte von Caudinum, und wenn die Sam=
nitischen Gabeln nicht zum Vorschein kamen, so hatte
man es den so sehr verschiedenen Grundsätzen und Be=
griffen zu verdanken, die sich seit zwey und zwanzig
Jahrhunderten auf unsrer Erde so sehr geändert haben.
Der Hunger wüthete bey den Sächsischen Truppen;
hiezu kam die Kälte in der rauhen Jahreszeit, und
der Verlust ihres Gepäckes. Drey Tage und drey
Nächte hintereinander waren sie unterm Gewehr, oh=
ne Speise zu sich zu nehmen; selbst an Pulver und
Munition hatten sie Mangel. Nun lagen sie unter
freyem Himmel, von wachsamen Feinden umgeben,
aller Rettungsmittel, ja aller Hofnung beraubt. Ihr
Schicksal hieng jetzt ganz von der Gnade des Siegers
ab, dem sie mit Augusts Bewilligung endlich eine Ca=
pitulation antrugen. Die Bedingungen, unter wel=
chen sie geschlaffen wurde, waren hart, sowohl für die
Sächsischen Truppen, als für ihren König. Die gan=
ze Armee mußte das Gewehr strecken. Die Officiers
wurden entlaffen; den Unterofficiers und Gemeinen
aber ließ man keine Wahl; sie waren gezwungen dem
König von Preußen den Eid der Treue zu schwören.

Der König von Pohlen erlitt nun eine Demüthi=
gung, die seit Jahrhunderten nicht das Loos eines eu=
ropäischen Monarchen gewesen war. Er verlohr auf
einmal seine ganze Sächsische Armee, die voll Treue
gegen ihn war, und kaum blieben ihm ein paar Leib=
wächter übrig, die sich nebst einem sehr kleinen Gefol=
ge bey ihm in Königstein befanden. Alle seine Bemü=
hungen, günstigere Bedingungen von dem Sieger zu

erlangen, waren fruchtlos. Friedrich gab selbst die
Antwort en auf die Capitulations - Artikel dieses merkwürdigen Tractats. Einige derselben, die sich auf die
großen Bedürfniffe der gefangenen Truppen bezogen,
find ganz laconisch, und nur durch das einzige Wort
Gut bezeichnet, alle aber verrathen den entscheidenden Ton des Ueberwinders, der da glaubt mehr zu bewilligen, als man ein Recht hat zu erwarten. August
hat dringend, ihm wenigstens seine Garde, ein vor-
treffliches Corps Soldaten, zu laffen. Friedrichs Antwort darauf war äußerst bemüthigend, und zeigte
das Recht des Stärkern auf eine auffallende Weise.
Es hieß: fie müßten mit den andern Truppen gleiches
Schicksal haben, weil man sich nicht die Mühe ge-
ßen wollte, fie zum zweytenmal gefangen zu nehmen.

Zehn Sächsische Infanterie - Regimenter blieben
ganz beysammen, nur mit dem Unterschiede, daß fie
Preußische Uniformen, Fahnen und Befehlshaber bekamen; die übrigen aber nebst der sämtlichen Cavallerie wurden unter Preußische Regimenter gesteckt.

Diese Handlung Friedrichs, ein ganzes Heer eines fremden Fürsten zu zwingen, dem Eroberer in geschlossenen Kriegsscharen zu dienen, ist vielleicht in
der Weltgeschichte ohne Beyspiel. Man verließ sich zu
fehr sowohl auf das damalige Unvermögen Augusts,
eine Armee zu unterhalten, als auf die Bedürfniffe
der Truppen, die jetzt keinen Herrn hatten, und achtete nicht auf die den Sachsen angestammte Liebe zu
ihrem Vaterlande und zu ihrem Fürsten. Diese zeigte
sich jedoch bald zu Friedrichs Verwunderung. Man
hatte wohl unter diesen gezwungenen Sachsen auf Deserteurs gerechnet, allein daß ganze Regimenter mit
Entschlossenheit und Ordnung ausreißen würden, dieses war unerwartet. Die meisten zogen regelmäßig
ab, mit allen militärischen Ehrenzeichen, und marschirten entweder nach Pohlen, oder stießen zu den
Fran-

Französischen Armee. Der König von Preußen hatte
viele Sächsische Unterofficiers zu Officiers ernannt, um
ihnen seinen Dienst angenehm zu machen. Diese
Maaßregel aber war unzureichend; denn diese Patrio-
ten waren selbst die Anführer beym mütiniren; die andern Officiers aber, die nicht mitwollten, wurden gezwungen sich zu entfernen,

Die Festung Königstein wurde während dem Kriege für neutral erklärt, und der König von Pohlen, der
auf diesem Felsen sein Schicksal erwartete, erhielt für
sich und sein Gefolge Pässe, um sicher nach Warschau
zu reisen, wohin er auch unverzüglich abgieng. Dieser
Monarch war durch sein großes Unglück außerordentlich gebeugt. Er schrieb den 14 Oktober an seinen
Feldmarschall Graf Rutowsky; „Man muß sich der
„Vorsehung unterwerfen. Ich bin ein freyer König.
„So will ich leben und sterben. Ich übergebe euch
„das Schicksal meiner Armee. Euer Kriegsrath mag
„entscheiden, ob man sich ergeben, oder den Tod wäh-
„len soll; es sey durch Hunger oder durchs Schwerdt.„
Er hatte von Königstein aus viele Briefe mit dem
Preußischen Monarchen gewechselt, der von der anfangs verlangten Neutralität nach und nach bis zu
dem Antrag eines Bündnisses stieg; und da August unbeweglich blieb, gab ihm Friedrich den 18ten October
ein sehr höfliches Abschiedsschreiben mit auf den Weg.
Der Titel in diesen königlichen Briefen war von beyden Seiten Herr Bruder; eine zärtliche Benennnng,
die zumal, unter solchen Umständen, einen Platz in
der Geschichte verdient. Man bezeigte dem Abreisenden
König die größte Ehrfurcht; sogar wurden alle Truppen von der Route entfernt, um den Augen des unglücklichen Monarchen unangenehme Gegenstände zu
entziehn.

Der Feldzug war nun zu Ende. Die Oesterreichische Armee zog sich tiefer in Böhmen herein, und die
Preußen bezogen die Winterquartiere in Sachsen und

Schlesien. Friedrich blieb den Winter über in Dresden und behandelte nun sein Depot als eine förmlich eroberte Provinz. Er gab den Sächsischen Ministern fleißig Audienz, ertheilte seine Befehle über alle Gegenstände der Landes = Administration, und forderte von den Landständen 10,000 Recruten.

[1757] Die Zurüstungen aller im Kriege verbundenen Mächte zum künftigen Feldzuge waren außerordentlich. Franzosen und Schweden, Siebenbürger, Mayländer, Wallonen, Cosaken und Calmucken setzten sich in Bewegung, und da es fast allenthalben bey dem besten Willen an Gelde fehlte, so wurden alle Künste angewandt, theils baare Anleihen zu machen, theils Capitalisten zu vermögen, Lieferungen Vorschußweise zu übernehmen. Der König von Preußen hatte jedoch vor allen seinen Gegnern den Vortheil voraus, dieser Hülfsmittel entbehren zu können. Seine gefüllte Schatzkammer und sein reichhaltiges Depot, verursachten, daß die Preußischen Truppen, mit allem überflüssig versehen den nächsten Feldzug eröffnen konnten. Die Sachsen aller Volksklassen, die wegen Aehnlichkeit der Religion, der Sprache, der Sitten und der Sinnesart weit mehr den Preußen als den Oesterreichern geneigt waren, wünschten, da doch Krieg seyn mußte, daß ihr Beherrscher sich mit den eustern verbünden möchte. Noch wurden sie mit keiner Härte behandelt. Lieferungen an die Armee, die jedoch nicht unterdrückten, wöchentliche Mahlzeiten an die einquartirten Soldaten und kleine Unannehmlichkeiten, waren zur Zeit noch die einzigen Kriegslasten, die die Sachsen bannten. Sie lebten übrigens mit den Preußen ganz freundschaftlich. In Dresden wurden Schauspiele, Bälle, Maskeraden und Concerten gegeben; der König gab selbst fast täglich Concerte, wobey er, der so mächtig bedrohete Monarch, mit seiner Flöte accompagnirte.

Diese

Diese Gemüthsruhe, die seine philosophische Denkungsart und die Kenntniß seiner Kräfte bewirkte, wurde jedoch auf mannichfaltige Weise unterbrochen. Es ereignete sich diesen Winter unter andern ein Vorfall, dessen nähere Umstände nur sehr wenigen bekannt sind. Vor dem neunzehnten Jahrhundert dürfte es wohl keinem deutschen Geschichtschreiber erlaubt seyn, sie der Welt mitzutheilen. Friedrich sollte vergiftet werden. Ein Kammerlakey, Namens Glasau, der beym Könige in großer Gunst stand, so daß er oft in seinem Bettzimmer schlafen mußte, wurde gedungen, den Monarchen aus der Welt zu schaffen. Den Entwurf wußten nur einige Personen, und von diesen war keine Entdeckung zu besorgen. Ein Zufall aber verrieth dem König in der Stunde der Ausführung, daß ein Anschlag wider sein Leben gefaßt sey. Glasau umfaßte die Füße des Königs, und flehete um Gnade, die ihm jedoch nicht gewährt werden konnte. Er wurde fest genommen, in des Monarchen Gegenwart gerichtlich verhöret, und sodann den nächstfolgenden Tag in Ketten nach Spandau geführt, wo er in einen Kerker, abgesondert von allen Menschen, in kurzer Zeit sein Leben elend endigte. Es schien dem König so sehr daran gelegen, das Geheimniß zu bewahren, daß er nicht einmal einen Arzt erlauben wollte, diesem Unglücklichen in seinen letzten Stunden beyzustehn.

Die Mäßigung, die der König von Preußen noch zur Zeit in Sachsen beobachtete, hatte ihren Grund in der noch nicht aufgegebenen Hoffnung, August zum Frieden zu vermögen, wozu er beide Hände bot; allein die Wunde war zu tief geschlagen, das Bündniß dieses Königs mit Oestreich, und Rußland zu enge, und seine Erwartungen einer glücklichen Veränderung zu groß, als daß er den Preußischen Vorschlägen Gehör geben sollte. Dagegen waren die Klagen seiner Gesandten, von seinen mächtigen Bundsgenossen unterstützt, in Regensburg und an allen europäischen Höfen

fen ohne Gränzen. Die Leidenschaft unterbrückte dabey alle Besonnenheit, und schwächte das Erinnerungsvermögen gelehrter Männer so sehr, daß man in öffentlichen Staatsschriften Friedrichs Einfall in Sachsen, als ein in der ganzen Weltgeschichte beyspielloses Unternehmen darstellte. Der Entzweck wurde auch vollkommen erreicht. Alle verbündete Höfe verdoppelten ihren Eifer bey den gewaltigen Zurüstungen, und der Reichstag der Germanischen Republik in Regensburg ergriff den seit vielen Generationen verrosteten Staatsdonnerkeil, um ihn auf den König von Preußen zu schleudern. Er wurde förmlich in den Reichsbann gethan, und dadurch aller seiner Länder und Würden verlustig erklärt. Dies Urtheil der deutschen Amphictionen zu unterstützen, wurde trotz allen Widersprüchen von Preußens Freunden, wovon die Versammlungen ertönten ein Heer aus allen Völkerschaften Deutschlands aufgeboten, das unter dem furchtbaren Namen der Reichs-Executions-Armee dem Decret der Majorität den nöthigen Nachdruck geben sollte. So gesellte sich also zu den vielen feindlichen Heeren, bey denen Friedrichs Untergang die Losung war, ein neues, und schon fing man an, den nahen Zeitpunct zu bestimmen, wo der Krieg geendigt seyn würde.

Friedrich dem jetzt nichts übrig blieb, als durch den wirksamsten Gebrauch seiner Waffen dem Kriegsgewitter allenthalben die Stirne zu bieten, schritt nun in seinen Sächsischen Finanz-Operationen nachdrücklicher zu Werke. Die Besoldungen aller Churfürstlichen Diener wurden verringet, oder gar eingezogen. Zum Unterhalt der Landescollegien und Kanzeleyen in Dresden waren bisher 190,000 Reichsthaler erforderlich gewesen; diese Summe wurde bis auf 30,000 Reichsthaler herabgesetzt, und so ging man weiter. Diese Finanz-Reform erstreckte sich über alles. Ein paar wichtige Personen am Sächsischen Hofe waren der Beichtvater der Königin und der Director der Opern,

Ersterer

Ersterer hatte einen Gehalt von 12,000, und letzterer
von 15,000 Reichsthaler; jetzt aber mußten sie sich
mit 2000 Reichsthalern begnügen. Der ungeheure Vorrath von Porcellan, den man theils in Dresden, theils
in Meißen fand, wurde für Preußische Rechnung als
ein erbeutetes Eigenthum verkauft. Ein Sächsischer
Kaufmann erstand es für 200,000 Reichsthaler, und
legte dadurch den Grund zu seinem unermeßlichen Reichthum, so daß er in wenig Jahren ein Crösus ward.
Er stieg bis zur Höhe eines allvermögenden Dänischen
Staatsministers, und starb als der reichste Mann,
der noch je in den Nordischen Königreichen gelebt hatte.

Friedrich ließ jedoch das königliche Schloß in
Dresden unberührt. Er besuchte oft die vortreffliche
Bildergallerie, allein ohne sich etwas davon zuzueig-
nen, vielmehr beschenkte er die Aufseher reichlich. Diese Mäßigung aber verließ ihn gänzlich in Ansehung
des Grafen von Brühl, den er als den Urheber des
Bündnisses betrachtete, das Sachsen mit seinen Feinden geschlossen hatte. Der prächtige Pallast dieses
Ministers und dessen Garten eine Zierde der Residenz
und für jederman offen, wurden verheert, und noch
bis auf den heutigen Tag sind die Trümmer eines kostbaren Pavillons Denkmäler einer Rache, die man
dem gekrönten Weltweisen nicht zugetrauet hatte. Die
Sächsischen Rekruten, zum Dienst der Preußen, mußten nun herbeygeschaft werden. Der Churprinz von
Sachsen that dagegen dringende Vorstellungen; in
Friedrichs Antwort aber wurde er höflich ersucht, sich
nicht um solche Sachen zu bekümmern.

In allen Provinzen Deutschlands herrschte nun
eine kriegerische Thätigkeit, die seit vielen Jahrhunderten nicht so allgemein gewesen war. Bey allen Kriegen der neuern Zeit, selbst da unter Carl dem Fünften und unter Gustav Adolph die Deutschen aus Re-
ligionseifer einander die Hälse brachen, waren keine
so gewaltige Rüstungen geschehen, als jetzo, da alle
                                                      Völ-

Völkerschaften Germaniens, groß und klein, zu den
Waffen griffen, um für den doppelten, oder für den
einfachen Adler zu kämpfen. Es wurde nun die oben
gedachte Reichsarmee zusammengebracht, die das so
ehrwürdige Germanische Bündniß in einem lächerlichen
Lichte darstellte. Diese Truppen waren den Kreuz-
fahrern vielleicht nicht unähnlich. Die Contingente
der Bayern, der Pfälzer, der Würtemberger und einiger anderer Reichsstände ausgenommen, war der Rest
der Armee ein Zusammenfluß undisciplinirter Horden
in Schaaren vertheilt, die ein buntscheckigtes Ganzes
bildeten. In Schwaben und Franken waren Reichsstände, die nur einige Mann stellten. Auf manchen
fiel allein die Lieferung eines Lieutenants ohne Soldaten, der oft ein vom Pfluge weggenommener Bauer-
kerl war; andere lieferten blos einen Tambour und gaben ihm eine Trommel aus ihren alten Rüstkammern.
Die Schweintreiber avancirten zu Querpfeifern, und
abgelebte Karrengäule wurden bestimmt Dragoner zu
tragen. Die Reichsprälaten, die sich brüsteten Bundsgenossen so großer Monarchen zu seyn, ließen ihre Klo-
sterknechte die Kittel ablegen, und schickten sie zur Armee. Waffen, Kleidung, Bagage, kurz alles war
bey diesen zusammengetriebenen Menschen verschieden,
die man mit dem Namen Soldaten belegte, und
von denen man große Dinge erwartete.

Indessen wurden von Seiten der Preußen die
wirksamsten Maaßregeln genommen, den Feldzug früh
zu eröffnen, um den feindlichen Bundsgenossen zuvorzukommen. Die furchtbarsten dieser Alliirten waren
die Oesterreicher. Auf diese beschloß daher Friedrich
mit vereinigten Kräften loszugehen, um wo möglich,
einen großen Streich auszuführen, bevor sich die Heere der andern Völkerschaften nähern könnten. Der
Kaiserliche Hof nahm ein entgegengesetztes System an,
und wollte vertheidigungsweise gehn, bis man, mit
sämmtlichen Bundsgenossen vereinigt, auf einmal den

Ki-

König von Preußen von allen Seiten anfallen und vernichten könnte. Brown theilte deshalb seine ganze Macht
in vier große Korps, um Böhmen zu decken. Dem ohnerachtet drang Friedrich in vier Colonnen in dies Königreich ein. Der Herzog von Bevern führte eins dieser
Corps an, 16,000 Mann stark, und traf bald auf ein
feindliches von 20,000 Mann, das sich unter Anführung
des Grafen Königsegg bey Reichenberg verschanzt hatte.
Die Oesterreicher wurden sogleich angegriffen, und mit
einem Verlust von 1000 Mann an Todten, Verwundeten und Gefangenen aus dem Felde geschlagen. Nach
diesem Treffen rückte der Herzog vorwärts, und vereinigte sich bald darauf mit der Armee des Feldmarschalls
Schwerin der über Trautenau in Böhmen eingedrungen war.

Der König von Preußen gieng bald nachher über
die Moldau im Angesicht des Feindes, der seine ganze
Macht beysammen hatte, und jetzt den kostbaren Augenblick versäumte, Friedrichs kleines, abgesondertes Heer
mit überwiegendem Vortheil anzugreifen. Es herrschte
eine Eifersucht unter den obersten Befehlshabern der Kaiserlichen Truppen, die auf mancherley Art sehr auffallend
gezeigt wurde; denn Brown war jetzt dem Prinzen Carl
von Lothringen untergeordnet, der als oberster Feldherr
kommandirte.

Am 6ten May früh Morgens waren alle Preußische Armeen über 100,000 Mann stark, in der Gegend
von Prag versammlet. Sie vereinigten sich auch in der
Nähe dieser Hauptstadt bis auf die von Keith und Mo-
riz commandirten Corps, die auf der andern Seite der
Moldau blieben; und einige Stunden darauf nahm eine
der denkwürdigsten Schlachten ihren Anfang, die in den
Jahrbüchern der Kriege aufgezeichnet sind. Die Preußische Armee, die wirklich zum Treffen kamm, war 68,000
und die Oesterreichische 76,000 Mann stark. Die letztere
stand auf verschanzten Bergen. Die Zugänge dazu waren zum Theil sumpfigte Wiesen; abgelassene Teiche, deren

ren Boden voller Schlamm und mit Gras bewachsen war; schmale Dämme, ja Stege, worauf die Soldaten nur einzeln übergehen konnten. Die Oesterreichsche Infanterie stand ruhig in diesem festen Lager, und die Cavallerie war auf Fouragirung aus, als Friedrich anrückte. Der Prinz Carl ließ nun in größter Eil die Fouragierer zurückkömmen, die auch zum Theil in ihren Kitteln mit den Preußen fochten. Ohnerachtet des so sehr übeln Terrains geschah der Angriff von der Preußischen Infanterie dennoch mit einem bewunderungswürdigen Muthe. Sie konnten nur rottenweise über die schmalen Dämme gehen, und diejenigen, die durch die Wiesen wadeten, blieben bey iedem Tritt im Schlamme stecken; ja einige Regimenter kamen bis an Knie in den Morast, und nur mit größer Mühe gelang es ihnen sich heraus zu arbeiten. Einer half dem andern, und alle sprachen sich einander Muth ein. Mehrere Bataillons mußten bey diesen Umständen ihre Canonen zurück lassen, so nöthig sie solche auch brauchten. Um ein Uhr zu Mittage waren die Hindernisse bekämpft, und die Preußen singen an sich in Schlachtordnung zu stellen. Ohne sich erst von den erschrecklichen Fatiguen zu erholen, giengen sie ungestüm auf den Feind los, der sie mit einem entsetzlichen Artilleriefeuer empfing. Der König hatte Befehl gegeben, ohne mit Musketen zu schießen, gleich mit gefälltem Baionet einzudringen; allein das Cartätschenfeuer der Oesterreicher, das immer ganze Rotten zu Boden streckte, war so mörderisch, daß die Menschheit bey einem augenscheinlichen gewissen Tode der Tapferkeit ein Ziel setzte. Die Preußen wichen zurück.

Mittlerweil war die Cavallerie beyder Heere auch ins Handgemenge gerathen. Der Prinz von Schöneich der die Preußische commandirte, griff mit einem Theil derselben die ganze Oesterreichische an, und warf die erste Linie über den Haufen. Er verlohr aber durch Ueberflügelung seine beide Flanken, und wurde durch die zweyte Linie des Feindes zurückgeschlagen. Die Preußische Reuterey

terey formirte sich jedoch wieder, erhielt Verstärkung, und
gieng von neuem auf den Feind los , und nun war der Angriff entscheidend.   Die Oesterreichische Reuterey wurde
ganz auseinander gesprengt , und auf ihre eigne Infanterie geworfen, die sie in Unordnung brachte. Die Preussischen Hussaren nutzten diese Gelegenheit um einzuhauen ,
und die Verwirrung zu verembren.

Der Feldmarschall Schwerin war indessen eifrig be-
schäftiget, die zurückgeschlagene Infanterie wieder zu for-
mieren , und ließ sie gegen den Feind anrücken.   Er stellte
sich selbst an die Spitze seines Regiments, stieg vom
Pferde und ergriff eine Fahne, die in seiner Hand den
Weg des Sieges bezeichnen sollte.   Die Preußen fanden
auch diesen Weg , allein der edle Wegweiser fiel durch
drey Kugeln zu Boden gestreckt *).   Das Panier seines
Monarchen deckte ihn.   Mehrere Preußische Generals
folgten diesem Beyspiel und führten ihre Brigaden zu
Fuße an ; auch der Prinz Heinrich von Preußen sprang
vom Pferde, und erstieg an der Spitze der Seinigen eine
feindliche Batterie.   Nun stürzte das ganze Treffen der
Preußen auf die Oesterreicher , die sich in großer Unordnung befanden, und deren Flügel von einander etwas getrennt waren. Diesen Vortheil benutzte Friedrich sofort.
Er rückte in den offenen Raum , und nun war die Tren-
nung vollkommen.   Das Heer der Oesterreicher formirte
jetzt zwey große Armeen, deren eine sich auf die Flucht
ins weite Feld begab, und die andere sich in Prag warf.

C

Die-

---

*) Man hat den Tod dieses Feldherren mit Aufopferung des
Decius verglichen. Ohne der heldenmüthigen That Schwerins
etwas von ihrem Werth zu entziehen , ist es augenscheinlich ,
daß der Vergleich sehr unpassend ist. Dem deutschen Heerführer war trotz der Gefahr, in die er sich begab, nicht die Hoffnung benommen sie zu überleben ; auch theilten die ihn begleitenden Soldaten solche mit ihm : der römische aber , indem er
sich mitten unter die Feinde stürzte , weihete sich ohne alle Hoffnung dem Tode , dem er weder entgehen wollte , noch entgehen konnte.

Diesen Zufluchtsort erwählte man in Eile, ohne die Folgen zu überlegen. Man sahe jedoch das Schreckliche dieser Lage schon in den ersten Stunden ein. Es wurden auch noch den nemlichen Tag Versuche gemacht, sich wieder herauszuziehen, allein die Preußen hatten alle Ausgänge der Stadt besetzt, und zwangen die Oesterreicher wieder, in ihr Kriegsgefängniß zurückzukehren.

So war die Geschichte dieses denkwürdigen Tages, der in Ansehung der großen streitenden Heere, des vielen vergossenen Bluts, der von beiden Theilen bewiesenen Tapferkeit und der durch die Niederlage erzeugten Bestürzung, der Schlacht von Cannä nicht unähnlich war. Die römische entschied das Schicksal von ganz Italien, Rom allein ausgenommen; und die Deutsche hätte den ganzen Krieg entschieden, wenn nicht ein sehr unbedeutender Gegenstand, ein paar elende Pontons, das Loos so vieler Nationen bestimmt hätte. Die Armee des Prinzen Moritz von Dessau befand sich oberhalb Prag, an der andern Seite der Moldau, über die man eine Brücke schlagen wollte, um dem Feind in den Rücken zu kommen. Dieser Fluß war angeschwollen, man hatte hierauf nicht gerechnet, und einige Pontons fehlten, die Schiffbrücke zu vollenden. Diese muthigen Preußen blieben also in der Ferne bloße Zuschauer der Schlacht. Ein paar Pontons mehr, und die gänzliche Vernichtung des großen Oesterreichischen Heers war nicht einen Augenblick zweifelhaft. Dieser Tag wäre in der Weltgeschichte unsterblich geworden. Sodann keine Schlacht bey Kollin, keine Schlacht bey Hochkirch, kurz eine ganz andere Geschichte als wie man sie jetzt in den Jahrbüchern des achtzehnten Jahrhunderts liest. Alles was Moritz in dieser für einen Helden höchst traurigen Lage thun konnte, war, die geschlagenen Oesterreicher, die sich zur Daunschen Armee zogen, zu canoniren.

Der Verlust der Preußen an diesem Tage war 11000 Mann an Todten und Verwundeten; 1550 waren gefangen worden. Die Oesterreicher zählten 12000 Todte und

und Verwundete, dabey büßten sie 8000 Mann ein, die
nebst 60 Canonen, der Kriegskasse und vieler Bagage
den Siegern in die Hände fielen. Noch vom Wahlplatz
schrieb der König an seine Mutter. „Ich bin mit mei-
„nen Brüdern gesund; der Feldzug ist für die Oesterrei-
„cher verlohren, und ich habe mit 150,000 Mann freye
„Hände. Wir sind Meister von einem Königreich, wel-
„ches uns Geld und Mannschaft geben wird. Ich werde
„einen Theil meiner Truppen absenden, den Franzosen
„ein Compliment zu machen, mit den übrigen will ich
„die Oesterreicher verfolgen.

So blutig indessen auch diese Schlacht war, und so
große Erwartung auch ganz Europa iezt hatte, so gieng
doch alles ganz anders. Denn diese schreckliche Niederlage ist desto merkwürdiger wegen der Folgen, die sie
nicht hatte. Alle Welt glaubte, daß die flüchtige Oesterreichische Armee würde verfolgt und aufgerieben, die eingeschlossene aber durch Feuer und Hunger zur Uebergabe
gezwungen werden; allein das Kriegsglück vereitelte sehr
geschwind die Hoffnungen der Preußen, und flößte ihren
Feinden neuen Muth ein. Durch die Schlacht bey Prag
verlor iedes Heer einen vortrefflichen Feldherrn. Friedrich betrauerte den Tod Schwerins, seines Lehrmeisters
in der Kriegskunst, und ließ ihm nach geendi tem Krieg
in Berlin eine Bildsäule errichten. Der Feldmarschall
Brown starb an seinen in der Schlacht erhaltenen Wunden; er mußte aber noch vor seinem Tode die Jammer-
scenen in Prag mit ansehen.

Diese ungeheure Stadt hatte nun innerhalb ihren
Mauern ein ganzes Kriegsheer. Nebst der Prager Besatzung waren hier 50,000 Mann beysammen, worunter sich alle vornehme Befehlshaber, die Sächsischen
Prinzen, der Herzog von Modena, ia selbst der Prinz
Carl von Lothringen befanden. Eine so große Kriegsmacht war seit der Belagerung von Alexia in keiner Stadt
unsers Welttheils eingeschlossen gewesen. Alle Nationen
in Europa, Verbündete und Neutrale, erwarteten

 nun

nun ganz ausserordentliche Scenen. Friedrich ließ die ungeheure Stadt, die beynahe zwey deutsche Meilen im Umfang hat, unverzüglich berennen, und alle Ausgänge mit Batterien besetzen. Anfangs glaubte man in Wien, daß eine so gewaltige Armee, wie die Kaiserliche, die Riegel ihres Kerkers bald zersprengen würde; allein die nachdrücklichsten, oft wiederholten Versuche, mit Klugheit entworfen, und mit Verzweiflung ausgeführt, waren alle fruchtlos, und die durch zahlreiche Batterien zurückgewiesenen Oesterreicher mußten immer wieder zu ihrer Quarantaine von Pferdefleisch zurückkehren. Dieses war die Nahrung der gänzen eingeschlossenen Armee schon in den ersten Wochen; die Pferde der Artillerie und Cavallerie wurden geschlachtet, und das Pfund von ihrem Fleische anfangs für zwey, hernach für vier Kreuzer verkauft. Man hatte sich auf einen so ausserordentlichen Vorfall nicht vorbereitet; die Magazine in der Stadt waren schlecht gefüllt; die Truppen litten an allem Mangel, und die 80,000 Einwohner standen in Gefahr Hunger zu sterben.

Prag wurde nun förmlich belagert, und immer enger eingeschlossen; man warf Bomben und glühende Kugeln in die Stadt, die viele Häuser in Brand steckten, und eine fortdauernde Feuersbrunst unterhielten. Die Preußen konnten des Nachts das Geschrey und Wehklagen der Einwohner deutlich hören. Zwölftausend derselben wurden aus der Stadt gejagt, um die Hungersnoth zu schwächen; allein die Canonenkugeln der Belagerer trieben sie in ihr Elend wieder zurück. Nach einer dreywöchentlichen Belagerung lag die ganze Neustadt und Judenstadt in der Asche; auch einige Vorrathshäuser mit Proviant, waren dabey im Rauch aufgegangen. Viele Menschen, denen der Krieg nichts angieng, Greise, Weiber und Kinder, wurden durch die Bomben getödtet, oder in Häusern zerschmettert. Die Unruhe in dieser unglücklichen Stadt war daher unaussprechlich. Alle Straßen waren mit Wagen und Pferden bedeckt, die Kirchen

lagen

lagen voller Verwundeten und Kranken, und der Tod
räumte unter Menschen und Vieh wie bey der Pest auf.
Die Geistlichkeit, der Magistrat, die Bürgerschaft, alles
flehete den Prinz Carl um Erbarmen an, das er zwar
hatte, jedoch hier nicht werkthätig zeigen konnte. Er
versuchte zu capituliren, und verlangte einen freyen Abzug: Friedrich wollte von diesem nichts hören, und schlug
seinerseits Bedingungen vor, die man nicht glaubte annehmen zu können. Die Hoffnung dieser Truppen, sich
mit Gewalt den Weg aus der Stadt zu bahnen, war
verschwunden, und das Vertrauen auf die Daunsche Armee, die bey Kollin stand, nur sehr geringe. Nichts
blieb also den Eingeschlossenen übrig als sich dem Schicksal zu überlassen.

So war die kritische Lage der Kaiserin Maria Theresia. Alle Pässe ihres Königreichs Böhmen nach der
Lausitz, nach dem Voigtlande, nach Sachsen und nach
Schlesien, im Besitz der Preußen; der Kern ihrer Kriegsmacht, und ihre vornehmsten Befehlshaber in Prag eingesperrt; ihre übrigen Truppen geschlagen, muthlos, und
in kleinen Haufen zerstreut, denen es sogar auf ihrem
eignen Boden an Subsistenz fehlte; die Hauptstadt von
Böhmen durch Hunger und Feuer aufs äusserste gebracht;
das darin eingeschlossene Heer auf dem Punkt, sich zu
Kriegsgefangenen zu ergeben, und das ganze Königreich,
nebst den daran stossenden Oesterreichischen Provinzen,
dem Schicksal nahe, dem Sieger unbedingt unterworfen
zu werden. Aus Sachsen war alle Hülfe ganz abgeschnitten, alle Kaiserliche Erbländer offen, und dem
Feinde bloßgestellt; ja Wien selbst nicht gegen eine Belagerung gesichert. Man hielt die Preußen, die seit 1741
in acht Schlachten gesiegt und noch keine einzige verlohren
hatten, jetzt für unüberwindlich, und ihrem Könige alles
zu thun möglich. Die Bestürzung in dieser Kaiserstadt
war daher unaussprechlich; man glaubte den Sieger bereits vor den Thoren dieser Residenz zu sehn, und schon

                         dachte

dachte man auf Mittel, ihm mit grossen Aufopferungen den Frieden anzutragen.

Diese günstige Glückslage Friedrichs vereitelte er selbst durch einen übereilten Entschluß, den nur die ihm drohende Gefahr entschuldigen konnte. Die Belagerung von Prag zögerte länger, wie er geglaubt hatte; er wußte, daß die Russen, Schweden, Franzosen und Reichstruppen sich von allen Seiten seinen Staaten näherten. Jeder Tag war ihm kostbar. Noch nie im Schlachtfelde überwunden, dachte er kaum an die Möglichkeit einer Niederlage. Er ließ den größten Theil seines Heers bey Prag stehn, um die Belagerung fortzusetzen, und ging mit 32,000 Mann, den Feldmarschall Daun anzugreifen, und so alle Hoffnungen der Belagerten auf einmal zu vernichten.

Dieser Feldherr war aus Mähren mit einer starken Armee gekommen, in der Absicht, zu dem großen Kaiserlichen Heer zu stoßen. Am Tage der Prager Schlacht befand er sich nur noch vier Meilen von Prag. Diese Nähe begünstigte die Rettung der vom Schlachtfelde entflohenen Oesterreicher; er zog sie an sich, und lagerte sich sodann 60,000 Mann stark auf den Bergen bey Kollin, wo er sich sorgfältig verschanzte. Die diesem General eigene Behutsamkeit, und eingeschränkte Fähigkeiten zum Offensiv-Kriege, machen es höchst wahrscheinlich, daß er nichts grosses, wenigstens nichts wirksames, zur Befreyung der Belagerten unternommen haben würde, so gemessen auch hierüber die Befehle seines Hofes waren. Hiezu kam, daß seine Truppen muthlos geworden, und der Name Preuße fürchterlich in ihren Ohren klang. Der Herzog von Bevern, der ihm mit 20,000 Preußen entgegengeschickt war, benutzte die Vortheile, und nahm gleichsam vor Dauns Augen einige ansehnliche Magazine weg. Der König an der Spitze eines starken Corps seiner besten Truppen, vereinigte sich endlich mit der Bevernschen Armee, und nun rückte er den 18ten Junius auf den Feind los.

Daun

Daun hatte inzwischen seine Stelle verändert, eine seiner Linien stand auf dem Abhang der Berge, die andere auf dem Gipfel derselben. Vor seiner Fronte waren Dörfer, Hohlwege, und senkrechte Anhöhen, zum Theil unersteiglich; eine zahlreiche Artillerie, die ein erschreckliches Feuer machte, schien vollends allen Angriffen ein Ziel zu setzen: Dennoch geschahe derselbe, nachdem der König diesen Posten turnirt hatte, mit einem Muthe, der vor keinem Volke auf Erden je übertroffen worden, und die Feinde in Erstaunen setzte. Dieser große Tag war des Preußischen Namens vollkommen würdig. Vielleicht war seit der Schlacht von Arbela, wo auf Persiens Feldern Griechische Taktik das Schicksal vieler Königreiche entschied, nie Heldenmuth und Kriegskunst in einem so hohen Grade vereinigt gewesen. Siebenmal griffen die Preußen den so überaus vortheilhaft postirten Feind an, und wenn der gräßliche Kugelhagel alles über den Haufen warf, und die Bataillons immer zurück schmetterte, so war dies kein Weichen, sondern blos eine zurückziehende Bewegung, um sich wieder in Ordnung zu stellen, und von neuem anzugreifen. Voll kriegerischer Wuth kletterte man über die Leichenhügel der Erschlagenen, als ob es Erdhaufen wären. Die Tapferkeit und die Kriegskunst aber entschieden nicht den Ausgang dieses denkwürdigen Tages, sondern Zufälle. Die Preußen hatten verschiedene ansehnliche Vortheile erlangt; der rechte Flügel des Feindes war geschlagen, und die dort postirte Cavallerie über den Haufen geworfen, und schon dachte Daun auf den Rückzug; die Adjutanten flogen mit den dahin abzweckenden Befehlen von Flügel zu Flügel; als die Schaale, worin die Schicksale der Menschen und der Staaten gewogen werden, auf einmal ganz unerwartet zu Friedrichs Nachtheil stieg. Des Königs weise Disposition wurde nicht befolgt. Einer seiner vornehmsten Generale brach die Linie durch kriegerische Hitze verleitet; er hielt mit seinen kampfdürstenden Schaaren stille, zu der Zeit, da er sich ohne zu fechten

in

in unzertrennlicher Verbindung mit der ganzen Schlacht-
maschine ruhig fortbewegen sollte. Dadurch bekam
die ganze Preußische Armee eine falsche Richtung und
eine Oeffnung. Einige Sächsische Regimenter Cavallerie, die sich bey Dauns Heere befanden, und für Begierde brannten, sich mit den Preußen zu messen, brachen nun ohne erhaltene Ordre los, und stürzten auf
den Feind.

Wenn es der Reuterey glückt in Infanterie einzuhauen, so bleibt der ietztern nichts übrig als zu fliehen,
widrigenfalls ist ihr Loos Tod oder Gefangenschaft. Dies
war ein natürlicher Grundsatz bey allen im Kriege berühmten Nationen bis auf die Schlacht von Kollin, wo
die hohe Disciplin der Preußen mit ihrer Tapferkeit im
gleichen Schritt ging. Man ließ ganze Schwadronen
Sächsischer Reuter einbringen, und mitten unter diesem
Gewühl von Menschen und Pferden, die den Tod dräue-
ten, formirten ganze Regimenter Preußen, mit der seltensten Gegenwart des Geistes, geschlossene Vierecke,
und chargirten den Feind Pelotonweise mit einer bewun-
dernswürdigen Ordnung, als ob sie auf dem Exercierplatz
gewesen wären. In diesen lebendigen Mauern, die
Vernichtung sprüheten, eingesperrt, stürzten Roß und
Mann übereinander, und formten Leichenhügel im innern geweiheten Bezirk. Diese muthigen Reuter hatten
sich selbst in diesen magischen Zirkel gleichsam gebannt,
und sahen keine Möglichkeit vor sich zu entrinnen. Es
kam aber mehr Cavallerie den Sachsen zu Hülfe, und
fiel die Preußen in der Fronte und im Rücken zugleich
an; so daß diese endlich dem ungleichen Kampf unterliegen mußten. Die sächsischen Dragoner schnoben nach
Rache. Die zwölf Jahr zuvor in Schlesien in Verbindung mit den Oestreichern erlittene Niederlage, wo das
Loos der Sachsen traurig war, schwebte noch in dieser
Krieger Andenken, daher man ietzt viele bey ihren alles
zerfleischenden Säbelhieben ausrufen hörte: „Das ist
für Strigau!„ Alles was diese Reuterey nur erreichen

chen konnte, wurde niedergemetzelt, oder gefangen genommen. Das erstere Schicksal hatte Friedrichs Leibgarde, die aus tausend Mann der schönsten Menschen
bestand, gröstentheils Ausländer, allein in der Potsdam-
schen Kriegsschule gebildet, und mit militärischem Ehrgeitz reichlich versehn. Dieser ersetzte die mangelnde Vaterlandsliebe. Sie fochten bis sie den Geist aufgaben;
sodann deckten sie mit ihren schönen Leibern, in Reihen
und Gliedern gestreckt, ihren blutigen Schauplatz. So
wie Pyrrhus, da er zum erstenmal Roms Legionen bekämpfte, die erschlagenen Römer mit Erstaunen betrachtete, so sahen Theresiens Feldherren die erlegten Preußischen Leibwächter an. Nur sehr wenige von ihnen über-
lebten diesen Tag.

Die Preußen überließen den Oesterreichern das
Schlachtfeld. Es war Abend, und ein Theil der Preußischen Armee, der gesiegt hatte, machte sich fertig ein Lager zu beziehen und Victoria zu schießen; ja einige Cavallerie-Regimenter wollten bereits absatteln, als die schreck-
volle Nachricht bey ihnen anlangte, daß die Schlacht verlohren sey, und man sich zurückziehn sollte. Dieser Rückzug Friedrichs mit Bagage und Canonen, geschah mit solcher militärischer Klugheit und Ordnung, daß die großen
Thaten des Tages dadurch gleichsam gekrönt wurden.
Die Feinde, denen ein Preußischer Abzug vom Schlachtfelde einen ganz neuen Anblick gewährte, sahen diesem
unerwarteten Schauspiel ruhig zu, so daß Friedrich ungestört in Schlachtordnung abmarschiren konnte. Sein
Verlust an diesem Tage war 11000 Mann. Die Oesterreicher zählten 9000 Todte und Verwundete; an Canonen
hatten die letztern nur drey und vierzig Stück erbeutet.

Friedrich schrieb bald nach dieser Schlacht an Lord
Marschall einen merkwürdigen Brief, der seine dama-
ligen Empfindungen bezeichnet. Er sagt darin: „Das
„Glück, mein lieber Lord, flößt uns oft ein schädliches
„Vertrauen ein. Drey und zwanzig Bataillons waren
„nicht hinlänglich, sechzigtausend Mann aus einem vor-

C 5

„theil-

„theilhaften Posten zu vertreiben. Ein andermal wol-
„len wir unsre Sachen besser machen. Das Glück hat
„mir diesen Tag den Rücken zugekehrt. Ich hätte es
„vermuthen sollen; es ist ein Frauenzimmer, und ich bin
„nicht galant. Es erklärte sich für die Damen, die mit
„mir Krieg führen. Was sagen Sie von diesem Bünd-
„niß wider den Markgrafen von Brandenburg? Wie
„sehr würde der große Friedrich Wilhelm erstaunen,
„wenn er seinen Enkel mit den Russen, Oesterreichern,
„fast ganz Deutschland, und hunderttausend Franzosen
„im Handgemenge sehn sollte! Ich weis nicht, ob es mir
„eine Schande seyn wird, unterzuliegen; aber das weis
„ich, daß es keine Ehre seyn wird, mich zu überwinden. „

Diese philosophische Denkungsart bey einem so veränderten Glück, entwaffnete die Tadler, und vermehrte
seine Bewunderer. Seine Lage war durch diesen einzigen Tag schrecklich geworden, seine glücklichen Aussichten
waren auf einmal verschwunden, und sein Untergang
schien nun unvermeidlich.

Die Schlacht bey Kollin entschied das Schicksal von
Prag. Die Belagerung wurde nun sogleich aufgehoben.
Der Abzug der Preußen geschah jedoch mit großer Ordnung, und nicht heimlich. Sie verließen die Laufgräben
und verschanzten Posten frühmorgens mit klingendem
Spiel, obgleich nicht ohne Verlust. Eine Anzahl verwundeter Soldaten, und einiges Geschütz mußten den
Feinden überlassen werden, die nun aus ihrem Gefängniß eilten, und über die Abziehenden herfielen. Die mißliche Lage der letztern wurde aber durch Friedrichs Disposition sehr gebessert. Der König vertheilte sehr weislich
seine Macht in viele abgesonderte Corps, und machte dadurch die Feinde irre. Dieses erleichterte vorzüglich den
Ausmarsch aus dem gebirgigten Böhmen. Des Königs
Blick war nunmehr auf seine eigne Provinzen gerichtet,
die gedeckt werden mußten; denn Kollin war gleichsam
die Losung für Franzosen, Russen, Schweden und Reichstruppen, die Preußischen Staaten nun mit allem Eifer
anzu-

anzufallen, und von dem Reichshofrath geschah nunmehr auch die förmliche Achtserklärung. Die Franzosen unter Anführung des Marschalls d'Etrees, nahmen Westphalen in Besitz; und trieben die Hannoveraner zurück, die der Herzog von Cumberland commandirte. Die Russen drangen über 100,000 Mann stark ins Königreich Preußen ein, das der Feldmarschall Lehwald mit 30,000 Mann zu vertheidigen versuchte. Der Prinz Soubise mit einer andern Französischen Armee vereinigte sich mit den Reichsvölkern, um in Sachsen einzudringen, und die Schweden schifften übers Baltische Meer, Pommern anzufallen.

Brown war nun todt, und die Oesterreichischen Truppen standen jetzt unter den Befehlen des Prinzen Carl und Daun. Diese Feldherren drangen in die Lausitz. Das Bevernsche Corps, das diese Provinz decken sollte, war gegen eine solche Macht viel zu schwach, und mußte sich beständig zurück ziehen. Die Oesterreicher folgten diesen Preußen auf dem Fuße, durch Sachsen und Schlesien, und so ging es bis an die Thore von Breslau. Eine andre Kaiserliche Armee belagerte mittlerweile Zittau, eine der florisantesten Manufactur-Städte in Deutschland. Die Wuth der Feinde ging so weit, daß sie, um diesen offenen mit einigen Preußischen Bataillons besetzten Ort zu haben, Bomben und glühende Kugeln in großer Menge in die Stadt warfen, so daß diese in wenig Stunden einen blößen Aschenhaufen darstellte; eine Barberey, wozu sie durch den anwesenden Prinzen Xavier von Sachsen selbst aufgemuntert wurden. Die Preußische Besatzung schlug sich durch die sie umringenden Feinde, und nur ein kleiner Theil derselben wurde gefangen.

Es hatte sich schon im Frühling im nördlichsten Deutschland eine Observations-Armee zusammengezogen, die aus Hannoveranern, Hessen, Braunschweigern und einigen Bataillons Gothaer und Bückeburger Truppen bestand. Zu diesen stießen noch einige tausend Preußen,

so

so daß diese Armee über 50,000 Mann stark war. Sie
befand sich aber doch zu schwach dem großen Französischen
Heer die Spitze zu bieten. Nachdem dieses über die Weser gegangen, Embden weggenommen, und Hannover in
Contribution gesetzt hatte, so kam es bey Hastenbeeck
zwischen dem Marschall d'Etrees und dem Herzog von
Cumberland zu einem Treffen, worin der letztere geschlagen wurde. Der Sieg war jedoch an sich unbedeutend,
und wäre von keinen erheblichen Folgen gewesen, wenn
nicht die Besorgniß für das Hannöversche Archiv, und
andre Dinge von Werth, die man nach Stade in Verwahrung gebracht, den Herzog dahin vermocht hätte, sich
mit seiner Armee nordwärts zu ziehn, um diese Stadt zu
decken. Er wurde aber bald von den Franzosen eingeschlossen, von der Elbe abgeschnitten, und in eine Lage
versetzt, wo ihm nichts als eine Capitulation übrig blieb.
Diese wurde den 8ten September bey Closter-Seeven
unter der Garantie des Königs von Dännemark geschlossen. Der Hauptartikel derselben war, daß sämmtliche
Truppen, sowohl Hannoveraner, als Hessen und Braunschweiger, aus einander gehn sollten. Dieß geschah. Die
Soldaten gingen nach Hause, und ihr Anführer reiste
nach England zurück. Auf diese Weise verlohr Friedrich
auf einmal eine Hülfsarmee, die bisher die Franzosen im
Felde beschäfftigt hatte, und nun konnten diese, die das
von den Preußen verlassene Wesel längst in Besitz genommen, und sich darin festgesetzt hatten, ihre ganze Macht
wider ihn allein wenden.

Sie hatten, ausser Hannover, auch die Hessischen
Länder besetzt. In Cassel herrschte der Französische
Kriegscommissarius Foulon wie ein Großvezier. Der
Landgraf, um kein Augenzeuge dieser Tyranney in seiner
eignen Residenz zu seyn, hatte sich nach Hamburg bege-
ben, wo er auch den größten Theil des Krieges blieb.

Die Civil-Proceduren der Franzosen waren jedoch
noch gemäßigt, so lange der Marschal d'Etrees das
Obercommando hatte. Er zeigte bey allen Vorfällen seinen

nen Edelmuth sowohl als seine Kriegstalente.   Die Universität Göttingen bat um seinen Schutz. Die Antwort
des Marschalls verdient einen Platz in der Geschichte.

„Meine Herren,

„Die Universität zu Göttingen ist wegen der vielen
„großen Männer, die aus selbiger entstanden sind, und
„die ihren Ruhm besiegelt haben, zu berühmt, als daß
„ich diese Gelegenheit nicht ergreifen sollte, ihr meine
„besondere Hochachtung zu bezeugen. Sie kann sich we-
„gen der Beschwerlichkeiten, die der Krieg mit sich
„bringt, beruhigen. Ich werde sie, so viel von mir ab-
„hängt, davon entfernen. Mir ist zur Gnüge bekannt,
„wie nachtheilig sie den Wissenschaften sind; und ich wer-
„de Sorge tragen, daß der Durchzug der Völker eine
„so berühmte und vortreffliche hohe Schule nicht störe.
„Unter dieser aufrichtigen Gesinnung bin ich in der That

Meine Herren

Holzmünden,
den 16. July 1757.   Ihr ergebenster Diener,
                              Der Marschall von Etrees.

     Noch in eben diesem Monat erhielt Etrees ein kö-
niglich Schreiben aus Versailles, worin ihm anbefohlen
ward, das Commando dem Herzog von Richelieu, einer
Creatur der Marquisin von Pompadour, zu übergeben;
dabey aber hieß es, daß der König es gern sehen würde,
wenn der Feldmarschall dem ungeachtet bey der Armee
bliebe. Etrees gehorchte dem Befehl, allein ohne des
Königs Wunsch zu erfüllen. Sobald sein Nachfolger
eingetroffen war, reiste er ab.
     Richelieu erndete also die Früchte von den klugen
Maaßregeln seines Vorgängers, da er die bedrängten
Alliirten zu der vorgedachten Capitulation nöthigte. Er
hatte nunmehr das Commando der französischen Haupt-
                              armee

armee förmlich übernommen, und Braunschweig besetzt.
Von hier aus schickte er viele seiner besten Truppen, worunter auch die Gensd'armes waren, zur Armee des
Prinzen Soubise, der nun in Verbindung mit den Reichsvölkern auf Sachsen losrückte. Richelieu selbst fiel mit
seinem Heer in die Preußischen Provinzen ein, ließ die
Städte und Dörfer entweder ausplündern und verheeren, oder bedrohete sie mit Feuer und Schwerdt, um
von den wehrlosen Einwohnern unerschwingliche Contributionen zu erpressen. Die Exzesse dieser Franzosen waren so groß, daß sie fast den Gräueln der Cosaken gleich-
kamen. Reiche Leute wurden auf ausdrücklichen Befehl
vornehmer Officiers jämmerlich geprügelt, um Brandschatzungen für ihre Mitbürger zu bezahlen: man schändete Weiber und Mädchen, und spielte gleichsam mit
dem Leben der Menschen. Nichts war bey diesen Truppen
gewöhnlicher, als unschuldige Personen aus ungegründe-
tem Verdacht, ohne einen Schatten von Beweis, als
Spione aufzuhängen. Viele hundert Deutsche, ohne
Rücksicht auf Stand, Alter und Verhältnisse, hatten
im Laufe des Krieges dieses Schicksal.

Das Losungswort des neuen Französischen Feldherrn
war: Erpressungen; nicht sowol für den Dienß seines Königs, als für sich selbst. Geschützt durch die königliche Maitresse erlaubte er sich die unedelsten Handlungen,
und ordnete nicht selten die Kriegsoperationen so, wie es
sein Privatnutzen erfoderte. Von allen Heerführern,
die in diesem Kriege commandirten, bereicherte sich auch
keiner von irgend einer Nation so, wie Richelieu. Er
verbarg es auch so wenig, daß er sich noch vor geendigtem
Kriege, in Frankreichs Hauptstadt einen prächtigen Pa-
laßt bauen ließ, den die Pariser le Pavillon d'Hannovre
nannten.

Friedrich theilte sein Heer nun in viele Corps, um
den verschiedenen Armeen, die von allen Seiten auf
Sachsen und den Mittelpunct seiner Staaten anrückten,
Hindernisse in den Weg zu legen. Er schränkte sich jedoch
                                        nicht

nicht bloß auf Vertheidigung ein, sondern gieng allenthalben, wo sich die Gelegenheit vortheilhaft zeigte, angreifend zu Werke. Der Oberst Mayer fiel in die Oberpfalz ein, sammelte Contributionen, durchstrich den Fränkischen Kreis, und bedrohete Nürnberg. Die bedrängte Stadt wandte sich in der Angst an die Kreisversammlung, und bat um Schutz. Der Fränkische Areopagus zeigte seine Weisheit bey diesem Vorfall. Man verlangte von dem Kriegs-Obersten Mayer, er sollte sich wegen des Einfalls in Franken legitimiren und allen Schaden ersetzen. Der Preußische Befehlshaber war nicht mit Pergamenten, wohl aber mit Pulver und Kugeln versehen, und von Beutedürstenden Kriegern begleitet; er wies daher lächelnd den Abgeordneten seine bewaffneten Soldaten, und frug, ob sie noch eine bessere Legitimation verlangten. Nachdem er endlich den vorgesetzten Endzweck erreicht hatte, marschirte er zurück, nahm aber bey seinem Abzuge aus Franken Geißel mit, worunter sich auch zwey Nürnberger Patricier befanden.

Die Kaiserlichen benutzten die Zerstreuung der Preußen, und der General Haddick wagte sich mit 4000 Mann bis an die Thore von Berlin. Diese Residenz ohne Wall, zum Theil ohne Mäuern, und nur mit Pallisaden versehen, war damals mit 2000 Mann Landmilitz besetzt, wozu einige hundert Recruten und andere Soldaten kamen. Die Königliche Familie hatte sich gleich nach eingegangener Nachricht von der Annäherung der Feinde nach Spandau begeben. Man hatte also in dieser Lage nichts von einem fliegenden Korps zu befürchten, das aller Mittel beraubt war, die Königsstadt zu ängstigen, und in steter Sorge stand abgeschnitten zu werden. Haddick ließ die Stadt auffodern, und griff fast zu gleicher Zeit das Köpenicker und Kottbusser Thor an. Die Pallisaden am ersten wurden niedergeschossen, und nun drangen die Oesterreicher mit hellem Haufen in die dort befindliche Vorstadt ein. Die Einwohner zeigten sich des Brandenburgischen Namens würdig. Ganze Gewerke woll-

wollten sich vereinigen, und erboten sich, die Feinde zu
verjagen; allein der Kleinmuth des Kommandanten, General Rochau, wollte keine Versuche dieser Art gestatten.
Es kam bloß in der Köpenicker Vorstadt zwischen einem Kommando Preußischer Soldaten und den Oesterreichern zu einem unbedeutenden Scharmützel, wodurch
nichts entschieden wurde.

Die Nachricht von der Annäherung des Fürsten Moritz von Anhalt-Dessau beunruhigte jedoch die Feinde
außerordentlich. Haddick, der die Gefahr des Verzugs
kannte, war mäßig in seinen Forderungen, und diese wurden endlich zugestanden, nicht sowohl aus Furcht, sondern
um der Unruhe ein Ende zu machen. Man zahlte den
Feinden 200,000 Reichsthaler, und nun marschirten sie
in größter Eil ab.

Im Königreich Preußen war indessen auch die Kriegsscene eröffnet worden. Die Russen waren, unter Anführung des Feldmarschalls Apraxin, über 100,000
Mann stark daselbst angekommen, und hatten Memel
eingenommen. Ihre leichten Truppen, Cosaken, Kalmucken und Tartarn verheerten dabey das Land mit Feuer
und Schwerdt, und zwar auf eine Art, die seit den Zeiten der Hunnen nicht in Europa erlebt worden war. Diese Unmenschen mordeten oder verstümmelten unbewaffne-
te Leute aus satanischer Lust. Man hing sie an Bäu-
men auf, oder schnitt ihnen Nasen und Ohren ab; andern wurden die Beine abgehauen, der Bauch aufgeschnitten und das Herz herausgerissen. Die Gräber
wurden zerstört, und die Gebeine umhergestreut, Edelleute und Prediger mit Kantschuhen zerfleischt, nackend
auf glühende Kohlen gelegt, und auf allerhand Art ge-
martert. Man nahm den Eltern ihre Kinder weg, oder
ermordete sie vor ihren Augen. Mädchen- und Weiber
wurden geschändet. Viele Frauenspersonen brachten sich
ums Leben, um der Brutalität dieser Henker zu entgehen.
Eine Menge Menschen flüchteten nach Danzig, wohin
auch

auch das königliche Archiv aus Königsberg gebracht wurde. Der Preußische Feldmarschall Lehwald konnte den
Feinden nur 30,000 Mann entgegenstellen. Mit diesen
aber griff er sie den 30sten August bey Groß-Jägersdorf
in ihren Verschanzungen an. Das Glück erklärte sich anfangs ganz für das kleinere Heer, das dießmal nicht um
den Ehrgeiz eines Monarchen zu befriedigen, sondern gegen barbarische Völker für seinen eigenen Heerd, für Leben und Wohlfahrt stritt. Die Preußen hatten schon
viele Russische Canonen erobert, die feindliche Cavallerie
übern Haufen geworfen, und einen Flügel der Hauptarmee ganz geschlagen, als ihnen der Sieg auf einmal
entrissen wurde. Die Russen hatten einige auf dem
Schlachtfelde liegende Dörfer in Brand gesteckt; der
Rauch und Dampf derselben führte die Preußen irre;
sie geriethen in Unordnung, und nun wurden sie überflü-
gelt. Lehwald hatte jetzt eben das gute Glück, wie Friedrich bey Kollin. Man ließ ihn ungestört abziehen. Sein
Verlust war 5700 Todte und Verwundete; die Russen
zählten 7000. Ihr Sieg aber brachte ihnen keinen
Nutzen. Sie hatten keine Hoffnung für ihre ungeheure
Armee in dem zur Einöde gemachten Preußen Unterhalt
zu finden. Apraxin ließ daher nur 10,000 Mann zur
Besatzung von Memel zurück, und marschirte wenig Tage nach der Schlacht mit allen übrigen Truppen davon.
Dieser Rückzug war ganz einer Flucht ähnlich, und geschah so übereilt, daß 15000 Verwundete und Kranke,
achtzig Canonen, und viel Kriegsgeräthschaften zurück
bleiben mußten. Der Zug gieng in zwey Colonnen, und
beide Marschrouten wurden durch Feuer, Plünderung,
und alle nur ersinnliche Grausamkeiten bezeichnet. Alle
Städte, Flecken und Dörfer, wo diese höllische Schwär-
me hinkamen, giengen im Rauch auf, und die Landstras-
sen waren mit Leichnamen von Menschen und Pferden
gleichsam bedeckt. Die zur äußersten Verzweiflung ge-
triebenen Preußischen Bauern wehrten sich, und machten
dadurch ihr Unglück noch größer. Die geschlagenen, aber

D   nicht

nicht überwundenen Preußen verfolgten die Russen bis an die Gränzen von Friedrichs Staaten.

Bey diesem Abzuge ereignete sich ein besonderer Vorfall. Der König von Preußen erhielt einen Alliirten, auf den er wohl nie hätte denken können, der ihm hier einige tausend Kalmucken gänzlich vom Halse schaffte. Dieser thätige Bundsgenosse waren die Blattern. Die Kalmucken, die ohne diese schreckliche Seuche in ihrem Lande gelebt hatten, lernten sie hier zu ihrem Erstaunen kennen. Sie fand sich auch unter ihnen ein, und viele wurden davon das Opfer. Selbst ihr Anführer wurde damit befallen; und nun war nichts fähig sie länger aufzuhalten. Die ganze Kriegsschaar dieses wilden Volks gieng nach ihrer Heimath zurück, ohne je den deutschen Boden betreten zu haben.

Die Russischen Feldherren ließen sie in Ruhe ziehen. Sie waren froh diese Unholde loszuwerden, die noch ärger wie die Cosaken waren und gar nicht gebändiget werden konnten. Nur einige wenige Kalmucken, bey denen die Raubsucht alle andere Betrachtungen unterdrückte, verließen ihre Landsleute, und blieben bey der Russischen Armee.

Diese Nation, die jetzt zum erstenmal gegen die Deutschen zu Felde zog, war von allen Feinden Friedrichs die wildeste, gleich unwürdig wider einen cultivirten Staat geführt zu werden, als ein disciplinirtes Heer zu unterstützen. Unfähig, durch ihre Waffen dem Heer Siege zu erleichtern, mußte dieses vielmehr durch ihre Verwüstungen leiden, und den Schandfleck der begangenen Gräuel mit diesen Horden theilen, die dem Stande der Wildheit näher, als dem Stande der Barbarey sind. Diese Kalmucken wohnen an der Caspischen See und dem Flusse Wolga. Sie sind ein freyes Volk, stehen aber unter Russischem Schutze, wofür sie, wenn die Beherrscher dieses Reichs es verlangen, zu Felde ziehen müssen. Sie bekommen keinen Sold, allein jeder jährlich einen Rubel, und einen Pelz von Schaffellen. Sie sind eigentlich Nomaden, und haben weder Städte noch

Dör-

Dörfer. Ihre Wohnungen sind Zelten von Filz. Mit diesen ziehen sie beständig herum, je nachdem sie an einem Ort für ihr vieles Vieh, worinnen ihr ganzer Reichthum besteht, Fütterung finden. Sie sind außerordentlich häßlich, und sehen alle einander so ähnlich, daß es sehr schwer ist, einen von dem andern zu unterscheiden. Ihr Gesicht ist sehr platt, und beynahe viereckigt. Die Augen gleich den Chinesern, sehr klein und tief im Kopf, die Nase breit gedruckt, der Mund und die Ohren außerordentlich groß und letztere vom Kopfe abstehend. Sie führen Bogen und Pfeile, mit denen sie unglaublich weit und gewiß schießen. Ihre Religion ist die Heidnische.

Friedrich rief nun Lehwald aus Preußen ab, mit Befehl, gegen die Schweden zu marschiren. Diese Französischen Bundsgenossen waren in dieser Zeit 22,000 Mann stark, worunter 4000 Mann Cavallerie, in Pommern angelangt. Der kriegerische Muth dieses Volks drohete den Preußen einen fürchterlichen Feind. Allein nie wurde wohl die Ehre einer Krone und der Ruhm braver Truppen so vorsetzlich aufs Spiel gesetzt, als bey dieser Gelegenheit. Die Ausrüstung der Schwedischen Armee in allen ihren Theilen, so wie sie damals in Deutschland anlangte, war eine wahre Satyre auf die neuere Kriegskunst. Soldaten, in Reih und Glieder gestellt, wohlgeübt und voll Begierde zu fechten, waren da; allein sonst fehlte auch alles. Kein Feld-Commissariat; keine Bäckerey; keine Magazine; keine Schiffbrücken; keine leichten Truppen, und keine Subordination. Hiezu kamen Anführer, nicht unerfahren in der Kriegskunst, denen aber jeder Schritt vom Schwedischen Reichsrath genau vorgeschrieben war, die nicht untereinander harmonirten, und denen man bey jeder Unternehmung mit Verantwortung der Folgen drohete. Auf diese Weise ist es erklärbar, wie die Krieger eines Volks, das mehr als einmal das Schicksal von Deutschland mit dem Schwerdt entschied, und im Westphälischen Frieden Europa Gesetze gab, ohne ihre kriegerischen Tugenden verlohren zu haben,

D 2   nach

nach fünf Feldzügen, ruhmlos und verspottet, nach ihrer Heimath zogen.

Der Mangel an leichten Truppen war Ursache, daß diese Schweden oft die besten Entwürfe aufgeben mußten; denn die Preußen neckten sie mit einer Handvoll Leute auf allen Seiten, und schnitten ihnen beständig die Zufuhren ab. Tief in die Preußischen Staaten konnten sie wegen fehlender Magazine und Pontons nicht eindringen, und ihrer Vereinigung mit den Französischen, Russischen oder Oesterreichischen Armeen, woran immerfort gearbeitet wurde, standen so mancherley Hindernisse im Wege, daß sie nicht auch ein einzigesmal versucht wurde. Das Schwedische Kriegstheater war daher in einem kleinen Winkel von Norddeutschland eingeschränkt. Diese Truppen tummelten sich in Pommern und einem Theil der Mark herum, ohne irgend etwas großes zu unternehmen, und hiebey blieb es den ganzen Krieg durch.

Der König suchte nun die vereinigten Franzosen und Reichsvölker zu einer Schlacht zu bringen, und rückte ihnen entgegen. Seine Lage war in der That schrecklich: In der Nähe und in der Ferne Feinde, die sich beständig mehrten. Seine Siege halfen zu nichts. Es war der Kopf der Hydra. Hatte er eine Armee geschlagen, so rückten ihm zwey entgegen. Ein Reichsschluß hatte ihn aller seiner Länder, ja selbst seiner Churwürde verlustig erklärt. Der Vorsatz und die Macht ihn ganz zu Boden zu drücken, war stärker als jemals. Nie war daher seine Hoffnung schwächer. Dennoch war die Heiterkeit seines Geistes in eben diesem Zeitpunct groß genug, daß er sein Testament in französischen Versen machen konnte. So gerecht aber auch seine Besorgniß war, der Menge unterzuliegen, so nahm er doch alle Maaßregeln, zu überwinden. Seine durch so viele Treffen geschwächte Armee war nur 22,000, die Feinde aber 60,000 Mann stark. Sie hatten schon eine Probe der Preußischen Thätigkeit bey Gotha erfahren. Die Generalität der Franzosen mit ihrem Heerführer Soubise

se an der Spitze, und 8000 Mann hatten Gotha zu
ihrem Recreationsort ausersehen, um sich von den Kriegs-
strapazen etwas zu erholen. Es war beym Herzogli-
chen Hofe große Cour, und auf dem Schlosse hatte man
gewaltige Zurüstungen gemacht, die bewaffneten hohen
Gäste wohl zu bewirthen. Es war eben Mittagszeit;
die Tafeln waren gedeckt, und die Franzosen zeigten den
besten Appetit, als der Preußische General Seidliz mit
1500 Reutern vor den Thoren erschien. Die 8000
Franzosen dachten an keinen Widerstand; sie verließen
die rauchenden Schüsseln, und eilten aus der Stadt.
Nur wenige ihrer Soldaten wurden zu Gefangenen gemacht, desto mehr aber Kammerdiener, Laquaien, Köche,
Friseurs, Maitressen, Feld - Paters und Komödianten,
die von einer Französischen Armee unzertrennlich sind.
Die Equipage vieler Generals fiel den Preußen in die
Hände, worunter man ganze Kisten von wohlriechenden
Wassern und Pomaden, desgleichen eine Menge Puder-
mäntel, Haarbeutel, Sonnenschirme, Schlafröcke und
Papageyen fand. Seitliz überließ seinen Husaren diese
Toiletten - Beute; den galanten Troß aber schickte er oh-
ne Lösegeld zurück.

Die Franzosen waren so zufrieden, als ob sie ein
Treffen gewonnen hätten, da sie sich wieder im Besitz
ihrer verlohrnen dringenden Bedürfnisse befanden. Der
Muth zu fechten wuchs bey ihnen, und ihre einzige Besorgniß war, daß der König ihnen entrinnen möchte. Einige seiner Märsche und Stellungen bestätigten
diese Vermuthung. Sie kannten seine schnellen Bewegungen, seine Manövers und seine Kriegskunst überhaupt
bisher bloß aus Erzählungen, die aber so wenig Eindruck
auf sie gemacht hatten, daß sie es wagten ihn auf einem
Terrain anzugreifen, wo er seine tactischen Künste ent-
wickeln konnte. Ihre Hoffnung war nicht bloß ihn zu
schlagen, sondern seine ganze Armee aufzuheben. Man
warf im Französischen Lager die Frage auf, ob es auch
Ehre bringe mit einem so kleinen Haufen zu schlagen.

D 3

Nie

Nie war ein kriegerischer Eigendünkel lächerlicher, und nie wurde er besser bestraft.

Es war am 5ten November bey dem Dorfe Roßbach in Sachsen, eine Meile von Lützen, wo Gustav Adolph für Deutschlands Freyheit schlug und starb, daß eine der sonderbarsten Schlachten geliefert wurde. Der König lockte die Franzosen durch eine zurückziehende Bewegung aus ihrer vortheilhaften Stellung. Sie glaubten, er suchte sich aus ihren Händen zu retten, und bemühten sich daher ihm in den Rücken zu kommen. Friedrich, der sich wieder gelagert hatte, verließ sich auf die Geschwindigkeit, womit seine Truppen in Schlachtordnung konnten gestellt werden; sahe daher den Bewegungen der Feinde gelassen zu, und ließ seine Linien nicht einmal ausrücken. Das Preußische Lager stand unbeweglich, und da es eben Mittagszeit war, waren die Soldaten mit ihren Mahlzeiten beschäftigt. Die Franzosen, die dieses in der Ferne sahen, konnten ihren Sinnen kaum trauen; sie hielten es für dumpfe Verzweiflung, wo man selbst auf alle Vertheidigung Verzicht thut. Diese aufs höchste gespannte Erwartung war nicht wenig Ursache des so geringen Widerstandes und des panischen Schreckens, das diesen Tag so denkwürdig macht. Der General Seidlitz kam mit der Preußischen Reuterey auf einmal hinter einem Hügel hervor, und stürzte wie ein Donnerwetter mit künstlichen Manövern auf den hoffnungstrunkenen Feind los. Was nie auf einem Schlachtfelde erhört war, geschah hier: die leichte Reuterey griff die schwere Cavallerie an, und warf sie übern Haufen. Die Husaren mit ihren behenden Pferden waren verwegen genug, die Französische Gensb'armerie anzufallen. Weder der angestammte Muth dieses edlen Corps, noch ihre colossalischen Rosse konnten hier entscheiden. Alles wurde zurückgeworfen. Soubise ließ das Reserve = Corps vorrücken; allein kaum zeigte es sich, so wurde es auch aus dem Felde geschlagen. In eben dieser Zeit rückte die vorher so ruhige Preußische Infanterie

plötz=

plötzlich in Schlachtordnung an, und empfieng die Französische mit einem entsetzlichen Canonenfeuer. Hierauf
folgte ein regelmäßiges Musketenfeuer, wie bey Mu-
sterungen. Die Französische Infanterie sah sich nun
von ihrer Cavallerie verlassen, und vom Feinde in der
Flanke angegriffen. Vergebens versuchte Soubise französische Experimente. Seine Folardschen Colonnen
wurden mit leichter Mühe auseinander gesprengt, und
nichts blieb übrig, als eine allgemeine Flucht. Die
Franzosen sowohl als die Reichsvölker warfen ihre Gewehre weg, um sich desto geschwinder retten zu können.
Nur einige Schweizer-Regimenter fochten noch eine
Zeitlang, und waren die letzten auf dem Schlachtfelde.
Der Sieg war so geschwind entschieden, daß selbst die
Ueberwundenen nicht einmal auf die Ehre eines starken
Widerstandes Anspruch machten, sondern sich mit einem panischen Schrecken entschuldigten; dabey unter-
ließen die Franzosen jedoch nicht den Reichstruppen
alle Schuld beyzumessen.

Schwerin starb einige Monate zu früh, und war
also nicht so glücklich diesen Preußischen Triumph zu
erleben. Nach seiner oft geäußerten Meynung war
es nur ein Sieg gegen die Franzosen, der den
kriegerischen Ruhm der Preußen krönen könnte. Viele
einzelne Züge vermehren die Merkwürdigkeit dieses Tages. der König fand auf dem Wahlplatz einen Französischen Grenadier, der sich gegen drey Preußische
Reuter wie ein Rasender vertheidigte, und sich nicht
ergeben wollte. Der Befehl Friedrichs machte diesem
ungleichen Kampf ein Ende. Er frug den Grenadier,
ob er sich denn unüberwindlich glaubte. Dieser antwortete: „Ja Sire, unter ihrer Anführung. „ Der
König gieng auf dem Schlachtfelde herum, und tröstete
die verwundeten Französischen Officiers, die gerührt
durch die Herablassung, ihn als den vollkommensten
Eroberer begrüßten, der nicht zufrieden ihre Körper
bezwungen zu haben, nun auch ihre Herzen erobert

D 4   hätte.

hätte. Die Beute der Preußen war sehr groß. Unter andern fielen eine Menge Ludwigskreuze den Preußischen Husaren in die Hände, die sich damit putzten. Es wurden zwey und siebenzig Canonen und zwey und zwanzig Fahnen erobert, und 6220 Gefangene gemacht. Die vereinigten Armeen hätten 3560 Todte und Verwundete, und die Preußen nur 300. Unter den Verwundeten befanden sich auch Prinz Heinrich von Preußen, und der General Seitlitz. Ein so wohlfeiler und doch dabey so vollkommener Sieg gegen ein kriegerisches Volk ist in der neuern Geschichte ohne Beispiel. Die Kürze des Tages in dieser Jahreszeit rettete das fliehende Heer vom gänzlichen Untergange; denn es war kein Rückzug, sondern eine Flucht in der höchstmöglichsten Verwirrung.

Alle Deutsche Völkerschaften groß und klein, ohne Rücksicht auf Parthey, Reichsacht, und eignes Interesse, waren mit diesem Siege gegen die Franzosen zufrieden, den man als einen National-Triumph ansahe. Diese Stimmung äußerte sich allenthalben, selbst auf dem Schlachtfelde. Ein Preußischer Reuter, im Begriff einen Französischen gefangen zu nehmen, erblickt in dem Augenblick, da er Hand anlegen will, einen Oesterreichischen Cürassier hinter sich mit dem Schwerdt über seinen Kopf. „Bruder Deutscher,„ ruft ihm der Preuße zu, „laß mir den Franzosen.„ „Nimm ihn,„ antwortete der Oesterreicher, und eilt davon.

Unter allen menschlichen Handlungen ist gewiß keine ernsthafter als eine Schlacht, wo sich Menschen zu tausenden einander morden; und überdem haben alle civilisirte Völker gelernt, das Unglück im Kriege, davon weder vortreffliche Heerführer, noch tapfere Truppen sichern, mit Schonung zu behandeln. Die Schlacht bey Roßbach aber wurde von Freunden und Feinden wie eine lustige Farce betrachtet, und die Pariser selbst waren hiebey nicht die letzten. Soubise wurde öffentlich verspottet, und die Pariser Witzlinge hörten nicht

auf

auf Epigrammen und Gassenlieder zu machen. Jedoch andere Vorfälle in dieser nach neuen Gegenständen dürstenden Hauptstadt Frankreichs, verschafften den gedemüthigten Feldherrn endlich wieder Luft. Man vergaß in Paris nach und nach die lächerliche Niederlag. In Deutschland aber blieb sie im frischen Andenken, und das Wort Roßbach tönte vom Balthischen Meer bis zu den Alpen, ohne Ansehen des Standes allen Franzosen entgegen, die man beschimpfen wollte.

Die große Vorliebe Friedrichs gegen dieses Volk, die sich auch bey dieser Gelegenheit zeigte, konnte den Spott nicht schwächen. Es waren einige hundert Französische Offiziers gefangen worden; diesen wurde Berlin zum Aufenthalt angewiesen, wobey man ihnen gestattete nach Hof zu kommen. Nur sehr wenige unter ihnen hatten den Hof von Versailles in der Nähe kennen lernen; die meisten befanden sich daher auf dem königlichen Schlosse zu Berlin in einer ihnen völlig fremden Region. Hiezu kam die Idee eines Marquis de Brandenbourg, dem man nach dem Ausdruck der galanten Pariser die Ehre anthat, de faire une espece de guerre. Dieses verursachte, daß die Französischen Officiers Roßbach und ihre Gefangenschaft vergaßen, und sich so unanständig in der Residenz betrugen, daß man genöthigt war, sie bald von da fortzuschaffen. Sie wurden nach Magdeburg gebracht.

Hieher gehört folgender Zug: Eine Preußische Hofdame, die in dem Apartement der Königin einen Französischen Obersten unterhielt, frug ihn, was er von Berlin dächte. Die Antwort des Franzosen, war: „Ich betrachte es wie ein großes Dorf.„ Die durch diese so unerwartete Grobheit beleidigte Dame hatte Gegenwart des Geistes genug, um folgende vortreffliche Replik zu machen: „Sie ha„ ben wohl recht, mein Herr, seitdem die Französischen „ Bauern in Berlin sind, hat es mit einem Dorfe viel „ ähnliches, sonst aber ist es eine recht gute Stadt.„

Die

Die Nachricht von der Schlacht bey Roßbach wirkte so sehr auf die Königin von Pohlen, in deren Seele die stärksten Leidenschaften wühlten, daß man sie den folgenden Tag todt fand. Schon lange war sie kränklich gewesen, allein nicht so um ein nahes Ende zu befürchten. Sie hatte den Abend zuvor ihre Hofleute voll des tiefsten Grams entlassen, und da diese am nächsten Morgen sich wieder einstellten, war sie nicht mehr. Friedrich verlohr an ihr eine unversöhnliche Feindin, die durch falsche Religionsbegriffe verleitet, nicht wenig an dem großen Kriege schuld war, der ihre Unterthanen so unglücklich machte, und die alles gerne ihrem Fanatismus aufgeopfert hätte.

Von den geschlagenen Französischen und Reichstruppen war auch keine Spur mehr in Sachsen und den angränzenden Provinzen zu sehen. Sie zerstöhrten alle Brücken, um nicht verfolgt zu werden, und zerstreuten sich dabey so außerordentlich, daß viele Haufen von ihnen nicht eher als am Rhein Halt machten; sie glaubten immer den König hinter sich zu haben. Dieser aber wurde durch die Progressen der Oesterreicher nach Schlesien gerufen. Er ließ zwar die Französische Armee unter dem Marschall von Richelieu an den Gränzen seiner Staaten zurück, allein in der Hoffnung, den Französischen Operationen bald durch eine Armee Einhalt zu thun, die sich auf eine unerwartete Art anfieng zu formiren.

Die Franzosen gaben König Georg dem Zweyten selbst die beste Gelegenheit, die Convention von Kloster-Seeven zu brechen. Man hatte sich nach diesem Vergleich in Hannover mit einer Art Neutralität geschmeichelt, allein man fand sich sehr betrogen. Das Land wurde ganz wie eine eroberte Provinz behandelt, und auch so in den Französischen Edikten betitelt. Richelieu erpreßte nicht allein große Brandschatzungen und Lieferungen aller Art für seine Truppen, und ungeheure Summen für sich selbst; sondern man schickte

sogar

sogar einen Generalpächter aus Paris, um das ganze Churfürstenthum Hannover nach Französischer Art in Pacht zu nehmen, und methodisch auszuplündern. Dieser Pächter war zugleich als Pachtmeister der andern deutschen Länder bestimmt, die man noch erobern würde. Ein sonderbares Königlich-Französisches Edict vom 18ten October 1757 zeigte diese Bestimmung an, dem zufolge der Franzose Gautier seine Pachtbude in Hannover aufschlug. Alle diese Vorfälle trieben die Hannoveraner fast zur Verzweiflung. Georg liebte sein Churfürstenthum mehr wie seine Königreiche; die Großmuth des Brittischen Parlaments kam ihm zu Hülfe; und nun wurden nachdrückliche Entschließungen genommen. Man betrachtete in England die Convention als gebrochen. Die Schlacht bey Roßbach gab der Sache vollends den Ausschlag. Die bisher zerstreuten Hannöverischen Truppen wurden nun zusammengezogen. Der Landgraf von Hessen wurde leicht vermocht seine Armee zu ihnen stoßen zu lassen, da die Franzosen ihm zu außerordentlichen Beschwerden Anlaß gaben. Er wollte Anfangs der Convention von Kloster-Seeven getreu bleiben, und rief seine Truppen zurück; auch war ihre Marschroute schon angeordnet, allein Richelieu veränderte seinen Entschluß. Er wollte sie durchaus entwaffnet wissen, und weigerte sich ohne diese Bedingung ihnen den Abzug zu gestatten. Vergebens berief sich der Landgraf darauf, daß seine Soldaten frey, bewaffnet, und mit allem versehen, nicht als Kriegsgefangene zu betrachten wären, denen man ihre Waffen nach Willkühr nehmen könnte. Der Herzog von Cumberland schrieb deshalb auch an den Französischen Feldherrn, und der Dänische Gesandte, Graf Lynar, unter dessen Vermittelung die besagte Convention geschlossen war, begab sich selbst ins Französische Hauptquartier. Er schlug vor, daß zur Beruhigung des Französischen Hofes die Hessischen Truppen in Holstein verlegt werden sollten. Der Landgraf war damit

zufrie-

zufrieden, und Richelieu schrieb nach Versailles; allein die Französischen Minister schlugen diese Auskunft rund ab, und bestanden auf die Entwaffnung.

Der Englische Hof machte diesem Streit durch die Erklärung ein Ende, daß er sich von dem fernern Unterhalt der Hessischen Truppen gänzlich lossagte, wenn der Landgraf sie nicht der Disposition des Königs von Großbrittannien sofort überlassen wollte. Dieser Fürst zögerte nun nicht lange, er überließ seine 12000 Hessen Georgs Willkühr, und stellte sich dadurch ganz der Wuth der Franzosen bloß. Es wurde ein Courier aus dem Französischen Hauptquartier mit den fürchterlichsten Drohungen an ihn abgeschickt. Es hieß: „Das Residenzschloß in Kassel sollte in die Luft ge„sprengt, die Stadt in Brand gesteckt, und das ganze „Land mit Feuer und Schwerdt so verwüstet werden, „daß es Jahrhunderte lang eine Einöde darstellen wür„de.„ Der Landgraf verachtete diese Drohungen und entfernte sich; und nun nahmen die entsetzlichsten Erpressungen ihren Anfang. Es war dabey äußerst befremdend, daß ein Oesterreichischer Commissarius, Namens Christiani, in Kassel eintraf, um die Contribution mit dem Französischen Commissariat zu theilen. Es wurden Befehle gegeben, daß jedermann innerhalb vier und zwanzig Stunden alles bey sich habende gemünzte Gold und Silber ausliefern sollte. Die Zeughäuser wurden ausgeräumt, und die darin befindlichen Fahnen, Pauken und andere Siegeszeichen, die die braven Hessen in ihren Kriegen erbeutet hatten, zu Asche verbrannt.

Mittlerweile formirte sich die alliirte Armee. Zu den Hannoveranern und Hessen kamen nun auch die Braunschweigischen Truppen, die anfangs wider Willen des für sein Land besorgten Herzogs, nachher aber mit seiner Bewilligung bey dem neuen Heer blieben. Da die Reuterey mit dem Fußvolk in keinem rechten Verhältniß stand, so stießen dazu noch einige Regimenter Preußischer Cavallerie. Friederich konnte nur wenige

Sol

Soldaten zu dieser Armee hergeben, allein er gab ihr einen Anführer, der ein ganzes Heer werth war. Dies war der Herzog Ferdinand von Braunschweig; einer von denen außerordentlichen Menschen, die erhabene Talente, Größe des Geistes und Edelmuth des Herzens in einem seltenen Grade vereinigen, und das Menschengeschlecht gleichsam verherrlichen. Vergebens drohete Richelieu, ganz Hannover in einen Schutthaufen zu verwandeln, und selbst die königlichen Palläste zu verheeren, wenn man den geringsten feindseligen Schritt unternehmen würde. Ferdinand antwortete sehr laconisch, daß er die Folgen erwarten, und an der Spitze seiner Armee ihm nähere Erläuterung geben würde. Die Operationen der Alliirten nahmen gleich darauf ihren Anfang. Zwey Französische Corps wurden angegriffen und geschlagen. Richelieu ward wüthend, und befahl die Stadt Zelle zu plündern, und die Vorstädte in Brand zu stecken. Man flehete um Verschonung des Waisenhauses; umsonst! es wurde mit in Asche verwandelt. Die Strenge der Jahreszeit nöthigte endlich beyde Theile die Winterquartiere zu beziehen.

Friedrich war mittlerweile nach Schlesien geeilt. Der Herzog von Bevern, der diese Provinz mit 25,000 Mann zu bedeken versucht hatte, war unvermögend gewesen, der ganzen Macht Oesterreichs zu widerstehen, die sich zu Eroberung dieses Landes hier vereinigt hatte. Ein Preußisches Corps, womit der General Winterfeld die Gemeinschaft zwischen Sachsen und Schlesien offen hielt, hatte nach einem sehr hitzigen Gefechte seinen Posten verlassen, und sich zurückgezogen. Was diesen Unfall erhöhete, war die tödtliche Wunde des edlen Anführers, der Friedrichs größter Liebling, und ein Mann von seltenen Talenten war. Er besaß dabey das edelste Herz. Sein gekrönter Freund, das Heer und das ganze Land, alles trauerte um ihn, und betrachtete seinen Tod als einen Nationalverlust.

Der

Der Kaiserliche General Nadasti gieng nun auf Schweidnitz los, und nahm diese Festung, die der Herzog von Bevern nicht entsetzen konnte, nach einer sechzehntägigen Belagerung mit Sturm ein. Die Besatzung von 6000 Mann wurden zu Kriegsgefangenen gemacht, dabey fiel eine große Menge von Bedürfnissen aller Art, Geschütz und Kriegsgeräthe, nebst 200,000 Gulden baar Geld den Kaiserlichen in die Hände. Diese Eroberung erleichterte die Communication der Oesterreicher mit Böhmen, und nun stieß Nadasti zu dem großen Heer bey Breslau.

Hier hatten sich die Preußen gelagert. Es schien den Oesterrichischen Feldherrn rathsam, sie vor der Ankunft des Königs anzugreifen, der mit seiner siegreichen Armee im Anzuge war. Die Schlacht geschah, den 22sten November. Das verschanzte Preußische Lager wurde wie eine Festung mit schwerer Artillerie beschossen, die man in Schweidnitz erbeutet hatte, und an fünf Orten zugleich angegriffen. Man focht von beiden Seiten mit großer Tapferkeit. Die Nacht brach ein. Das Schicksal des Tages war unentschieden. Der Herzog erwartete mit der Morgenröthe neue Angriffe, für deren Erfolg er bey der großen Ueberlegenheit des Feindes besorgt war; er gieng daher in der Nacht durch Breslau, und überließ dem Prinzen Carl von Lothringen, Heerführer der Oesterreicher, ganz unerwartet das Schlachtfeld. Das Heer dieser letztern war am Tage der Schlacht über 80,000 Mann stark, die Preußische Armee aber nur 25,000 Mann. Diese zählte 6200 an Tödten und Verwundeten, die Oesterreicher 5800. Von den Preußen waren 3600 gefangen worden. Zwey Tage nachher wurde der Herzog von Bevern selbst beym Recognosciren gefangen. Er hatte keine Bedeckung bey sich, daher ein großer Verdacht auf ihm ruht, daß er sich dieses Schicksal freywillig zugezogen hat, um der unmittelbaren Verantwortung wegen des vorgefallenen zu entgehn.

Der

Der General Zieten übernahm nun das Commando, und führte die Reste der geschlagenen Armee dem Könige entgegen. Die Folge dieses Rückzugs war die Einnahme von Breslau. Die Stadt wurde ohne Vertheidigung übergeben, und der 3000 Mann starken Preußischen Besatzung ein freyer Abzug gestattet. Friedrich war mit dem Verhalten des Commandanten, General Leßwitz, so übel zufrieden, daß er ihn mit Festungsarrest bestrafte. Die Kaiserlichen machten hier eine sehr beträchtliche Beute an Proviant, Geschütz, vorzüglich aber an Munition.

Schlesien schien nun für den König von Preußen so gut wie verlohren zu seyn. Die Oesterreicher glaubten sich jetzt zu den größten Erwartungen berechtigt: sie hatten eine Schlacht gewonnen, zwey Festungen erobert, die Hauptstadt des Landes im Besitz, eine ungeheure Armee, um das Eroberte zu behaupten, und daher die beßten Aussichten den Krieg in kurzer Zeit nach Wunsch zu endigen. So war die Glückslage der Oesterreicher am Ende des Novembers. Der eingebrochene Winter schien allen fernern Operationen der Preußen ein Ziel zu setzen, und man dachte schon ernstlich auf Winterquartiere, als sich die ganze Scene auf einmal zum Erstaunen des ganzen Europa veränderte. Das Anrücken Friedrichs wurde als der letzte ohnmächtige Versuch eines Verzweiflungsvollen betrachtet, und seine kleine Armee von ihnen mit den Namen der Berliner Wachtparade bezeichnet. Die Preußischgesinnten Schlesier waren ganz ohne Hoffnung, und die Oesterreichischgesinnten ohne alle Besorgniß.

Von dieser Volksmeinung gab Schafgotsch, der Bischof von Breslau, selbst ein auffallendes Beyspiel. Friedrich hatte diesen Priester zum Fürsten erhoben, zum Bischof ernannt, und überhaupt mit Wohlthaten überhäuft. Er war in Potsdam sehr oft ein Gesellschafter des Monarchen gewesen, und hatte den schwarzen Adler-Orden erhalten, womit Friedrich von seinen

ersten

erſten Regierungsjahren an bis an ſeinen Tod nicht
weniger als freygebig war. Alles dieſes vergaß der
Undankbare, der ſeinen Wohlthäter ganz für verlohren
hielt, und ſich bey ſeinen Feinden einſchmeicheln wollte.
Die gemeinſten Regeln der Klugheit und Anſtändigkeit
wurden dabey von ihm aus den Augen geſetzt. Er
ſchimpfte auf den König, riß ſich den ſchwarzen Adler-
Orden ab, und trat ihn mit Füßen; eine Handlung,
die die Kaiſerlichen Generals ſelbſt revoltirte, und ihm
die verächtlichſten Verweiſe zuzog. Er flüchtete bald
nachher nach den Böhmiſchen Gebirgen, um dort ſeine
Schande zu verbergen. Nachher begab er ſich nach
Wien, wo ihm die Großen mit Verachtung begegneten, und Thereſia ſowohl als der Kaiſer Franz, die ſeine Verfahrungsart höchſt mißbilligten, ihm nicht einmal eine Audienz geſtatteten. In Rom, wo er wegen
ſeiner freyen Sitten längſt verhaßt war, fand er auch
weder Schutz noch Mitleiden, und er lebt noch itzt in
Böhmen als ein Verbannter.

Es waren von den Eroberern ſchon viele Verordnungen zur Regierung des Landes gemacht, und eine
Menge Beamten hatten der Kaiſerin Maria Thereſia
gehuldigt, als die ſogenannte Berliner Wachtparade
ſich der Hauptſtadt Schleſiens näherte. Friedrich hatte
die geſtobene Bevernſche Armee auf dem Marſch an
ſich gezogen, die aber immer in einiger Entfernung
abgeſondert campiren mußte, um den Muth ſeiner
ſiegreichen Schaaren nicht zu ſchwächen. Man kam
dem Feinde immer näher, der ſich bey Breslau ver-
ſchanzt hatte. Der König rief nun die Generals und
Stabs-Officiers zuſammen, und hielt eine kurze, aber
ſehr nachdrückliche Rede. Er ſtellte ihnen ſeine unglückliche Lage vor, erinnerte ſie an die Tapferkeit ihrer Vorfahren, an das Blut der gefallenen Krieger
ihres Volks, das ſie rächen müßten, und an den Ruhm
des Preußiſchen Namens; dabey äußerte er ſein feſtes
Vertrauen auf ihren Muth, ihren Dienſteifer, und
ihre

ihre Vaterlandsliebe, da er den Feind jetzt angreifen,
und ihm seine erhaltenen Vortheile wieder entreißen
wollte. Durch diese Anredung flammte er den Geist
seiner Krieger bis zum Enthusiasmus an. Einigen
stürzten die Thränen aus den Augen; alle wurden gerührt. Die vornehmsten Generals antworteten im
Namen des heroischen Haufens, und versprachen dem
König, zu siegen oder zu sterben. Diese Stimmung
des Geistes verbreitete sich bald durch die ganze Preußische Armee; und da man nun überdem hörte, daß die
Oesterreicher ihre vortheilhafte Stellung verlassen hätten, und den Preußen entgegen kämen, so hielten diese
den Feind schon so gut als besiegt.

Es war am 5ten December als bey dem Dorfe
Leuthen diese Schlacht, die größte unsers Jahrhunderts, geliefert wurde. Alles war bey beiden Heeren
verschieden. Die Preußen waren 30,000, die Oesterreicher 90,000 Mann stark. Die letztern voll Vertrauen auf ihre gewaltige Macht, auf ihr colossalisches
Bündniß, und auf den Besitz des schon halb eroberten
Schlesiens; die erstern aber voll Zuversicht auf ihre
tactischen Künste, und auf ihren großen Anführer.
Bey der einen Armee, durch die ungehinderten Zufuhren aus Böhmen unterstützt, herrschte Ueberfluß; bey
der andern war Mangel an vielen Bedürfnissen. Die
eine hatte lange Ruhe genossen, die andre hingegen
war von einem langen forcirten Marsch abgemattet.
Die Oesterreicher waren an diesem denkwürdigen Tage
nur mit gewöhnlichem Kriegsmuth ausgerüstet, die
Preußen bis zur Begeisterung gestimmt.

So trafen beyde Heere auf einander in einer Ebene, die Friedrich nicht besser hätte wünschen können.
Die Oesterreicher standen in unübersehbaren ungeheuren Linien, und konnten kaum ihren Sinnen trauen,
als sie die kleine Armee der Preußen zum Angriff anrücken sahen. Nun aber zeigte sich das große Genie
Friedrichs. Er wählte die schiefe Schlachtordnung,

E

die

die den Griechen so manchen Sieg verschafft hat, und
vermittelst welcher Epaminondas die fast unbezwingba=
ren Spartaner überwand; eine Stellung, die zu den
Meisterwerken der Kriegskunst gehört, und auf dem
Grundsatz beruht, mehr Soldaten auf den Hauptpunct
des Angriffs zu bringen, als der Feind, und dadurch
gleichsam den Sieg zu erzwingen. Friedrich machte
verstellte Bewegungen gegen des Feindes rechten Flü=
gel, während daß seine Absicht auf den linken gerichtet
war. Er befahl ein besonderes Manöver zu machen,
das man zwar bey andern Truppen nachgeahmt hat,
das aber bis auf den heutigen Tag nur allein von den
Preußen mit der erforderlichen Ordnung und Geschwin=
digkeit ausgeführt werden kann. Die Art dieser Evo=
lution ist, eine Linie in viele Haufen zu theilen, diese
Haufen dicht aneinander zu schieben, und so die ge=
drängte Menschenmasse bewegen zu lassen. Friedrich
erfand diese Stellungsart; es war eine Nachahmung
der macedonischen Phalanx, die in sechzehn Gliedern
marschirte und stritt, viele Menschenalter lang für un=
überwindlich gehalten wurde, bis das Schwerdt der
römischen Legionen sie vertilgte, und von ihr nichts,
als der Nahme übrig blieb. Dieser so gestellte Solda=
tenkörper nimmt verhältnißweise nur einen geringen
Raum ein, und zeigt in der Ferne einen höchstunor=
dentlichen aufeinander gehäuften Menschenklumpen.
Allein es bedarf nur einen Wink des Heerführers, so
entwickelt sich dieser Knaul in der größten Ordnung,
und mit einer solchen Schnelligkeit, die einem reißen=
den Strome ähnlich ist.

So griff Friedrich den linken Flügel der Oesterrei=
er an, und warf ihn über den Haufen. Frische Re=
gimenter kamen den geworfenen beständig zu Hülfe,
allein man ließ sie nicht einmal formiren; kaum zeigten
sie sich, so wurden sie auch zurückgeschlagen. Ein
Oesterreichisches Regiment fiel aufs andre, die Linie
wurde auseinander gesprengt, und die Unordnung war
                                           un=

unaussprechlich. Viele tausend von den Kaiserlichen
Truppen konnten zu keinem Schuß kommen; sie mußten mit dem Strom fort. Der stärkste Widerstand geschah in dem Dorf Leuthen, das mit vielen Kaiserlichen
Truppen und Artillerie besetzt war. Hiezu kamen große
Haufen von Flüchtlingen, die alle Häuser und Winkel
des Orts anfüllten, und sich verzweifelt wehrten. Endlich aber mußten sie doch weichen. So erschrecklich
auch die Unordnung bey der geschlagenen Armee war,
so versuchten dennoch ihre besten Truppen noch einmal
unter Begünstigung des Terrains Stand zu halten;
allein die Preußische Artillerie schlug sie bald in die
Flucht, und ihre Cavallerie, die auf allen Flügeln ein-
hieb, machte immer Gefangene zu Tausenden. Bey
Kollin war es nicht Kriegskunst noch Tapferkeit, sondern die eisenspeienden Maschinen auf unzugangbaren
Höhen gestellt, die das Schicksal des Tages bestimmten;
bey Leuthen aber entschied Tactik und Tapferkeit allein
den Sieg. Man machte auf dem Schlachtfelde 21,500
Gefangene, 6500 von den Oesterreichern waren todt
oder verwundet, und 5000 Deserteurs gingen nach der
Schlacht zu den Siegern über. Der Preußische Verlust war 5000 Todte und Verwundete.

Die unmittelbare Folge dieses Tages war die Belagerung von Breslau, das von der geschlagenen Armee stark besetzt, seinem Schicksal überlassen wurde.
Man errichtete hier Galgen für diejenigen, die von
Uebergabe sprechen würden; allein in vierzehn Tagen
gieng auch diese Stadt über, da die Preußen schon alle
Anstalt zum Sturm gemacht hatten, und die Besatzung
von 13 Generals, 700 Officiers und 18,000 Mann
mußte das Gewehr strecken. Hier wurde ein ansehnliches Magazin, eine Menge Proviantwagen, und
eine Kriegskasse von 144,000 Gulden erbeutet. Der
General Zieten, der die Feinde verfolgte, hatte außerdem noch 2000 Gefangene gemacht, und über 3000
Wagen erbeutet; so daß die Oesterreicher in ein paar

Wochen fast 60,000 Mann verlohren, und die Reste ihrer kurz zuvor ungeheuren Armee nur ein Corps Flüchtlinge darstellten, die ohne Canonen, Fahnen und Bagage, von Mangel gedrückt, und von Kälte erstarrt, über die Böhmischen Gebürge nach Hause zogen.

Das größte Kriegstalent des König von Preußen war, begangene Fehler wieder gut zu machen, und erlangte Vortheile aufs möglichste zu benutzen. Die Eroberung des fast verlohrnen Schlesiens, und mehr als 40,000 Mann Kriegsgefangene hätten daher dem rastlosen Feldherrn nicht genüget, und im Laufe seiner Siege aufgehalten, wenn nicht der so weit vorgerückte Winter und der tiefe Schnee seinen fernern Progressen durchaus ein Ziel gesetzt hätte; selbst die Belagerung von Schweidnitz mußte bis zum Frühlinge verschoben werden. Die letzte Operation in diesem Feldzuge war die Wiedereroberung von Liegnitz. Die 3500 Mann starke Besatzung erhielt einen freyen Abzug; allein ein großes Magazin von Proviant und eine Menge Munition mußte sie den Preußen überlassen.

Friedrich hatte die Zufriedenheit, am Ende dieses Jahrs fast alle seine Staaten wieder von den Feinden geräumt zu sehn. Die Oesterreicher eilten nach den Kaiserlichen Erbländern, um sich von ihrer schrecklichen Niederlage zu erholen; die Russen hatten Preußen verlassen; die Franzosen waren von den Brandenburgischen Gränzen entfernt, und nur allein im Besitz eiger entlegenen Westphälischen Provinzen. Die Reichstruppen waren nach Hause geschickt, und die Schweden durch den General Lehwald aus Preußisch-Pommern vertrieben worden; dabey war sogar Schwedisch-Pommern in den Händen der Preußen, die nun auch Mecklenburg in Besitz nahmen, und in Sachsen ruhig Winterquartiere machten.

So endigte sich ein Feldzug, der in der ganzen Weltgeschichte ohne Beyspiel ist. In diesem einzigen Jahr wurden sieben Hauptschlachten geliefert, und zahlreiche

reiche große Scharmützel gefochten, und von denen viele in den vorigen Jahrhunderten als Schlachten betrachtet worden wären. Große Feldherrn, die zu den seltensten Producten der Natur gehören, Friedrich, Ferdinand, hatten hier zugleich den Schauplatz des Kriegs betreten, und alle Krieger künftiger Zeitalter durch Thaten belehrt. Andre, Heinrich, der Erbprinz von Braunschweig, Laudon, hatten hier die Keime ihrer erhabenen Talente entwickelt; noch andere, obgleich minder groß, dennoch in jeder andern Periode allein fähig den kriegerischen Ruhm eines Volks bey der Nachwelt zu gründen: Seidlitz, Keith, Fouquet, Bevern, Etrees, Broglio, Haddick, Romanzow, Wunsch, Zieten, Werner, und mehrere berühmte Befehlshaber der verschiedenen Heere hatten hier zuerst Gelegenheit gehabt, ihre außerordentlichen Fähigkeiten zu zeigen. Drey andere Feldherrn, jeder mit erkämpften Trophäen bekannt, und in den Kriegsjahrbüchern unvergeßlich: Schwerin, Brown und Winterfeldt, waren in diesem ewig denkwürdigen Feldzug gefallen, und hatten durch ihr edles Blut ihre Thaten besiegelt. Ueber 700,000 Krieger waren in Waffen gewesen. Und von welchen Völkern! Es waren nicht weichliche Asiater, die von jeher mit zahllosen Heeren die Felder bedeckten, und den Griechen, Römern und Britten Anlaß zu desto auffallendern Triumphen gaben. Es waren keine zusammengeraffte Kreuzfahrer, die in ungeheuren Schwarmen wie Heuschrecken ganze Provinzen überschwemmten, sich ohne alle Kriegskunst herumschlugen, und aus fanatischem Eifer Menschen mordeten. Nein! Es waren alles kriegerische Nationen, die hier auf deutschen Boden kämpften: keine der hohen Cultur des 18ten Jahrhunderts unwürdig, und einige derselben den tapfersten Völkern der Vorwelt gleich; mehr als eine einzeln fähig durchs Schwerdt einem Welttheil Gesetze zu geben.

Die außerordentlichen Revolutionen, die in dem kurzen Zeitraum dieses einzigen Feldzugs geschahen,

E 3

boten

boten aller menschlichen Vorsicht und Erfahrung Trotz, und schienen ganz von dem gewöhnlichen Lauf der Dinge abzugehen. Man sahe im Anfang des Jahres den König von Preußen triumphirend; die Macht der Oesterreicher beynahe vernichtet; ein großes Heer in einer Stadt eingesperrt, und auf dem Punct sich zu ergeben; die Kaiserstadt selbst nicht sicher, und alle Hoffnungen Theresiens fast verlohren. Auf einmal sinkt Oesterreichs Schaale wieder. Die Oesterreicher siegen, gewinnen Schlachten und machen Eroberungen; dagegen Friedrich geschlagen, aus Böhmen vertrieben, von seinem Bundsgenossen verlassen, und von seinen Feinden auf allen Seiten umringt, sich am Rande des Abgrundes befindet. Aber plötzlich erhebt er sich wieder, um mehr als jemals zu triumphiren. Die Armeen der Russen, der Schweden, die Reichstruppen, die Franzosen und Oesterreicher werden theils verjagt, theils geschlagen, theils zu Grunde gerichtet; ganze Heere werden zu Gefangenen gemacht, und das halb eroberte Schlesien mitten im Winter durch einen Schwerdtstreich wieder gewonnen. Die Russen siegen in Preußen und fliehen; sie lassen viele tausend ihrer Kranken und Verwundeten zurück, und die geschlagenen Preußen verfolgen sie bis an die Gränzen von Pohlen Die kriegerischen Schweden finden bey ihrer Ankunft in Pommern keinen Feind; ihre gemeinen Soldaten geizen nach Gefahren, und ihre Anführer nach Ruhm. Das Schicksal von Berlin ist ganz in ihren Händen. Es geschieht nichts, und sie müssen bald nachher ihre Rettung unter den Canonen von Stralsund suchen. Die Französische Hauptarmee ist im ruhigen Besitz aller Provinzen zwischen der Elbe und der Weser. Die Hannoveraner ergreifen die Waffen, Ferdinand stellt sich an ihrer Spitze, und der mächtige Feind flieht nun, läßt ansehnliche Magazine zurück, und wird in einen Winkel im nördlichsten Deutschland gedrängt. —

Die

Die Britten hatten bisher nichts von einem Land=
krieg hören wollen, allein das leidende Hannover für
Brittanniens Sache, und die Thaten Friedrichs, die
nirgends mehr als bey diesem großmüthigen Volke ge=
würdigt wurden, veränderten ganz dessen vorige Ge=
sinnungen. Der König von Preußen wurde ganz der
Abgott der Engländer; sie feyerten seinen Geburtstag
in London und in den Provinzen, so wie die Geburts=
tage ihrer eigenen beliebtesten Könige. Das Parlament
bewilligte ihm jährlich 670,000 Pfund Sterling Sub=
sidien; man beschloß Englische Truppen nach Deutsch=
land zu schicken, und der große Pitt, der bald darauf
das Staatsruder in die Hände nahm, und durch die
Macht seines Genies das Brittische Reich als Diktator
beherrschte; setzte nun den Grundsatz fest, daß America
in Deutschland erobert werden mußte.

[1758] Beide kriegführende Theile also hatten
neue Hoffnungen, neue Entwürfe; beide hatten neue
Kräfte gesammlet, und so wurde der Feldzug vom Jahr
1758 eröffnet. Die Russen waren die ersten auf der
Kriegsbühne. Apraxin war zurückgerufen worden,
Fermor erhielt jetzt das Commando, und gemessene
Befehle Preußen zu besetzen, welches auch noch mitten
im Winter geschah. Friedrich, der an dem weitern
Vorrücken dieser Feinde jetzt nicht zweifelte, und dessen
durch so viele Schlachten zusammengeschmolzene Ar=
meen wieder im besten Stande, und mit allen Bedürf=
nissen im Ueberflusse versehn waren, wünschte, ehe er
sich gegen sie wandte, etwas entscheidenders gegen die
Oesterreicher auszuführen, und richtete deshalb sein
Augenmerk auf Mähren. Er hatte den Anfang seiner
Operationen mit der Belagerung von Schweidnitz ge=
macht. Diese mit 5200 Mann besetzte Festung, die
man den ganzen Winter blokirt gehalten, ging nun
nach einer sechzehntägigen Vertheidigung an die Preu=
ßen über. Nun kam die Reihe belagert zu werden an

  Olmütz.

Olmütz. Diese Festung war mit einer starken Besatzung, und mit allen Bedürfnissen versehen, eine Belagerung lange auszuhalten; hiezu kam ein Commandant, der General Marschall, der ein Mann von Erfahrung, von Muth und Entschlossenheit war. Man mußte also eine tapfere Gegenwehr erwarten.

Die vielen Schwierigkeiten, die mit einem Einfall in Mähren verbunden waren, wurden noch dadurch vermehrt, daß die nächsten Preußischen Magazine achtzehn Meilen von Olmütz entfernt waren, dem ohngeachtet wurden alle Hindernisse überstiegen. Der König machte Miene nach Böhmen zu gehn, betrog aber den Feind, und drang in Mähren ein. Die feindlichen Corps, die die Unternehmung hemmen wollten, wurden zurückgeschlagen, und die Belagerung förmlich angefangen. Der Commandant machte die wirksamsten Vorkehrungen zur Vertheidigung, verbesserte in der Geschwindigkeit die Festungswerke, vermehrte seinen Proviant, schaffte die unnützen Einwohner aus der Stadt, und ließ die Vorstädte niederreißen. Der Feldmarschall Keith commandirte das Belagerungscorps. Gleich die ersten Maaßregeln der Belagerer aber deuteten auf einen unglücklichen Erfolg. Der Preußische Ingenieur-Oberst Balby, ein Franzose, der die Belagerung anordnete, machte dabey die außerordentlichsten Fehler, wodurch alles in die Länge gezogen wurde. Der erste Laufgraben der Belagerer war 1500 Schritt von der Festung; eine Entfernung, die alles Schießen unnütz machte. Man rückte nach und nach näher, trotz der Ausfälle und des heftigen Feuers der Belagerten, und beschoß die Stadt aus achtzig Stücken Geschütz.

Die Erfordernisse eine Belagerung anzufangen und fortzusetzen sind nach der heutigen Kriegskunst außerordentlich; bey der gegenwärtigen bedurfte man täglich blos zu Pulver und Kugeln die Ladung mehrerer hundert Wagen. Die Zufuhr der Bedürfnisse für die

Preußen

Preußen wurden auch beständig in kleinen und größern Transporten fortgesetzt. Sie kamen fast alle glücklich an, allein die Belagerung erforderte weit mehr; daher beruhete alles auf einen großen Transport von mehr als 3000 mit Munition und Proviant beladenen Wagen, der aus Schlesien über Troppau erwartet wurde. Die Ankunft desselben zu verhindern, war Dauns Hauptaugenmerk, da er Olmütz retten wollte, ohne mit dem König zu schlagen; wozu er vermöge seines vorsichtigen Characters sehr selten geneigt war. Er benutzte die Stärke seiner Armee, verschiedene Corps auszuschicken, und die Landstraßen und Gegenden wohl zu besetzen, wo der Transport durchkommen mußte. Es fielen große Scharmützel vor. Das Glück trat bald auf diese, bald auf jene Seite, allein in der Hauptsache wurde dadurch nichts geändert.

Friedrich wandte alles an, was ihm seine Lage als Belagerer und die Schwäche seines Heers nur erlaubte, um den so entscheidenden Transport glücklich in die Hände zu bekommen. Der Oberst Mosel, ein erfahrner Officier, commandirte die Bedeckung desselben. Sein Corps war 9000 Mann stark, und mit diesem trat er den Marsch an, der aber wegen des erstaunlichen Trains sehr langsam und beschwerlich war. Ueberdem waren die Wege, die zur Preußischen Armee führten, wegen der beständigen Zufuhr und des eingefallenen Regenwetters so sehr verdorben, daß die Fuhrwerke alle Augenblicke stecken blieben, und der Zug dadurch aufgehalten und getrennt wurde. Mosel mußte daher von Zeit zu Zeit Halt machen; dennoch blieb ein Drittel des ganzen Zuges zurück. Er konnte auf diesen nicht warten, sondern setzte seinen Marsch fort, der durch Hohlwege und bey feindlichen Batterien vorbey ging. Hier erwartete Laudon den Transport. Seine Croaten, in einem Walde postirt, griffen die Preußen mit großer Hitze an, diese aber drangen

gen

gen in den Wald, schlugen den Feind zurück, und machten noch dazu einige hundert Gefangene.

Während diesem Gefecht aber war der Zug selbst in die größte Verwirrung gerathen. Die Bauern, die die Wagen führten, geriethen gleich bey den ersten Canonenschüssen in ein solches Schrecken, daß sie alles zurückließen, und sich zerstreuten. Viele machten ihre Vorspannpferde los, und eilten davon. Ein großer Theil derselben kam gar nicht mehr zum Vorschein, sondern stohe geradezu nach Hause; ja viele Wagen kehrten förmlich um, und fuhren nach Troppau zurück. Mosel half dieser greulichen Unordnung ab, so gut es ihm möglich war, und setzte seinen Marsch fort. Der König schickte ihm den General Zieten entgegen, der sich auch glücklich mit ihm vereinigte; allein es waren nicht die Hälfte der Wagen vorhanden, und von diesen konnten viele nicht fort, aus Mangel an Knechten, die zerstreut waren. Ein neuer Halt war durchaus nöthig. Diese kostbare Zeit benutzten die Oesterreicher, um 25000 Mann auserlesener Truppen in die Gebüsche bey Darmstädtel zu postiren. Laudon und Ziskowitz waren ihre Anführer; Kaum hatte der Zug diese Gebirgspässe erreicht, so wurde er von allen Seiten angegriffen. Man feuerte mit Canonen auf die Wagenburg, schoß die Pferde todt, sprengte die Pulverwagen in die Luft, und setzte alles in die schrecklichste Verwirrung. Die Preußen verlohren jedoch den Muth nicht, sondern wehrten sich über zwey Stunden lang in der allernachtheiligsten Lage. Sie waren in einzelnen Haufen, und überdem zerstreut, um die ungeheure Wagenlinie zu decken; der Feind aber konnte sich nach Gefallen zusammenziehen, und griff daher in ganzen Colonnen an. Durch dieses Mittel wurden die Preußen endlich überwältigt, und der ganze Transport auseinander gesprengt. Zieten wurde mit einem Theil der Bedeckung abgeschnitten, und war gezwungen sich unter beständigem Fechten nach Troppau zurückzuziehn.

Der

Der General Krokow sammlete nun die übrigen Truppen, und 250 Wagen, mit denen er glücklich ins königliche Lager eintraf. Unter diesen befanden sich sieben und dreißig Wagen mit Geld beladen, wovon keiner den Feinden in die Hände fiel.

Alle Tapferkeit von Seiten der Preußen war bey einem so ungleichen Gefecht fruchtlos gewesen; denn es war nicht schwer einen Transport zu zerstreuen, der eine Wagenlinie von drey bis vier deutschen Meilen formirte, und wo die Truppen durch Stundenweite Zwischenräume von einander abgesondert waren. In dieser Lage thaten die Preußen alles, was man nur von den tapfersten Kriegern erwarten konnte. Es waren bey dem Transport eine Menge Recruten, Jünglinge von achtzehn bis zwanzig Jahren, aus den Regiments-Contons in der Mark und Pommern ausgehoben, die nie einen Feind gesehen hatten, und hier wie Römer fochten. Von 900 derselben wurden nur 65 gefangen, und einige verwundet, die übrigen deckten mit ihren Körpern die Wahlstatt.

Die unmittelbare Folge dieses Verlusts war die Aufhebung der Belagerung von Olmütz. Dieses bewerkstelligte der Feldmarschall Keith mit der größten Klugheit und Behutsamkeit, so daß er ungehindert alles Geschütz, alle Wagen mit Lebensmitteln, ja selbst die Kranken fortschafte; nur allein dreyßig der schwächsten wurden der Großmuth des Feindes überlassen. Friedrich machte abermals seinen Generalen durch eine Rede seine mißliche Lage bekannt, und das große Vertrauen auf die Tapferkeit seiner Truppen, von denen er hoffte, daß sie den Feind zurückschlagen würden; und wenn er auch auf die höchsten Berge postirt, und in Batterien begraben seyn sollte. Daun wollte dem König den Rückzug nach Schlesien versperren; er besetzte alle Pässe, die aus Mähren dahin führen, und glaubte die Preußen schon alle gefangen zu haben; allein Friedrich wandte sich plötzlich, nahm seinen Marsch
nicht

nicht nach Schlesien, sondern nach Böhmen, vertheilte
seine Armee in verschiedene Corps, und so kam er nach
Uebersteigung der größten Schwierigkeiten in den un=
wegsamen Gebirgen, und nach vielen lebhaften Schar=
mützeln, über Glatz nach Schlesien. Keith deckte die
Belagerungs = Artillerie und beynahe 4000 Wagen.
Auch dieser ungeheure Zug passirte glücklich die hohen
Gebirge und eine Kette von Defileen, ohngeachtet der
verfolgenden Feinde. Nichts ging verlohren. Der
offensive Krieg gegen die Oesterreicher hatte indessen
vorietzo ein Ende; denn die nun im Mittelpunct von
Friedrichs Staaten eingedrungene Russen erforderten
die schleunigsten Maaßregeln, sie zurück zu treiben.

Sie waren bereits im Anfang dieses Jahr unter
des General Fermors Anführung nach Preußen zu=
rückkehrt, und da sie das Königreich ganz leer an
Truppen fanden, so nahmen sie es ietzt ohne Schwerbt=
schlag in Besitz. Fermor hielt einen triumphirenden
Einzug in Königsberg. Es wurde mit allen Glocken
geläutet, und Trompeten und Paucken ließen sich von
den Kirchthürmen den ganzen Tag hören. Die be=
trübten Einwohner, denen die vorjährigen Russischen
Greuel noch im frischen Andenken waren, fleheten nun
um den Schutz der Kaiserin. Die Antwort des Feld=
herrn ist merkwürdig. Er sagte: „Es ist ein Glück
„für Sie, meine Herren, daß meine allergnädigste
„Monarchin dieses Königreich in Besitz genommen hat.
„Es kann ihnen unter ihrem sanften Scepter nicht an=
„ders als glücklich ergehen, und ich werde mich bemü=
„hen, alle hiesigen Verfassungen, die ich vollkommen
„und unverbesserlich finde, in ihrem Gange zu erhal=
„ten. „ Er fertigte sofort einen Courier mit den
Schlüsseln der Stadt nach Petersburg ab, und gab
dem Adel Audienz; hierauf folgten prächtige Gastmäh=
ler. Von nun an betrachteten die Russen das König=
reich Preußen als ihr Eigenthum, das sie im Frieden
zu behalten hofften, und man muß gestehn, daß sie
es

es den ganzen übrigen Krieg durch mit einer beyspiel‑
würdigen Schonung behandelten.

Die Glieder von allen königlichen Collegien mußten
nun in der Schloßkirche einen Eid schwören, daß sie
nichts wider das Interesse der Kaiserin von Rußland,
weder öffentlich, noch heimlich vornehmen wollten.
Den Kranken wurde der Eid in ihren Wohnungen ab‑
genommen. Das Consistorium erhielt Befehl für die
Kaiserin in den Kirchen beten zu lassen, wobey das
Formular des Gebets gefügt war. Endlich mußte der
Adel sowohl als die Bürgerschaft auch den Eid in dazu
bestimmten Kirchen leisten. Russische Officiers führten
sie dahin, und präsidirten bey der Ceremonie. Man
machte die Russischen Staatsfeste bekannt, die durch
Gottesdienst, und Unterlassung der Arbeit gefeyert
werden sollten; dabey wurden aber auch alle Verfü‑
gungen getroffen, um das Commerz, die Posten, und
andre gemeinnützige Gegenstände ungestört zu lassen.

Die Russen erbeuteten in Königsberg und Pillau
acht und achtzig eiserne Kanonen, nebst einer beträcht‑
lichen Anzahl Kugeln und Bomben, desgleichen einige
hundert Fässer Pulver. Nie wurde ein Königreich
leichter erobert als Preußen, aber auch nie betrugen
sich barbarische Krieger im Taumel ihres Glücks mit
mehr Mäßigung. Der Wiener Hof, um diese müh‑
lose Eroberung zu belohnen, ernannte Fermor zum
Reichsgrafen, und die Russische Monarchin bestätigte
alle seine Verfügungen.

Die Einwohner von Preußen schienen bey dieser
unerwarteten Schonung ihren König zu vergessen, und
schmiegten sich ruhig unter das Joch seiner Feinde. In
Königsberg besonders that man mehr, als erforderlich
war. Am 21sten Februar, als am Geburtstage des
Großfürsten Peter, wurde die Stadt erleuchtet, ein
Feuerwerk abgebrannt, und die Universität bat um
Erlaubniß im öffentlichen Hörsaal eine Rede auf die‑
sen Russischen Thronerben zu halten. Dergleichen Er‑
leucht‑

leuchtungen auf Kosten der Königsberger mit Ehren-
gerüsten und andern Schaugeprängen verbunden, waren bey den Russischen Staatsfesten gewöhnlich, und
obgleich politische Rücksicht und Befehle weit mehr Antheil daran hatten, als der gute Wille, so konnte
Friedrich doch dies Betragen nicht vergessen, und nie
in seinem ganzen übrigen Leben betrat er sein Königreich Preußen wieder. Alles gieng jetzt hier ruhig. Die
Verwaltung aller Zweige der Staatswirthschaft und
der Landesregierung wurde unverändert fortgesetzt. Die
Einkünfte fielen den Eroberern zu, jedoch mußten die
Häupter der Collegien eben so wie in Sachsen Mittel
zu finden, ihrem Monarchen von ihrer Treue und
Diensteifer thätige Beweise zu geben. Diese Mittel
blieben den Russen ein Geheimniß. Fermor verließ
endlich Preußen mit seiner Armée, der auf 30,000
Schlitten Proviant zugeführt wurde, und nahm
seinen Zug nach Pommern und der Mark. Jetzt aber
waren diese Eroberer nicht mehr durch höhere Befehle,
so wie in Preußen im Zaum gehalten, daher bezeichneten, so wie im vorigen Jahre, Blut und brennende
Dörfer ihren Pfad in diesen unglücklichen Provinzen.

Die Dohnasche Armee hatte vor Ankunft der Russen die Schweden ganz in die Enge getrieben, und
hielt selbst Stralsund blokirt. Alle diese Vortheile aber
wurden vernichtet, da das Heer der neuen Feinde anrückte. Die Operationen dieses Heers waren wegen
Herbeyschaffung der Lebensmittel und der Anlegung der
Magazine sehr verzögert worden. Es war nicht genug,
daß die Russen Meister von der Weichsel waren, sie
mußten es auch von der Warthe seyn. Posen, die
Hauptstadt in Groß-Pohlen, wurde daher von ihnen
in Besitz genommen, ein gleiches geschahe mit Elbing
und Thorn; auch Danzig wollten sie besetzen, und
zum Haupt-Waffenplatz machen, allein der Versuch miß-
glückte. Die Einwohner dieser damals sehr Preußischgesinnten Stadt erklärten sich förmlich wider das An-
sinnen

finten, den Rußen ihre Außenwerke zu überlaßen, und
machte Anstalten, sich im Nothfall der Gewalt zu
widersetzen. Es kam jedoch nicht dazu. Die Rußen
hatten keine Zeit zu verlieren. Ihr Augenmerk war
auf das Innere der Preußischen Staaten gerichtet,
wohin Fermor seinen Marsch fortsetzte. Er drang mit
80,000 Mann in Pommern und in die Neumark ein, und
belagerte Cüstrin, welches der General Dohna mit seiner
schwachen Armee nicht hindern konnte. Das System dieser Truppen war, nach barbarischer Hordenart
zu sengen und zu brennen. Die unglückliche Stadt
wurde daher gleich den ersten Tag in einen Aschenhaufen verwandelt, und ein ungeheures Magazin verbrannt. Kaum hatten die Einwohner Zeit, von allem
entblößt, ihr armseliges Leben zu retten. Sie flohen
über die Oder, und sahen traurig den Rauch an, der
von ihren verbrannten Habseligkeiten in die Wolken
stieg. Viele Bewohner der umliegenden Gegenden, ja
selbst entfernte hatten dieser Festung ihre besten Sachen vor der Raubsucht der Cosaken in Sicherheit gebracht; es waren deren eine erstaunliche Menge, und
von großem Werth, die aber jetzt auch von den Flammen verzehrt wurden. Die Absicht der Feinde war,
daß durchaus nichts vom Eigenthum der armen Einwohner gerettet werden sollte; denn sie fuhren mit dem
Werfen der Brandgrenaden fort, da das Feuer schon
in allen Winkeln des Orts wüthete. Endlich hörte
man gegen Abend mit dem unnützen Bombardement
auf. Fermor selbst aber befahl in der Nacht die noch
vorhandenen Grenaden auch in die Stadt zu werfen,
weil, wie er selbst sagte, man sie in diesem Feldzuge
doch nicht mehr brauchen würde; die Canonkugeln aber
sollte man bis zur Schlacht sparen. Der Commandant
wurde erst am fünften Tage zur Uebergabe aufgefor-
dert, weil es dem Rußischen Feldherrn zu Zeiten einfiel nach gesitteter Völker Weise zu handeln; allein auch
diese Auffoderung bezeichnete den Barbaren. Er drohete

hete zu stürmen, und die ganze Besatzung niedersäbeln
zu lassen, wenn man die Festung nicht so fort übergäbe.
Die Antwort des Commandanten war: „Die Stadt
„ist zwar nichts mehr als ein Steinhaufen; die Ma-
„gazine sind verbrannt, aber die Festung selbst ist noch
„im besten Stande, und die Garnison hat nichts ge-
„litten, ich werde mich daher bis auf den letzten Mann
„wehren. „ Er vertheidigte sich auch auf dem Schutthaufen, allein ohne große Einsicht zu zeigen. Als er
sich deshalb bey dem König entschuldigen wollte, antwortete dieser: „Ich bin selbst schuld, warum habe
„ich ihn zum Commandanten gemacht. „

Der gedrohete Sturm auf Cüstrin unterblieb jedoch; denn alle Aufmerksamkeit der Russen war auf
den herannahenden König gerichtet. Dohna kam der
bedrängten Festung noch vor dessen Ankunft zu Hülfe,
ließ eine Schiffbrücke über die Oder schlagen, und eröffnete dadurch eine Communication, so daß die Besatzung beständig abgelöst werden konnte.

Der König hatte den größten Theil seiner Armee
in Schlesien zurückgelassen, er nahm blos 14,000
Mann von seinen Haustruppen, und trat mit ihnen
einen sehr forcirten Marsch an. Diese kleine Armee
brannte vor Begierde sich an einem Feinde zu rächen,
den sie zwar noch nie gesehen hatte, dessen Grausamkeiten und Verwüstungen aber, durch den Ruf sattsam
bekannt, Blut in Strömen forderten. Ihre Kriegswuth wurde noch größer, da sie die verheerten Provinzen
betraten, die Schutthaufen sahen, und die Aschenhü-
gel noch rauchend fanden. Kaum kannten sie ihr ver-
ödetes Vaterland mehr. Man eilte sich dem Feinde
zu nähern. Alle Strapazen wurden verachtet, und
das Wasser bey der heißen Jahreszeit aus Pfützen ge-
trunken. In vier und zwanzig Tagen machte Friedrich einen Zug von sechzig deutschen Meilen; und so
langte er den 21sten August bey Cüstrin an, wo er zur
Dohnaschen Armee stieß. Er war an einem nicht er-

war-

watteten Ort über die Oder gegangen. Fermors Entwürfe waren jetzt ganz vereitelt. Nun wurde die Belagerung von Cüstrin aufgehoben, beide Heere näherten sich einander, und alles rüstete sich zur Schlacht.
Nie war wohl bey einer Armee der Durst nach einem
Treffen größer, als wie diesmal bey der Preußischen.
Der Dämon des Kriegs schien das ganze Heer begei-
stert zu haben. Selbst Friedrich, durch den Anblick
der zahllosen Schutthaufen, und der alles beraubten
herumirrenden Flüchtlinge aufs lebhafteste gerührt,
schien jetzt alle andere Leidenschaften der Rache unter-
zuordnen. Er befahl, keinem Russen in der Schlacht
Pardon zu geben. Alle Anstalten wurden gemacht
dem Feind den Rückzug zu hemmen, und ihn nach den
Morästen der Oder zu drängen; sogar die Brücken,
die ihnen zur Flucht dienen konnten, mußten abgebrannt werden. Diese Wuth der Preußen wurde den
Russen bekannt, da eben diese Schlacht anfangen sollte.
Ein Zuruf lief durch die ganze Linie: „Die Preußen
„geben kein Quartier.„ „Und wir auch nicht, „
war der Widerhall der Russen.

Die Lage Friedrichs war abermals verzweiflungs-
voll, und alles hing von dem Ausgang einer Schlacht
ab. Die feindlichen Heere waren nun im Begriff sich
zu vereinigen, und ihn von der Elbe und der Oder
abzuschneiden. Die Franzosen und Reichstruppen waren auf dem Marsch nach Sachsen, wohin Daun mit
der Hauptarmee der Oesterreicher auch gezogen war.
Die von den Preußen befreyeten Schweden hatten
jetzt gar keinen Feind vor sich, und rückten auf das
unbefestigte Berlin los, und überdem nun noch die
Russen, deren Motto Verheerung war, in dem
Herzen seiner Staaten.

Die tiefdurchdachte Disposition Friedrichs war jedoch nicht blos auf den Sieg, sondern auf den gänzlichen Untergang des feindlichen Heers gerichtet; dabey
aber doch dem Könige, bey einem widrigen Schicksal,

F der

der Rückzug nach Cüstrin frey blieb. Es war am
25sten August, als diese große Schlacht bey Zorndorf
geliefert wurde. Die Russen waren 50,000, und die
Preußen 30,000 Mann stark. Diese machten den Anfang mit einer lebhaften Canonade. Die Stellung der
Russen war ein in ihren Türkenkriegen gebräuchliches
ungeheures Viereck, in dessen Mitte sich ihre Reuterey,
ihre Bagage und das Reserve-Corps befand. Die Canonenkugeln thaten eine schreckliche Wirkung auf die so
unschicklich gestellten Russischen Menschenmassen. Bey
einem Grenadier-Regiment nahm eine einzige Kugel
42 Mann weg. Ueberdem richteten sie eine grausame
Verwirrung unter der Bagage an; die Pferde rissen
mit ihren Wagen aus, und brachen durch die Glieder,
so daß man diesen Troß bald aus dem Quarree heraus
schaffen mußte. Der linke Flügel der Preußen avan-
cirte indessen so hitzig, daß er eine Flanke blosgab.
Diesen Umstand nutzte die Russische Cavallerie, in die
Preußische Infanterie einzudringen, und einige Bataillons aus dem Felde zu schlagen. Fermor glaubte
schon gesiegt zu haben; er ließ die Quarree von allen
Seiten öffnen, um den Feind zu verfolgen. Dies geschah auch mit einem lauten Siegesgeschrey; allein die
Russen waren noch nicht weit gekommen, als sie schon
in große Unordnung geriethen. Der General Seidlitz
rückte mittlerweile mit der Preußischen Cavallerie an,
und warf die Russische über den Haufen, die jetzt auf
ihre eigene Infanterie getrieben wurde. Ein ander
Corps Preußischer Reuter stürzte zu gleicher Zeit auf
die Russische Infanterie. Sie hieben alle ohne Gnade nieder, was ihr Schwerdt nur erreichen konnte.
Einige Regimenter Preußischer Dragoner ließen sich
durch das brennende Zorndorf nicht abhalten, sondern
trabten durch die Flammen auf die Russen zu; auch
Seidlitz, der mit der feindlichen Cavallerie ganz fertig
geworden war, folgte jetzt dieser neuen Siegesbahn.
Das Russische Fußvolk wurde nun auf allen Seiten in
der

der Flanke, auf der Fronte und im Rücken angefallen;
und ein entsetzliches Blutbad angerichtet. Diese Krieger stellten den Preußen noch nie erlebte Schlachtscenen
dar: sie standen wie die Bildsäulen in ihren Gliedern,
nachdem sie ihre Patronen verschossen hatten. Es war
jedoch nicht jene bewundrungswerthe Tapferkeit, aus
Ruhmsucht oder Vaterlandsliebe ihren Posten bis auf
den letzten Augenblick zu behaupten; denn sie wehrten
sich fast nicht. Es war ein Stumpfsinn, sich da, wo
sie standen, erwürgen zu lassen. Wären nun ganze
Linien zu Boden gestreckt, so zeigten sich immer neue
Schaaren, die gleichsam auch so abgefertigt zu seyn
wünschten. Es war leichter sie zu tödten, als sie in
die Flucht zu schlagen; selbst ein Schuß mitten durch
den Leib war nicht hinreichend sie auf die Erde zu werfen. Nichts blieb daher den Preußen übrig, als nie-
derzumetzeln, was nicht weichen wollte. Der ganze
Russische rechte Flügel wurde theils niedergehauen,
theils in Moräste getrieben. Eine Menge dieser
Flüchtlinge gerieth unter die Bagage; die Märketen-
derwagen wurden geplündert, und der Brandwein
viehisch gesoffen. Vergebens schlugen die Russischen
Officiers die Fässer in Stücken; die Soldaten warfen
sich die Länge lang auf den Boden, um den so gelieb-
ten Trank noch im Staube zu lecken. Viele hauchten
besoffen die Seele aus, andre massacrirten ihre Officiers, und ganze Haufen liefen wie rasend auf dem
Felde herum, ohne auf das Zurufen ihrer Befehlshaber zu achten.

So ging es auf dem rechten Flügel der Russen zu.
Es war Mittag. Auf ihrem linken Flügel war bisher
noch wenig geschehn. Nunmehr aber wurde auch dieser von den Preußen angegriffen; allein die Regimenter, die hier dem größten bereits errungenen Sieg vollends das Siegel aufdrücken konnten, zeigten nicht ihre
gewöhnliche Tapferkeit. Sie vergaßen den Ruhm des
Preußischen Namens, verkannten ihre Kräfte in dem

ent-

entscheidendsten Augenblick, und wichen im Angesicht
ihres Königs vor den geschwächten und schon halbge-
schlagenen Russen zurück. Die Unordnung war groß,
und alle Heldenthaten des Preußischen linken Flügels
schienen verlohren zu seyn; allein Seidlitz kam mit seiner Cavallerie von diesem siegreichen Flügel herangeflo-
gen, rückte in die von der weichenden Infanterie ge-
machte Oeffnung, hielt ein heftiges Musketen- und
Kartätschenfeuer aus, und nun drang er nicht allein
auf die Russische Cavallerie, sondern auch auf den bisher noch festgestandenen Theil der Infanterie ein, und
trieb den vorgerückten Feind, der schon einige Batterien erobert hatte, in die Moräste. Dieses große
Manöver der Reuterey wurde von dem Kern der Preußischen Infanterie, den Regimentern, Prinz von
Preußen, Forcade, Kalkstein, Asseburg und einigen
Grenadier-Bataillons, sämmtlich Truppen, die der
König mitgebracht hatte, vortrefflich unterstützt. Diese
Veteranen, ohne auf das Zurückweichen der neben ihnen stehenden Bataillons zu achten, waren beständig
im Vorrücken geblieben, und jetzt fielen sie zugleich mit
der Cavallerie mit gefälltem Bajonet die Russische Infanterie an. Das Feuer hörte jetzt an allen Orten auf.
Die Munition fing an zu fehlen. Man schlug und
stieß nun aufeinander los mit Flintenkolben, Bajonet-
ten und Säbeln. Die Erbitterung beyder Theile war
unaussprechlich. Schwer verwundete Preußen vergaßen ihre eigne Erhaltung, und waren immer noch
auf das Morden ihrer Feinde bedacht. So auch die
Russen. Man fand einen von diesen, der tödlich verwundet auf einem sterbenden Preußen lag, und ihn
mit seinen Zähnen zerfleischte, der Preuße, mit dem
Tode ringend, und unfähig sich zu bewegen, mußte
dieses Nagen dulden, bis seine Mitstreiter herbey kamen, und den Canibalen durchbohrten.

Die Regimenter Forcade und Prinz von Preußen
stießen auf die Russische Bagage und Kriegscasse. Der
größte

größte Theil davon wurde erbeutet. Die gänzliche Er-
mattung beyder Theile und die Nacht machten endlich
dem Morden ein Ende; nur allein die Cosaken
schwärmten noch auf dem Schlachtfelde, um die wehrlosen Verwundeten umzubringen. Beyde Heere blieben
die Nacht über unterm Gewehr. Die Russen befanden sich in der schrecklichsten Unordnung; alle ihre
Truppen waren wie ein Chaos vermischt. Gerne hätten sie den Preußen die Ehre des Siegs unbedingt
überlassen, allein der Rückzug war ihnen gesperrt, da
alle Brücken über die Flüsse abgebrochen waren. In
dieser Verwirrung hielt der General Fermor noch am
Abend der Schlacht um einen Waffenstillstand auf
zwey bis drey Tage an. Sein Vorwand war, die
Todten zu begraben. Auf dies sonderbare Ansuchen
antwortete der General Dohna: „Da der König mein
„Herr die Schlacht gewonnen, so werden auf seinen
„Befehl die Todten beerdigt, und die Verwundeten
„verbunden werden.„ Er belehrte ihn dabey, daß ein
Waffenstillstand nach einer Schlacht eine ganz ungewöhnliche Sache sey. Den folgenden Tag geschahen
nichts als Canonaden. Der König wollte den Kampf
förmlich erneuern; allein der Mangel an Munition
bey der Infanterie, und die große Abmattung der Cavallerie, die mit Anstrengung aller ihrer Kräfte gefochten hatte, machte der Schlacht nothwendig ein Ende,
und verschaffte den Russen Gelegenheit, einen Ausweg
aus ihrem Labyrinth zu finden. Sie zogen sich über
Landsberg an der Warthe zurück. Diese Niederlage
kostete ihnen 19,000 Todte und Verwundete, nebst
3000 Gefangenen; dabey verlohren sie 103 Canonen,
viele Fahnen, ihre Kriegscasse und eine Menge Bagage.
Die Preußen zählten 10,000 Todte und Verwundete;
desgleichen 1400 Gefangene oder Vermißte; auch hatten sie beym Weichen ihres rechten Flügels 26 Canonen eingebüßt.

Diese

Diese kleine Canonenzahl, die wenigen Gefangenen, und der Umstand, daß ein Theil der Russischen
Armee in zerstreuten Haufen auf dem Schlachtfelde zu-
gebracht hatte, gab den Russen Veranlassung sich den
Sieg zuzuschreiben. Der Russische General Panin
war jedoch so aufrichtig, zu sagen: „Wir haben zwar
„den Wahlplatz behauptet, allein todt, verwundet und
„besoffen.„ Ob es gleich Fermor selbst gewesen war, der
um Erlaubniß gebeten hatte, die Erschlagenen zu begraben, so sandte er doch Couriers mit der Nachricht
des Siegs an alle alliirte Höfe und Armeen. Nie
wurde dieser kriegerische Fechterstreich häufiger gebraucht, als in diesem siebenjährigen Kriege. Die
Preußen allein verachteten dergleichen Künste. Wurden
sie wirklich geschlagen, so gestanden sie es frey, in der festen Hoffnung, durch künftige Thaten das Verlohrne
wieder zu gewinnen. So dachte Friedrich, und so
dachten alle Befehlshaber seiner Heere. Man überließ
es den Besiegten, sich durch Einbildungen und falsche
Berichte zu vergnügen, und benutzte den Sieg. Der
König, Herr des Wahlplatzes von Zorndorf, verfolgte
den fliehenden Feind bis Landsberg. Er war so sehr
von dessen gegenwärtigen Unmacht überzeugt, daß er
ihn blos durch einen Theil der Armee unter dem General Dohna beobachten ließ; ein Corps sandte er nun
wieder gegen die Schweden, und mit den andern Truppen ging er nach Sachsen, wo seine Gegenwart höchst
nöthig war.

Der König war so großmüthig, das außerordentliche Verdienst des Seidlitz zu erkennen; er gestand
öffentlich, daß die Schlacht durch diesen General gewonnen worden sey. Indessen hatte er seine eigene
Person gar nicht geschont, sondern war so tief ins
Russische Feuer gedrungen, das seine Adjutanten und
Pagen um ihn her verwundet und getödtet wurden.

Die Erinnerung an die von den Russen verübten
Greuel erstickten bey den Preussischen Soldaten und

Bauern

Bayern auf einige Augenblicke alle Empfindungen der
Menschlichkeit, so daß manche schwer verwundete
Russen, die hülflos auf dem Schlachtfelde lagen, mit
den Todten zusammen in Gruben geworfen, und also
lebendig begraben wurden. Vergebens krümmten sich
diese Unglücklichen unter den Leichen, und suchten sich
empor zu arbeiten; neue Leichname wurden auf sie geworfen, die bald ihre schwachen Bewegungen hemmten.

Die Oestereicher hatten mittlerweile die Abwesenheit des Königs aufs beste zu benutzen gesucht. Jetzt
konnten sie offensive agiren, und die Ueberlegenheit ihrer Armeen versprach ihren Unternehmungen den glücklichsten Erfolg. Alles kam auf die Geschwindigkeit der
Ausführung an. In Schlesien zeigten die besetzten
Pässe und die vielen Festungen Hindernisse, deren
Wegräumung Zeit erfoderte. Die Kriegsoperationen
in dieser Provinz wurden daher untergeordnete Entwürfe. Sachsen ließ schnellere Lorbeern holen. Daun
befand sich da mit seiner ganzen Macht; auch der Herzog von Zweybrücken war mit Reichstruppen in Sachsen angelangt. Alles drohete den Preußen den Verlust dieser so nützlichen Kriegsprovinz. Der Prinz
Heinrich, der das Land mit einer kleinen Armee deckte,
mußte der Uebermacht weichen, und zog sich nach
Dresden. Diese Königsstadt zu erobern, die Preußen
in Sachsen, wo nicht aufzureiben, doch gänzlich aus
dem Lande zu vertreiben, und den König von der Elbe
völlig abzuschneiden; dies war Dauns Entwurf. Es
kam nur darauf an, den furchtbaren Feldherrn lange
in seinen eigenen Staaten aufzuhalten. Daun warnte
daher den General Fermor, sich nicht mit dem Könige,
diesem (nach seinem Ausdruck) schlauen Feinde, den er
noch nicht kenne, in ein Treffen einzulassen, er sollte
vielmehr so lange vertheidigungsweise verfahren, bis
man Sachsen befreyt hätte. Der Courier fiel dem König in die Hände, der es nach der Zorndorfer Schlacht
in Fermors Namen auf folgende Art beantwortete:

                    „Sie

"Sie haben Ursache gehabt, den General Fermor zu
"warnen, sich vor einem schlauen Feind zu hüten, den
"Sie besser kennen, als er; denn er hat Stand gehal-
"ten, und ist geschlagen worden."

Prinz Heinrich, der sich auf Friedrichs Thätigkeit verließ, bemühete sich indessen durch mannigfaltige
Operationen seinen Posten gegen die zahlreichen Feinde
zu behaupten, und es gelang ihm. Der Sonnenstein
wurde von den Reichstruppen belagert und eingenommen. Der Preußische Commandant verlohr den Muth,
und ergab sich mit 1400 Mann zu Kriegsgefangenen.
Daun machte einen Versuch, Dresden zu erobern.
Er näherte sich dieser Resident, die nur schwach besetzt
war, und geringe Festungswerke hatte. Die Klugheit
und Entschlossenheit aber des Commandanten, Graf
Schmettau, ersetzte alles. Er machte Miene, die prächtigen Vorstädte abzubrennen, die Häuser von sechs auch
sieben Stockwerk hoch hatten, und über die Wälle her-
vorragten. Dieser Vorsatz setzte den Hof und die Stadt
in die äußerste Bestürzung. Das Wehklagen war allgemein, da man anfieng die Häuser mit brennbaren
Materialien zu füllen. Schmettau berief sich auf die
Nothwendigkeit, und auf die Pflicht sich zu vertheidigen. Er führte an, daß die Sachsen von ihm als
Feind keine Achtung für die königliche Residenz erwarten könnten, wenn ihre Bundsgenossen solche absicht-
lich aus den Augen setzten. Daun drohete das Abbrennen der Vorstädte auf das grausamste zu rächen, und
nach Eroberung der Stadt keines Preußen zu schonen.
Schmettau erklärte, sich im äußersten Fall von Straße
zu Straße zu vertheidigen, das königliche Schloß zu
seinem letzten Castel zu machen, und sich unter dessen
Ruinen zu begraben. Es war der Entwurf, Pulver
ins Schloß zu führen, die vornehmsten des Hofes und
des Adels dort mit Gewalt zu versammeln, und sobann
wollte der Preußische General in dem Apartement
des Churprinzen, mitten unter der zagenden königlichen

chen Familie, die endlichen Unternehmungen der Feinde
abwarten. Eine solche Drohung, so ungewiß auch
deren Ausführung immer seyn mochte, war zu wohl
überdacht, und den Umständen so sehr angemessen, daß
die Wirkung nicht fehlen konnte. Daun gab seinen
Anschlag auf Dresden auf, und Schmettau ließ die
Vorstädte stehn. Die brennbar'n Sachen wurden sofort aus den Häusern genommen, und die Einwohner
waren beruhigt.

Die ungeheure Uiberlegenheit der Oestereicher und
Reichstruppen in Sachsen gab indessen den Verbündeten Anlaß zu neuen und großen Entwürfen. Der
Prinz Heinrich sollte auf einmal von vorne und im
Rücken angegriffen, und gänzlich aufgerieben werden.
Die Feldherrn der verschiedenen Armeen hatten deshalb
Zusammenkünfte gehalten, und alle Anstalten waren
gemacht, als das Donnerwetter: Friedrich kommt!
den ganzen Plan auf einmal vernichtete. Er kam,
und vereinigte sich mit Prinz Heinrich; Sein Wunsch
war eine Schlacht; um die Oestereicher nach Böhmen
zu treiben, und Schlesien zu Hülfe zu kommen, das
nur schwach besetzt, und in großer Gefahr war. Die
Feinde brandschatzten in dieser Provinz, und belagerten sowohl Neise als Cosel. Fouquet stand mit einem
Corps Preußen von 4000 Mann bey Landshut verschanzt.
Er konnte die Unternehmungen der so sehr überlegenen
Feinde zwar erschweren, aber nicht hindern. Daun
vermied nun sorgfältig ein Treffen, und suchte den
Marsch Friedrichs nach Schlesien durch wohlpostirte
Corps zu verzögern. Sein Hauptlager bey Stolpen
war eins der festesten in Sachsen. Es waren steile
Anhöhen, durch Teiche, Moräste, Wälder und Hohlwege gedeckt. Der Feldherr sowohl, wie seine Trup-
pen, waren muthig, fröhlich und andächtig. Der
eingebildete Sieg ihrer Bundsgenossen bey Zorndorf
gab Gelegenheit zur Anstimmung des Ambrosianischen
Lobgesangs unter Trompeten- und Paukenschall; hier-

auf

auf wurde aus allen Canonen und kleinen Gewehr
Victoria geschossen, und Jubel geschrien. Nur die
Vernünftigen dieses Heers bezweifelten einen Sieg, den
die Ankunft des Königs und die Abänderung aller ihrer großen Entwürfe hinreichend widerlegten. Verschiedene Corps Oesterreicher wurden aus ihren Posten vertrieben, und häufige Scharmützel fielen vor. Der
Weg nach Schlesien wurde frey, allein Daun blieb unbeweglich stehn. Indessen gab Friedrich noch nicht die
Hoffnung auf, ihn durch Abschneidung der Zufuhren
und Zerstörung der Magazinen nach Böhmen zurück zu
drängen. Wegen der Reichstruppen war er unbesorgt,
auf deren Abmarsch er ohnehin rechnete, da sie schon
anfingen an Lebensmitteln und Fourage Mangel zu leiden. Er lagerte sich daher bey Bautzen. Seine Truppen, die seit acht Wochen täglich in Bewegung gewesen waren, bedurften einige Ruhe. Die Jahreszeit
fing schon an rauh zu werden; die Infanterie mußte
deshalb auf seinen Befehl Brandhütten und die Cavallerie Ställe von Strauchwerk bauen. Man kann
den damaligen Zustand des Königs und seiner Armee
am besten aus einem Briefe beurtheilen, den er im
Anfang des Octobers an Lord Marschall schrieb. Es heißt
darin: „Bis der Schnee fällt, werde ich auf dem Seil tan-
„zen müssen. Wie oft gäbe ich gerne die Hälfte des Ruh-
„mes, von dem Sie schreiben, für ein wenig Ruhe hin.‟

Beide Armeen änderten endlich ihre Stellung. Daun
nahm abermals ein festes Lager in einer geringen Entfernung von seinem vorigen, und die Preußen lagerten
sich bey Hochkirch. Ein Fehler, den der Preußische
General Rezow beging, einen Berg unbesetzt zu lassen,
war hier die Quelle einer großen Begebenheit,
die den König seinem Untergang nahe brachte, seinen
Heldengeist im glänzendsten Lichte zeigte, und zu den
außerordentlichsten Scenen dieses Kriegs gehört. Die
vernachlässigten Anhöhen wurden gleich von den Oesterreichern besetzt und sorgfältig verschanzt. Die dadurch
gewon-

gewonnenen Vortheile waren so groß, daß sie bei dem
sonst so behutsamen Daun die Idee erzeugten, den König in seinem Lager zu überfallen. Der Plan dazu
wird dem General Laudon zugeschrieben. Er war mit
Klugheit entworfen, und wurde mit Muth und Nachdruck ausgeführt. Alles bot dazu die Hand. Die
Armeen standen so nahe an einander, daß der rechte
Flügel der Preußen nur einen Canonenschuß vom feindlichen Lager entfernt war. Die Menge der leichten
Truppen beym Oesterreichischen Heer war vorzüglich
zum Ueberfall geschickt, und da ihre Scharmützel Tag
und Nacht nicht aufhörten, so konnten größere Entwürfe dadurch verdeckt werden. Die Preußen unter
Friedrichs Anführung beständig gewohnt selbst anzugreifen, träumten nicht einmal die Möglichkeit eines
Angriffs von dem vorsichtigen Daun, dessen Läger nie
genug befestiget werden konnten, wenn er sich in der
Nähe des furchtbaren Feldherrn befand. Er kannte
dessen unternehmenden Geist, dem nichts unmöglich
schien, und die Schnelligkeit, womit Preußische Truppen geordnet und gegen den Feind geführt werden können. Bey allen gutgewählten Maaßregeln war daher
dennoch sein größtes Vertrauen auf die eingebildete
Sicherheit Friedrichs und seines Heers gesetzt.

Das Nachtheilige seiner Stellung war jedoch dem König nur zu wohl bekannt; er hielt es aber für schimpflich,
und dabey nicht für durchaus nothwendig, sich zurückzuziehn. Der in den Waffen grau gewordene Feldmarschall
Keith sagte: „Wenn die Oesterreicher uns in diesem Lager
„ruhig lassen, so verdienen sie gehangen zu werden. „
Friedrich erwiederte: „Wir müssen hoffen, daß sie sich
„mehr vor uns, als vor dem Galgen fürchten. „ Endlich aber beschloß er doch das Lager zu verändern, so
bald die Armee aufs neue mit Proviant versehen seyn
würde. Die Nacht vom 14ten zum 15ten October war
zu diesem Aufbruch festgesetzt. Das Leben vieler tausend Menschen also beruhete auf dem Unterschied eines
einzigen Tages.   Es

Es war aber schon am 13ten in der Nacht, als
alle Colonnen der Oesterreichischen Armee ihr Lager verließen, um die Preußen zu überfallen. Der General
Odonel führte die Avantgarde, die aus vier Bataillons und 35 Schwadrons bestand; ihm folgte der
General Sincere mit sechszehn Bataillons, und der
General Forgatsch mit achtzehn Bataillons. Das
Corps des General Laudon, das dem Preußischen Lager
fast im Rücken stand, wurde noch mit vier Bataillons
und fünfzehn Schwadrons verstärkt, wozu hernach
noch die ganze Oesterreichische Cavallerie des linken Flügels stieß. Die Infanterie dieses Flügels führte der
Feldmarschall Daun selbst an. Alle diese Truppen und
noch einige kleine Corps waren bestimmt, die Preußen
auf dem rechten Flügel, in der Fronte und im Rücken
anzufallen; dagegen sollte der Herzog von Aremberg
mit drey und zwanzig Bataillons und zwey und
dreißig Schwadrons den Preußischen linken Flü-
ges beobachten, und erst, wenn die Niederlage
der Feinde an allen andern Orten vollendet wäre,
denselben angreifen. Es befanden sich bey dem Vortrab freywillige Grenadiers, die hinter den Küraffi-
rern aufsaßen, vor dem Preußischen Lager aber von
den Pferden sprangen, sich in Haufen formirten, und
so vorwärts drangen.

Die Zelter blieben im Oesterreichischen Lager stehn,
und die gewöhnlichen Wachtfeuer wurden sorgfältig unterhalten. Eine Menge Arbeiter mußten die ganze
Nacht durch Bäume zu einem Verhau fällen, wobey
sie sangen, und einander beständig zuriefen. Durch
dies Getöse wollten sie die Preußischen Vorposten hindern, den Marsch der Truppen wahrzunehmen. Die
wachsamen Preußischen Husaren aber entdeckten doch
die Bewegungen des Feindes, und gaben dem König
sogleich Nachricht davon. Anfangs bezweifelte er die
Bewegungen selbst; da aber die wiederholten Berichte
solche bestätigten, so vermuthete er jede andere Ursache
dersel-

derselben, nur keinen förmlichen Angriff. Seidlitz und Zieten befanden sich eben beym Könige, und erschöpften ihre Beredsamkeit, seine Zweifel in diesen bedenklichen Augenblicken zu bekämpfen; sie brachten es auch dahin, daß Befehl an einige Brigaden geschickt wurde aufzustehn, wobey mehrere Regimenter Cavallerie ihre Pferde satteln mußten. Dieser Befehl aber wurde gegen Morgen wieder aufgehoben, und der jetzt ganz unbesorgte Soldat überließ sich dem Schlaf ohne alles Bedenken.

Der Tag war noch nicht angebrochen, und es schlug im Dorfe Hochkirch fünf Uhr, als der Feind vor dem Lager erschien. Es kamen ganze Haufen auserwählter Soldaten bey den Preußischen Vorposten an, und meldeten sich als Ueberläufer. Ihre Anzahl wuchs so schnell und so stark, daß sie bald Vorposten und Feldwachen überwältigen konnten. Die Oesterreichische Armee, in verschiedene Corps getheilt, folgte der Avantgarde auf dem Fuß nach, und nun rückten sie Colonnenweise von allen Seiten ins Preußische Lager ein. Viele Regimenter der königlichen Armee wurden erst durch ihre eignen Canonenkugeln vom Schlaf aufgeschreckt; denn die anrückenden Feinde, die großentheils ihr Geschütz zurückgelassen hatten, fanden auf den schnell eroberten Feldwachen und Batterien, Canonen und Munition, und mit diesen feuerten sie ins Lager der Preußen.

Nie befand sich ein Heer braver Truppen in einer schrecklichern Lage, als die unter der Aegide Friedrichs sorglos schlafenden Preußen, die nun auf einmal im Innersten ihres Lagers von einem mächtigen Feind angegriffen, und durch Feuer und Stahl zum Todesschlaf geweckt wurden. Es war Nacht, und die Verwirrung über allen Ausdruck. Welch ein Anblick für diese Krieger, einer nächtlichen Vision ähnlich! Die Oesterreicher, gleichsam wie aus der Erde hervorgestiegen, mitten unter den Fahnen der Preußen, im Heiligthum ihres

ihres Lagers. Viele hundert wurden in ihren Zelten
erwürgt, noch ehe sie die Augen öffnen konnten; andre
liefen halb nackend in ihren Waffen. Die wenigsten
konnten sich ihrer eignen bemächtigen. Ein jeder ergriff
das Gewehr, das ihm zuerst in die Hände fiel, und
flog damit in Reih und Glied. Hier zeigten sich die
Vortheile einer vortreflichen Disciplin auf die auffal-
lendste Weise. In dieser entsetzlichen Lage, wo Gegenwehr fast Tollkühnheit schien, und der Gedanke an
Flucht und Rettung bey allen Soldaten aufsteigen
mußte, wäre gänzlicher Untergang das Kriegsloos
einer jeden andern Armee irgend eines Volks gewesen;
selbst die besten an Krieg und Sieg gewöhnten Truppen unsers Welttheils, hätten hier das Ziel ihrer Thaten, und das Grab ihres Ruhms gefunden; denn
Muth allein galt hier wenig, Disciplin alles.

Das Kriegsgeschrey verbreitete sich wie ein Lauffeuer durchs ganze Preußische Lager; alles stürzte aus
den Zeltern, und in wenig Augenblicken troz der un-
aussprechlichen Verwirrung stand der größte Theil der
Infanterie und der Cavallerie in Schlachtordnung.
Die Art des Angriffs nöthigte die Regimenter einzeln
zu agiren. Sie warfen sich dem Feind nun allenthalben entgegen, und schlugen ihn auch an einigen Orten
zurück; an mehrern aber mußten sie der Uebermacht
weichen. Der anbrechende Tag diente nicht die Verwirrung zu vermindern, denn ein dicker Nebel lag
auf den streitenden Heeren. Die Preußische Reuterey,
von Seidlitz angeführt, flog umher und schnaubte nach
Thaten. Sie wußte in der Dunkelheit nicht, wo sie den
Feind suchen sollte. Fand ihn ihr Schwerdt zufällig,
so war das Blutbad entsetzlich. Das Cürassier-Re-
giment von Schöneich warf allein eine ganze Linie
Oesterreichischer Infanterie über den Haufen, und
machte an 500 Gefangene.

Das Dorf Hochkirch stand in Flammen, und
wurde dennoch von den Preußen aufs tapferste ver-
theil-

theidigt. Der Sieg schien von dem Besitz desselben ab-
zuhängen, daher Daun immer frische Truppen zum Angriff anrücken ließ. Nur 600 Preußen waren hier zu besiegen, die, nachdem sie kein Pulver mehr hatten, den
kühnen Versuch machten, sich durchzuschlagen. Ein kleiner Theil war so glücklich es zu bewirken; das Loos aller
übrigen aber war Tod, Wunden oder Gefangenschaft.
Nun rückten ganze Regimenter Preußen an, und schlugen den Feind wieder aus dem Dorf. Hier ward sodann
der Hauptplatz des blutigsten Kampfes. Eine Canonen-
kugel nahm Prinz Franz von Braunschweig den Kopf
weg; der Feldmarschall Keith bekam einen Schuß in die
Brust, stürzte zu Boden, und gab ohne einen Laut seinen Heldengeist auf; auch der Feldmarschall, Fürst Moritz von Dessau, wurde tödtlich verwundet. Die Preußen, von vorne und im Rücken angegriffen, mußten weichen, und die Oesterreichische Cavallerie hieb nun mit
Vortheil in die tapfersten Regimenter des Preußischen
Fußvolks ein. Der König führte in Person frische Truppen gegen den Feind an, der abermals zurückgeschlagen
wurde; die Oesterreichische Reuterey aber vernichtete
wieder diese Vortheile der Preußen.

Der Nebel vorzog sich endlich, und beyde Heere
übersahen nunmehr den mit Leichen besäeten Wahlplatz,
und die allenthalben herrschende Unordnung. So sehr
auch die Disciplin der Preußen Ordnung schuf, so war
ihnen dennoch die Dunkelheit und das Terrain entgegen,
ihre Taktik zu brauchen, und zweckmäßig zu kämpfen.
Man formirte nun von beiden Seiten neue Schlachtord-
nungen. Die Oesterreicher waren in solcher Verwirrung,
daß sie auf den Anhöhen bey Hochkirch in dicken Haufen
zu tausenden herumschwärmten. Daun, ohnerachtet
aller erlangten Vortheile, glaubte nicht eine Armee besiegt zu haben, die alle menschliche Erwartungen betrogen hatte; die, obgleich in der Nacht mitten im Schlaf
überfallen, dennoch so viel Stunden mit erstaunlicher
Tapferkeit in Dunkelheit und Nebel gestritten, die mehrten

ſten ihrer Heerführer verlohren hatte, und doch jetzt im
Begriff ſtand den Blutkampf zu erneuern. Dieſes war
auch die Abſicht Friedrichs, als der Herzog von Aremberg, der mit ſeinem ſtarken Corps unter Begünſtigung
des Nebels dem König in die Flanke gekommen war, den
linken Flügel der Preußen angriff. Hier wurden einige
tauſend Preußen über den Haufen geworfen, und eine
große Preußiſche Batterie erobert. Dies war aber auch
die Gränze des Sieges. Der König, der jetzt feindliche
Truppen vorne und im Rücken hatte, zog ſeine tapfern
Schaaren mitten unter dieſem Mordgetümmel zuſammen,
und machte nach einem fünfſtündigen verzweifelten Gefecht einen Rückzug, dem nichts als ein zweytauſendjäh-
riges Alter fehlt, um von allen Zungen geprieſen zu werden. Er wurde durch ein ſtarkes Artilleriefeuer und
durch Linien von Cavallerie gedeckt, die in der Ebene
von Welgern mit großen Zwiſchenräumen aufmarſchir-
ten, hinter denen ſich die Infanterie formirte. Die De-
ſterreichiſche Armee war in ſo großer Unordnung, um
einen ſolchen Rückzug zu ſtören; überdem auch hatte
Daun ſchon bey Kollin zu erkennen gegeben, ſein Grun-
ſatz ſey, daß man einem fliehenden Feind eine goldne
Brücke bauen müſſe.

Der Marſch Friedrichs gieng nicht weit. Nur eine
halbe Meile vom Wahlplatz, auf den ſogenannten Spiß-
bergen, lagerte er ſich mit ſeinen Truppen, die den
größten Theil ihrer Artillerie und Bagage verlohren, den
kurzen Rock in der rauhen Jahrszeit zur Decke, und den
Himmel zum Zelte hatten. Es fehlte ihnen ſogar an
Pulver und Kugeln, dieſem größten Bedürfniß der Euro-
päiſchen Heere. Ein neues Treffen in dieſer Lage hätte
die alten Schlachten erneuert, wo Mann gegen Mann
focht, und jeder ſich auf ſeine Fauſt verließ. Die Stellung des Königs war indeſſen ſo vortheilhaft, die Mittel
allen Gefahren Trotz zu bieten, bey ihm ſo mannigfaltig,
und ſeine Truppen ſelbſt in ihrem geſchlagenen Zuſtande
noch ſo furchtbar, daß Daun keinen neuen Angriff wagen

gen wollte. Die Preußische Armee verlohr an diesem unglücklichen Tage nebst dem Gepäcke, über 100 Canonen und 9000 Mann, die Oesterreicher 8000 Mann.

Der König hatte sich ins stärkste Feuer gewagt; ein Pferd wurde ihm unterm Leibe erschossen, und zwey Pagen stürzten todt an seiner Seite nieder. Er war in der größten Gefahr gefangen zu werden. Schon hatten ihn die Feinde beym Dorfe Hochkirch umringt; er entkam aber durch die Tapferkeit der ihn begleitenden Husaren. Allenthalben gegenwärtig, wo der Kampf am blutigsten war, schien er sein Leben für nichts zu achten. Nie zeigte sich sein Geist und seine großen Fähigkeiten in einem so glänzenden Lichte, als in dieser Nacht, die, anstatt seinen Ruhm zu schwächen, ihn vielmehr außerordentlich erhöhete. Nicht der König, der mitten im Kriegsgetümmel alle Regierungsgeschäfte besorgt, und seine Staaten so wie im Frieden durch eigne Verordnungen beherrscht; der in gefahrvollen Stunden die Flöte spielt, und gleich darauf die tiefdurchdachtesten Befehle ertheilt; der am Tage vor einer entscheidenden Schlacht französische Verse macht, Gesetze entwirft, und Rechnungen durchsieht; nicht der Sieger von Lissa; der auf Schlesiens Feldern Griechische Tactik durch Thaten lehrt, und ein ungeheures Heer streitbarer Völker vernichtet; nicht dieser außerordentliche Mann ist dem Philosophen, dem Geschichtsforscher, dem Denker so verehrungswürdig, als der bey Hochkirch überfallene, geschlagene, aber doch nicht besiegte König, der seine schlafenden Krieger zusammenrafft, sie einem tapfern und weit stärkern Feinde entgegen stellt, der mit allen Vortheilen versehn, sich schon mitten im Lager befindet, und selbst durch Preußische Kugeln Preußen tödtet; der in diesen erschrecklichen Augenblicken seinen Busenfreund fallen sieht; alle seine vornehmsten Feldherrn verliehrt, und nun sich ganz allein überlassen, durch die Kraft seines Geistes die zweckmäßigsten Maaßregeln ergreift; das Chaos seines Heers mitten unter Blut und Tod zur Harmonie umschafft;

fünf Stunden lang kämpft, und sich mit großer Ordnung
zurückzieht; der in dieser verzweifelten Lage, ohne Canonen, ohne Munition und Bagage, dem Feinde noch
Furcht einflößt, und gleich darauf fähig ist, entlegene
belagerte Festungen zu entsetzen. Ein solcher Fürst er-
zwingt Bewunderung aller Nationen und aller Zeitalter.

Verschiedene alte Regimenter, die bisher nichts als
Siege erfochten, und nie einer Niederlage beygewohnt
hatten, waren nun gezwungen, dem Feind den Rücken
zu kehren. Ohne diesen Tag, so sehr er auch die Preussischen Truppen mit einem Ruhm bedeckte, den ihnen
zehn Siege nicht verschaft haben könnten, würden diese
Regimenter noch immer die Unüberwundenen seyn *).
Viele alte Officier von diesen sieggewohnten Haufen,
hatten so hohe Begriffe von militärischer Ehre, daß sie
durchaus der Uebermacht nicht weichen wollten, und unter das Schwerdt des Feindes fielen; andre mußte man
halb mit Gewalt vom Schlachtfelde schleppen, weil sie
einen so unglücklichen Tag nicht überleben, sondern lieber als Kriegsopfer zu fallen wünschten.

Dieser Sieg der Oesterreicher wurde am Namens-
tage der Kaiserin Maria Theresia erfochten, und da in
katholischen Ländern Geschenke an diesem Tage gebräuch-
lich sind, so beschenkte Daun seine Monarchin mit der
Nachricht von den erkämpften Vortheilen. Sie dankte
ihm für das sogenannte Bouquet in einem Briefe, voll
der gnädigsten Ausdrücke. Auch der Pabst Clemens der
Dreyzehnte nahm Theil an dem Siege, und übersandte
dem Feldmarschall einen geweihten Huth und Degen,
um die Ketzer desto nachdrücklicher zu bekämpfen.

Nie war Daun behutsamer als nach einem glücklichen Vorfall. Jetzt bezog er ein unbezwingbares sehr

ver=

---

*) Das Regiment von Forcade Infanterie, zur Garnison von
Berlin gehörig, worunter ich die Ehre gehabt zu dienen,
war eins dieser Kriegsschaaren, die seit ihrer Stiftung im
Jahre 1726 bis zum October 1758 verlohrne Schlachten bloß
aus Erzählungen kannten.

verschanztes Lager, und vernachläßigte alle Maaßregeln
dem König zu schaden. Friedrich benutzte diese kostbare
Zeit mit desto größerm Eifer, verschafte sich in der Geschwindigkeit theils aus Dresden, theils von der Hein-
richschen Armee die fehlenden Kriegsbedürfnisse und Proviant, gab Befehl zu neuen Transporten, zog eine Verstärkung von 6000 Mann an sich, die ihm der Prinz
Heinrich zusandte, und rüstete sich nach Schlesien zu
marschiren. Er sagte: „Daun hat uns aus dem Schach
„gelassen; das Spiel ist nicht verlohren; wir wollen uns
„einige Tage erholen, und alsdann aufbrechen Neiße zu
„befreyen.„ Es waren aber noch manche Hindernisse
aus dem Wege zu räumen. Das Lager war voller Kranken, und in Bautzen befanden sich alle in der Schlacht
verwundete Preußen. Diese mußten erst weggeschaft,
für die Bäckerey gesorgt, Sachsen gedeckt, und der
Feind, der die Straße nach Schlesien besetzt hielt, durch
Contre - Märsche hintergangen werden. Alles wurde
glücklich ausgeführt, und den 25sten October, eilf Tage
nach der Schlacht, war Friedrich schon in vollem Marsch
nach Schlesien, und zwar mit solchen Vortheilen, daß
Daun selbst alle Hofnung aufgab es zu verhindern. Er
schickte ihm indessen ein starkes Corps auf dem Fuße nach,
um wenigstens den Marsch des Königs zu erschweren.
Laudon zeigte hiebey seine ganze Thätigkeit. Bald warf
er leichte Truppen in Hohlwege, um die Preußen aufzuhalten; bald canonirte er sie aus vortheilhaften Stellungen; bald brach er aus Waldungen wie ein Strom
hervor, und stürzte auf die marschirenden Feinde. Durch
alle diese Versuche aber wurde nichts ausgerichtet; bloß
einige Preußische Pontons und Bagagewagen wurden
erbeutet.

Der Oesterreichische General Harsch belagerte Neiße,
das, wie alle Preußische Festungen, wegen der im Felde
nöthigen Truppen, nur schwach besetzt war. Die Hofnung, diesen wichtigen Ort zu erobern, war wegen der
Entfernung des Königs, und da sich keine Preußische

G 2   Arme-

Armee in der Nähe befand, gleich anfangs groß. Durch
die Schlacht bey Hochkirch schien vollends Neiße in den
Augen von ganz Europa so gut wie verlohren zu seyn.
Der Entsatz belagerter Festungen ist gewöhnlich die
Frucht des Sieges, oder doch glücklicher Begebenheiten;
daß aber der geschlagene, von starken Armeen umgebene,
und vierzig Meilen entfernte Friedrich, der bedrängten
Festung zu Hülfe kommen könnte, dieses war kaum
denkbar, und täutschte die Erwartung aller Menschen.
Nach einem dreyzehntägigen Marsch aber traf er den
5ten November drey Meilen von Neiße ein. Mehr bedurfte es nicht, um den Endzweck zu erreichen; denn an
eben diesem Tage hob Harsch die Belagerung auf, ließ
eine große Menge Munition und Kriegsgeräthe im Stich,
und zog sich nach Mähren zurück. Er hatte den Ort seit
dem 4ten August berennt, und seit dem 5ten October
beschossen; durch die tapfere Gegenwehr der Besatzung
aber waren alle Angriffe vereitelt worden.

Hieher gehört ein großmüthiger Zug einer edlen
deutschen Frau, der ganz unbekannt geblieben ist, und
den höchstwahrscheinlich Friedrich selbst nie erfahren hat.
Der Commandant von Neiße, General von Treskow,
hatte ein Gut ohnweit der Stadt. Auf diesem befand
sich seine Gemahlin, als die Oesterreicher die Belagrung
anfingen. Sie besorgten, daß diese Unternehmung sich
in die Länge ziehen würde, und der entfernte Friedrich
dennoch Mittel finden dürfte, ihren Entwurf zu vernichten. Eine Verrätherey schien also auf jeden Fall die
sicherste und geschwindeste Maaßregel. Treskow war kurz
zuvor ein Kriegsgefangener gewesen. Man hatte ihm
in Oesterreich mit vieler Achtung begegnet, und die Generalin, die, um das Schicksal ihres Gemahls zu versüßen,
selbst nach Oesterreich reisete, war mit auszeichneter Höf-
lichkeit am kaiserlichen Hofe behandelt worden. Die angenehme Erinnerung an das Betragen der Kaiserin mußte
noch bey ihr im frischen Andenken seyn. Hierauf wurde ein
Entwurf gegründet. Ein Kaiserlicher Offizier stattete

der

der Frau von Treskow einen Besuch ab, und brachte ihr
Schutzbriefe vom Oesterreichischen Feldherrn *).   Er
wurde wie ein Wohlthäter empfangen und behandelt.
Es war Abend, da er ankam; er mußte also auf dem
Gut übernachten.   Bey der Tafel, ohne Zeugen, ist
das Gespräch von der Kaiserin der Nachtisch.   Das edle
Herz der Generalin kann mit Theresiens Lobe nicht fertig werden.   Nun erfolgt ein förmlicher Antrag: Große
Summen, Würden, ein verstellter Angriff zur Ehrer-
rettung, eine Uebergabe und ein unverbrüchliches Geheimniß.   Frau von Treskow wird aufs innerste bewegt.
Kaum faßt sie sich so lange, bis alles vorgetragen ist.
Nun sprang sie auf, rang wehmüthig die Hände, und
bejammerte die ihr widerfahrne Erniedrigung, wobey sie
immer ausrief: „Ist es möglich! Mir einen solchen
Antrag!„ Alle Beruhigungsgründe des Officiers, der
den Vorgang so gut als nicht geschehn betrachten wollte,
und ein heiliges Stillschweigen angelobte, waren bey der
tiefgekränkten Dame fruchtlos.   Der Plan, auf ihrem
nunmehr geschützten Landsitz das Ende der Belagerung
abzuwarten, wurde nun auf einmal vernichtet.   Sie
entsagte allen Schutzbriefen, aller Bequemlichkeit, aller
Ruhe, um mit den Belagerten Unruhe, Mangel und
Gefahren zu theilen.   Ihr Dorf, das einzige Eigenthum ihrer Familie, der Erwerb funfzigjähriger Kriegsdienste, wurde dabey großmüthig preisgegeben.   Sie
sagte dem Abgeordneten: „Wir sind arm.   Dieß ist un-
„ser Alles.   Durch die Ehre gezwungen überlasse ich es
„Ihren Händen.„ Wollen sie sich rächen, so thun
„Sie es.„ Vergebens stürzte der durch diese Edelmuth
                 G 3   äußerst

---

* Diese Erzählung habe ich aus dem Munde des Baron von
  Eichberg, eben des Offiziers, der bey dem Geschäfft gebraucht
  wurde.   Er war damals Kaiserlicher Rittmeister, und that
  bey den General Laudon und Harsch gewöhnlich Adjutanten-
  dienste.   Er lebt noch, und zwar in Italien, wo er mir
  diese Geschichte umständlich berichtet hat.

äußerst gerührte Officier zu ihren Füßen, und be-
schwur sie, ihren Vorsatz aufzugeben. Sie verzieh
ihm die Beleidigung, allein sie wollte durchaus nicht
länger in der Gewalt von Preußens Feinden seyn.
Noch in dieser Nacht fuhr sie ab. Sie nahm keine
Lebensmittel mit sich, ob sie gleich den Mangel in der
bedrängten Festung kannte. Der Officier begleitete sie
bis an die äußersten Linien, und verließ sie sodann
voll Bewunderung.

Die bisher von den Oesterreichern blokirte Festung
Cosel wurde nun auch befreyt, und Schlesien ganz von
feindlichen Truppen geräumt. Der Feldzug war in
dieser Provinz zu Ende, allein in Sachsen, wo Daun
mit der großen Armee zurückgeblieben, und das nur
sehr schwach gedeckt war, hofte dieser Feldherr noch
auf ansehnliche Eroberungen vor Ende des Winters.
Ganz Europa erwartete die Früchte des Hochkircher
Sieges, wovon sich noch keine Spur zeigte. Es fehlte
jedoch nicht an Entwürfen. Dresden, Leipzig und
Torgau sollten in der Geschwindigkeit, und zwar zugleich, von verschiedenen Corps weggenommen werden.
Daun selbst gieng auf die Hauptstadt los, mit dem Entschluß, sich nicht so wie vorhin von seinem Vorsatz ab-
bringen zu lassen. Es befand sich nur ein kleines Corps
Preußen in Sachsen. Allein bey demselben herrschte
große Thätigkeit. Der General Fink war dessen ei-
gentlicher Anführer, ob es gleich unter dem scheinbaren
Commando älterer Generals stand. Diese wackern
Krieger aber, Hülsen und Itzenblitz, setzten alle Eifersucht bey Seite, suchten den wahren Weg zur Ehre
in dem Ruhm ihres Volkes, und in der Beförderung
von Friedrichs Absichten; sie ehrten den Willen ihres
Königs, und huldigten den größten Talenten des jün-
gern Generals. Man nahm die zweckmäßigsten Maaßregeln gegen die so große Uebermacht des Feindes, und
verstärkte die Besatzung von Dresden. Der Commandant, General Schmettau, sahe sich nun in die trau-
                                                    rige

rige Nothwendigkeit gesetzt, die Vorstädte abbrennen zu lassen, da die königliche Familie, durch eitle Hoffnungen getäuscht, sich diesmal bey der Gefahr leidend verhielt. Diese Vorstädte waren durch ihre Bauart den prächtigsten Städten in Europa gleich. Die hier befindlichen ungeheuren Gebäude waren entweder Paläste der großen und Reichen, oder der Sitz zahlloser Fabrikanten, die hier die Größe der Sächsischen Industrie durch zierliche Arbeiten zeigten. Man hörte bey Hofe Schmettau's Drohungen, sie bey Annäherung des Feindes ohnfehlbar in Brand zu stecken, jetzt mit bloßem Achselzucken an. Der Feind näherte sich, die Preußen zogen ihre Vorposten zurück, und nun wurde den 10ten November früh Morgens das schreckliche Signal zum brennen gegeben. In allen Zimmern oder Räumen eines jeden Gebäudes lagen Haufen brennbare Materialien mitten unter den schönsten Möbeln, den Kunstwerkzeugen, und den Manufactur-Producten. Die Einwohner waren entflohen, und nur sehr wenige hatten die ihnen verstattete Frist nutzen können, ihre voluminösen Habseligkeiten zu retten, da es an Wagen, an Pferden und an Lastträgern fehlte. Auf diese Art wurden in wenig Stunden 265 Gebäude ein Raub der Flammen. Ein altes Ehepaar verbrannte dabey lebendig, außerdem wurden noch drey andre Menschen getödtet *).

Daun schien über diesen Brand bestürzt zu seyn, und ließ Schmettau fragen, ob es auf Befehl seines Königs geschehen sey, daß er in einer Residenz eine bisher unter Christen unerhörte That begangen habe, wobey er ihm drohete, für alles verantwortlich zu werden. Schmettau bezog sich auf seine Pflicht, die ihm anvertraute Stadt bis auf den letzten Mann zu ver-

G 4

thei-

*) Schmettau erhielt von dem Magistrat in Dresden ein ehrenvolles Zeugniß seines Betrages, wodurch die ihm angeschuldigten Grausamkeiten völlig widerlegt wurden.

theidigen, und auf die bekannten Kriegsmaximen. Er
versicherte dem Feldmarschall so wie vormals, daß er gegen seine ganze Macht von Straße zu Straße fechten,
und sodann unter den Ruinen des königlichen Schlosses
sterben würde. Daun machte nun Anstalten, Dresden
förmlich zu belagern, allein die üblen Nachrichten aus
Schlesien von dem Entsatz von Neiße, von dem Rückzug
der Kaiserlichen Armee nach Mähren, und von dem
neuen Marsch Friedrichs nach Sachsen, vereitelte abermals seinen Plan. Er zog ab, versicherte aber dabey
nach Hofmanier, daß es bloß aus Achtung für die königliche Familie geschähe. In dem Oesterreichischen
Kriegsbericht heißt es, daß eine gewisse wichtige
Rücksicht diesen Plan veranlaßt habe. Diese wichtige
Rücksicht war aber nichts anders, als die Annäherung
des Königs. Die Entwürfe auf Torgau und Leipzig
liefen eben so unglücklich ab. Beyde Städte wurden
fast zu gleicher Zeit von den Preußischen Generals Dohna
und Wedel entsetzt. Nichts blieb nun den Kaiserlichen
und Reichstruppen übrig, als nach Böhmen zu marschiren, sogar der eroberte Sonnenstein wurde wieder verlassen. Daun bemühete sich seine Armeen mit ihren Winterquartieren so zu vertheilen, daß daraus eine ungeheure
Truppenkette entstand, dergleichen noch nie in Deutschland gezogen worden war. Sie gieng längst den Gränzen von Schlesien und Sachsen; die Reichsvölker setzten
sie durch Thüringen und Franken fort, und schlossen sich
sodann an die Französischen Armeen an, die längst dem
Main und dem Rhein postirt waren, und die Ufer dieses
großen Flusses bis an die Gränzen der Schweiz commandirten.

Die Russen, die nach der Schlacht bey Zorndorf
durch den Abmarsch des Königs wieder etwas Freyheit
bekamen, ihre Operationen fortzusetzen, beschlossen Colberg zu belagern, um einen Waffenplatz und ein Hauptmagazin in den innern Preußischen Provinzen zu haben.
Der Hafen dieser Stadt zeigte ihnen wegen der Zufuhr
die

die größten Vortheile, und die sehr schwache Garnison
eine leichte Eroberung. Das Schicksal von Pommern
hing nun von 700 Mann Landmiliz ab, die unter dem
Befehl eines Invaliden = Majors die Besatzung von Col=
berg ausmachten. Dieser Commandant, Heyden, ge=
hörte aber nicht zu der gemeinen Classe von Kriegern.
Er machte die besten Anstalten zur Vertheidigung, und
zeigte dabey den größten Muth und eine seltene Ent=
schlossenheit. Der General Palmbach belagerte die Fe=
stung mit 10,000 Russen, und in fünf Tagen war der
bedeckte Weg bereits in seinen Händen. Die Eroberung
schien nun gewiß zu seyn, allein die Tapferkeit des Com=
mandanten und seiner braven bewaffneten Bürger, die
wie alte Krieger fochten, setzten allen weitern Fortschrit=
ten ein Ziel. Die Belagerer wurden beständig von ihrer
Hauptarmee verstärkt, und erneuerten dann ihre An=
griffe mit frischen Truppen. Sie richteten aber nichts
aus, sondern waren genöthiget nach neunzehn Tagen die
Belagerung aufzuheben. Nach diesem mißlungenen Ver=
such räumten die Russen ganz Pommern und Branden=
burg, und gingen theils nach Pohlen, theils nach Preu=
ßen in die Winterquartiere. Der Preußische General
Dohna bekam dadurch Gelegenheit, mit seiner Armee
nach Sachsen zu marschiren und Leipzig zu entsetzen.

Die Operazionen der Schweden waren in diesen
Feldzüge eben so unbedeutend, wie in dem vorigen gewesen,
obgleich sie mit 5600 Mann Infanterie und 2000 Reutern
verstärkt worden waren. Die Unthätigkeit ihrer Soldaten
im Felde und die damit verknüpfte Schande machten sie
in den Augen von Bundsgenossen, von Feinden, ja von
ihren eignen Landsleuten verächtlich. Die eigentlichen
Ursachen dieser Unthätigkeit, die bereits oben erklärt
sind, waren nur sehr wenigen bekannt. Man spottete
dieser unmächtigen Krieger eben so sehr in Stockholm,
als wie in Wien und Berlin. Dieses veranlaßte bey ih=
nen eine herzlichere Theilnehmung am Kriege. Sie ver=
leugneten nun ganz den seit Jahrhunderten behaupteten

Cha=

Character eines großmüthigen Feindes, und entehrten ihren martialischen Geist durch niedrige Handlungen. Sobald die Preußen sich ein wenig entfernten, so überließen sie sich dem zügellosen Plündern und allen ersinnlichen Ausschweifungen. Das Brennen und Morden wehrloser Bürger ausgenommen, gaben sie jetzt bey ihren Verheerungen selbst den Cosaken nicht viel nach. Die Städte und Dörfer, wo sie hinkamen, wurden bis auf den Grund ausgeleert. Kein Mundbissen und keine Klaue würde den unglücklichen Einwohnern übrggelassen; selbst die Saat in dem Schooß der Erde wurde vernichtet. Sie schickten starke Commandos nach Mecklenburg, um von diesem mitverbündeten Lande Lieferungen zu expressen, die auch so wie auf feindlichem Boden durch Execution beygetrieben wurden. Der Allianztractat zwischen den Höfen von Stockholm und Petersburg, der in diesem Jahre zu Ende gegangen, wurde nun auf zwölf Jahr verlängert.

Die Einnahme von Berlin war das Motto der Schweden im October, da Brandenburg so sehr von Truppen entblößt war. Sie befanden sich nur noch fünf Meilen von dieser Residenz, als Wedel mit seinem Corps vorrückte, und die Schweden zurücktrieb. Die Preußen ließen nicht eher nach, als bis sie den Feind unter die Canonen von Stralsund verwiesen hatten. Fehrbellin in der Mark war die einzige Stadt, die sie auf der Flucht stark besetzten, um ihren Rücken zu decken; allein dieser Ort, den Schweden wegen einer großen vor hundert Jahren unter dem Churfürsten Friedrich Wilhelm hier erlittenen Niederlage so denkwürdig, wurde ohne Verzug von den Preußen angegriffen, mit Sturm eingenommen, und die Besatzung theils niedergehauen, theils zu Gefangenen gemacht.

Nunmehr hatte allenthalben der Feldzug ein Ende. In der Mitte des Decembers war kein Feind mehr in Schlesien, Sachsen, Brandenburg und Pommern zu finden. Der im October geschlagene Friedrich war jetzt

Mei-

Meister von Sachsen, von der Elbe und der Ober. In sieben Wochen Zeit war er aus Sachsen nach Schlesien, dann wieder zurück, und nun abermals nach Schlesien marschirt; dabey waren in diesem kurzen Zeitraum Neiße, Cosel, Dresden, Leipzig, Torgau und Colberg befreyt worden. Waren diese Operationen den Laien in der Taktik erstaunungswürdig, so waren sie es den Kriegern noch weit mehr, die die Schwierigkeiten der fortdaurenden Bewegungen grosser Armeen in ihrem ganzen Umfang kannten. Der Marschall Belleisle, damals der herrschende Französische Staatsminister, schloß diese ihm prophezeyten Preußischen Märsche wegen ihrer scheinbaren Unmöglichkeit ganz von seinem Kriegsplan aus. Er sagte: „Was auch immer der König von „Preußen zu thun vermag, so ist doch seine Armee kein „Weberschiff. „ Die Oesterreicher machten nun in Böhmen und Mähren neue Plane; die Russen und Preußen und Pohlen dachten auf Füllung ihrer Magazine; die Reichstruppen auf Ruhe in ihren Winterquartieren im Mittelpuncte Deutschlands; und die Schweden, die ihr eigenthümliches Pommern in Preußischen Händen sahen, waren jetzt für ihre eigne Sicherheit unter den Canonen von Stralsund besorgt.

Der diesjährige Feldzug der Alliirten gegen die Franzosen war auch sehr merkwürdig gewesen. Schon im Anfang des Jahrs hatte Richelieu das Ober-Commando der Französischen Truppen dem Grafen von Clermont abtreten müssen. Dieser auserkohrne Oberbefehlshaber war ein Geistlicher, und hatte nie eine Armee, selbst nicht einmal bey einer Musterung versammlet gesehn. Die Marquisin von Pompadour aber, die damals, als königliche Maitresse, Ludwig den Funfzehnten und die Franzosen unumschränkt beherrschte, war von seinen Hoftalenten eingenommen. Diese zu belohnen schuf sie ihn zum Feldherrn, und sandte ihn nach Deutschland, um Frankreichs Ehre gegen einen großen Heerführer zu behaupten. Die Wahl setzte alle Welt in Erstau-

ſtaunen, und Friedrich ſagte bey der Nachricht: „Ich
„hoffe, daß ihn nächſtens der Erzbiſchof von Paris ab-
„löſen wird. „

Clermont traf die ihm anvertrauten Truppen in
dem elendeſten Zuſtande an. Der Franzöſiſche Bot-
ſchafter in Stockholm, Marquis von Havrincour, drückt
ſich in einem Briefe an den Marquis von Montalem-
bert darüber folgendermaßen aus: Clermont hat die
„Armee in einer unbegreiflichen Unordnung gefunden:
„da iſt keine Einrichtung, keine Zuſammenſtimmung
„bey der Verlegung der Truppen in die Quartiere,
„keine Sorge aufs Künftige, keine Anſtalt zu Vorrä-
„then und Unterhalt, kurz, Mangel an allem. „ Dieſer neue Heerführer machte daher ſeinem Könige folgenden ſonderbaren Bericht. „Ich habe Ew. Majeſtät
„Armee in drey ſehr verſchiedene Haufen abgetheilt
„gefunden. Der eine iſt über der Erde, aus Dieben und
„Marodeurs zuſammengeſetzt, und in Lumpen gehüllt;
„der zweyte Haufen iſt unter der Erde, und der dritte
„in den Hoſpitälern. „ Er wünſchte daher Verhal-
tungsbefehle, ob er den erſten zurückführen, oder ſo lange verziehn ſollte, bis er mit den beyden andern Haufen
vereinigt wäre.

Der Herzog Ferdinand gab ihm keine Zeit, ſeine
Lage zu beſſern. Er rückte auf Hannover los. Wo ſich
nur ſeine Vortruppen zeigten, floße der Feind, und zwar
ſo übereilt, daß alle Kranken, eine Menge Geſchütz und
Bagage zurück blieben. Nur allein in Hoya an der We-
ſer behauptete der Graf Chabot ſeinen Poſten, bis ihn
der Erbprinz, jetziger Herzog von Braunſchweig, nach
einem lebhaften Widerſtand vertrieb, und 1500 Gefangene machte. Dies waren die Erſtlinge jener Thaten, die dieſem jungen Prinzen in kurzer Zeit einen Rang
unter den größten Feldherrn unſers Zeitalters erwarben,
vom Schickſal beſtimmt, Oraniens Rächer zu ſeyn, und
faſt ohne Schwerdtſtreich das ſtolze Holland zu demüthigen.

Die

Die Einnahme von Hoya bahnte den Weg nach Zelle, Hannover und Braunschweig. Die leichten Truppen der Allürten trieben alles vor sich her. In dieser Bestürzung, wo die Franzosen allenthalben in der größten Unordnung sich zu retten suchten, wurden viele hundert von ihnen Opfer der durch so mancherley Gewaltthätigkeiten wüthendgemachten Hannöverischen Bauern. In einem Zeitraum von acht Tagen war ganz Hannover von den Feinden geräumt, die unaufhaltbar nach dem Rhein zogen, und alle ihre Magazine im Stich ließen. Diejenigen, die sie nicht Zeit hatten zu zerstören, fielen den Siegern in die Hände. Um diesen so verwirrten Rückzug zu sichern, opferte Clermont 4000 Mann auf, die er in Minden zurückließ. Dieser Ort wurde nun förmlich belagert, und nach sechs Tagen erobert; wobey man die aus 3500 Mann bestehende Besatzung zu Gefangenen machte, und ein großes Magazin erbeutete. Erst in Wesel machten die Franzosen Halt. Hier nahm ihr Feldherr das Hauptquartier, und sandte den größten Theil seiner Truppen über den Rhein.

Ferdinand hatte Mangel an Cavallerie. Einige Regimenter Hannöverscher und Hessischer Reiterey, und einige tausend Preußischer Dragoner und Husaren, die sich bey seiner Armee befanden, waren zu dem großen Dienst im Felde nicht hinreichend. Das Brittische Parlament beschloß daher Cavallerie aus ihrer Insel nach Deutschland zu senden, und auch mit Englischer Infanterie Ferdinands Heer zu verstärken. Emhden war dazu der bequemste Landungsplatz. Dieser Ort war aber in den Händen der Franzosen; sie hatten ihn wegen des Hafens zu einem Waffenplatz und Hauptmagazin bestimmt, und ihn mit 3800 Mann besetzt. Auch dieser Entwurf wurde vernichtet. Zwey Englische Kriegsschiffe erschienen und blokirten den Hafen. Ein Schrecken überfiel die Besatzung; sie fürchtete zu Wasser und zu Lande zugleich angegriffen, und abgeschnitten zu werden. Nichts blieb übrig, als ein Abzug, der auch gleich unternommen wurde.

wurde. Dieser aber geschah mit großem Verlust. Die bewaffneten Böte der Engländer, die Preußischen Husaren, die Hannöverschen Jäger, alles wetteiferte in Thätigkeit. Viele wurden getödtet, und noch mehrere gefangen genommen. Alle Verwundete und Kranke wurden ihrem Schicksal überlassen. Man erbeutete eine Menge Bagage, Munition und große Magazine; auch die mitgenommenen Geißeln wurden wieder befreyt. Bey dieser übereilten Flucht vergaßen die Franzosen, die Besatzung der Vechte, eines benachbarten Forts, abzurufen, die sich gleich darauf mit einem Train von hundert Stücken Geschütz zu Kriegsgefangenen ergab.

Alle kriegführende Heere, der Preußen, Oesterreicher, Russen, Schweden und Reichstruppen, lagen noch in ihren Winterquartieren, als im Monat März diese große unerwartete Revolution vorging, wo die siegtrunkenen Französischen Armeen wie das Wildpret in beschneiten Wäldern gejagt, ganz Norddeutschland von ihnen gereinigt, und die Kriegsscene völlig geändert wurde. Bloß Wesel war noch in ihren Händen. Diesen Ort zu erobern, und sie vollends über den Rhein zu treiben, war Ferdinands Entwurf. Erst aber bezog er mit seiner Armee in Westphalen die Winterquatiere und erwartete die Brittische Cavallerie.

Die Französische Nation, die noch die Schande des Roßbacher Tages nicht vergessen hatte, war durch diesen neuen Auftritt aufs tiefste gebeugt. Ein großes Heer Franzosen auf der Flucht vor einer Handvoll Deutschen, die in Eil zusammengezogen waren, und denen es sogar an Reuterey fehlte, und überdies vor eben den überwundenen Deutschen, die sie wenig Monat zuvor mit Verachtung und Spott behandelt, in einen Landwinkel eingezwängt, und genöthigt hatten, ihre Rettung in einem erniedrigenden Waffenstillestand zu suchen. Dies war mehr, als der Gallische Stolz ertragen konnte. Man glaubte schon den unternehmenden Ferdinand über dem Rhein, im Herzen Frankreichs, ja vor den Thoren von

Paris

Paris zu sehn. Nun wurden die lebhaftesten Maaßregeln genommen, und alle Truppen aus den innersten
Theilen des Königreichs in Bewegung gesetzt. Diese
mußten in größter Eil die Armee am Rhein verstärken;
die Gränzfestungen wurden schleunig in besten Vertheidigungsstand gesetzt, und um den Muth der Nation zu beleben, die jetzt mehr Friede als Krieg wünschte, ward
das Gerüchte verbreitet, daß nächstens durch Spaniens
Vermittelung der Friede erfolgen würde.

Der Herzog von Belleisle, der jetzt in Versailles
das Wort führte, wandte seine Aufmerksamkeit auf die
Quelle der Mißbräuche. Er schickte eine Anzahl Offiziers nach der Bastille, und schrieb Briefe an alle Regi-
mentsbefehlhaber bey den Französischen Armeen, voll
strenger Befehle und Drohungen. Diese wurden jedoch
wenig geachtet. Das Uebel hatte zu tiefe Wurzel geschlagen, und ohne eine völlige Umschmelzung der ganzen
Französischen Militärverfassung war es nicht zu hemmen.
Es herrschte bey ihren Heeren auf Märschen, in Lägern,
ja selbst auf dem Schlachtfelde keine Subordination, keine
Disciplin, keine Ordnung; dagegen desto mehr barbarische Gebräuche, willkührliche Gesetze und Ausschweifungen. Selbst niedrige Officiers hatten Maitressen bey
sich. Diese fuhren auf Märschen in Wagen, oft in Gesellschaft des Liebhabers, der seinen Trupp verließ, und
der Liebe pflog. Man fand alles in den französischen Lägern, was nur der Luxus in den glänzendsten Königsstäd-
ten zur Schau auskramen kann. Alle und jede Bedürfnisse von den einfachen bis zu den künstlichsten waren
hier vorhanden. Kramläden ohne Zahl, ganze Magazine von seidenen Stoffen, Galanteriewaaren, wohlriechenden Essenzen, Sonnenschirmen, Haarbeuteln und
Schminkdosen. Einst befanden sich bey der Armee des
Prinzen Soubise 12,000 Wagen, die Krämern und
Marketendern gehörten, ohne den Troß der Officiers zu
rechnen; die Armee selbst war damals nicht über 50,000
Mann stark. Bey der Garde du Corps hatte die aus

139 Reutern bestehende Schwadron des Herzogs von
Villeroy allein 1200 Pferde in ihrem Gefolge. Ein kleiner Theil derselben diente zum reiten, die übrigen mußten
Wagen schleppen. Diese Ungeheure Menge Fuhrwerke
erschwerte die Subsistenz der Truppen außerordentlich,
vermehrte die Unordnung in Lägern und auf Märschen,
und hemmte die Bewegung des Heers. Man gab Bälle
im Lager, und nicht selten verließ der Französische
Officier seine Feldwacht, um in der Nähe ein Menuet
zu tanzen. Man spottete über die Befehle der Heerführer, und gehorchte ihnen nur, wenn man es bequem fand.

Von diesem gänzlichen Mangel an Subordination
gab einer der vornehmsten Generals der Graf St. Germain, nachheriger Dänischer Feldmarschall und Französischer Kriegsminister, ein auffallendes Beyspiel. Er
war Französischer Generallieutenant und commandirte
ein abgesondertes Corps von 10,000 Mann. In Unei-
nigkeit mit dem Marschall Broglio kündigte er diesem
ganz den Gehorsam auf, und endlich verließ er gar das
Corps, ohne zuvor seinem Oberbefehlshaber die geringste
Nachricht gegeben, und für die Sicherheit so vieler tausend Soldaten seiner Nation gesorgt zu haben. Es schien
ihm hinreichend, durch einen Brief seinem Oberfeldherrn
anzuzeigen, wo er das ihm anvertraute Corps gelassen
hatte. Dieser militärische Hochverrath wurde weder bey
den Französischen Truppen, noch bey der ganzen Nation
als etwas besonders angesehen. Man sagte in Paris:
Il a donné sa dimission. Keine Lage, keine Verbind-
lichkeit gegen Ehre, Stand und Vaterland, kam bey
diesem sonst so ehrsüchtigen Volk hier in Betrachtung:
Man begnügte sich am Hofe und in der Hauptstadt, einen
Entschluß zu tadeln, der, nur geträumt, bey Römischen
und Preußischen Heeren ein Todeswürdiges Verbrechen
gewesen wäre.

Diese Französische Sinnes- und Handlungsart, die
auf so mancherley Weise mit den deutschen militärischen
Gebräuchen und Grundsätzen contrastirte, erzeugte bey
den

den deutschen Truppen eine Verachtung gegen die Franzosen, die weder der dieser Nation eigne Muth, noch ihr thätiger Ehrgeitz, zu schwächen vermochte. Hiezu kamen die großen Vorfälle. Kaum zeigt sich Friedrich den Franzosen, so gewinnt er einen großen Sieg, und zwar auf die leichteste Weise. Ferdinand zieht zerstreute Truppen mitten im Winter zusammen, und jagt die siegträumenden Franzosen in wenig Wochen fast ohne Schwerdtstreich bis an den Rhein. Der zweymal so starke Feind flieht allenthalben, giebt seine Magazine preis, und denkt blos auf Rettung des Lebens. In der That war der Zustand dieser Truppen, da sie am Rhein anlangten, bedaurungswürdig: abgemattet, abgehungert und abgerissen. Die nothwendigsten Bedürfnisse, die mannigfaltigen Kaufartikel ihrer Marketender und Krämer waren eine Beute von Ferdinands leichten Truppen geworden. Es fehlte ihnen an Brodt, und was ihnen fast eben so schrecklich war, an Haarpuder. Die Lustigkeit verließ sie jedoch nicht; sie sangen, sie hüpften, und erschienen auf ihren Märschen in comischen Aufzügen. Man gestattete ihnen Freyheiten, die man bey andern Truppen für unanständig gehalten hätte. Oft steckten sie die Brodte auf die Spitze ihrer Bajonette, und trugen sie hoch in die Luft; das Fleisch hingen sie an das Gefäß ihres Degens. Die wenigsten der gemeinen Soldaten hatten Strümpfe, daher die Beine blos mit den Stiefeletten bedeckt waren. Papierne Manschetten waren bey ihnen nichts ungewöhnliches. Bey keiner Armee herrschte solche Fröhlichkeit, die sowohl auf Märschen als im Lager bey Tag und Nacht, bey guten und übeln Vorfällen ununterbrochen fortgesetzt wurde. In Ermanglung andrer Schauspiele entblößte man lüderliche Weibspersonen bis auf den Gürtel, und ließ sie so Spießruthen laufen; eine Strafe, die zur Belustigung diente, und desto sonderbarer war, da die Französischen Soldaten selbst nie, weder auf diese noch auf eine andre Art, fühlbar gezüchtigt werden.

H   Alle

Alle diese Dinge vermehrten die Verachtung bey den deutschen Kriegern, die wohl nie gegen ein wahrhaft tapferes Volk größer gewesen ist. Man verbarg sie nicht einmal in den nachtheiligsten Lagen. Hier ist davon ein sonderbares Beyspiel: Ein Preußischer Husar wurde von den Franzosen gefangen, und ins Hauptquartier gebracht. Clermont selbst wollte ihn sprechen. Die Gefangennehmung eines Preußischen Husaren war hier ein sehr seltener Vorfall. Dieser Krieger gehörte zu dem schwarzen Regiment. Ein jeder Reuter derselben, seinen Leib in die Farbe des Todes gehüllt, trug überdem einen Todtenkopf, das Sinnbild des Grabes, an der Stirne; er war ein lebendiges Memento Mori, und schon der bloße Anblick eines solchen Todespredigers mit einem scharfen Säbel in der Faust, um dem Sittenspruch den stärksten Nachdruck zu geben, flößte Schrecken ein; auch waren diese schwarze Husaren den tapfersten Regimentern des Französischen Heers furchtbar. Man hatte ausgesprengt, daß sie bey Widersetzung nie Pardon gäben, und die Husaren selbst bestätigten dieß Gerücht, um desto leichter zu siegen. Es würkte auch über allen Glauben. Ganze Schaaren flohen vor wenigen Husaren, und nicht selten brachten einzelne dieser schwarzen Reuter ansehnliche Trupps von Gefangenen ins Lager der Alliirten.

Die Unterredung des Französischen Feldherrn mit diesem Gefangenen geschah durch Dolmetscher. Auf die Frage, wo Ferdinand sich gelagert hätte, war die Antwort: „Da wo ihr ihn nicht angreifen werdet." Man frug ihn, wie stark die Armee seines Königs sey; er antwortete, sie möchten sie aufsuchen und zählen, wenn sie Muth genug dazu hätten. Clermont hielt sich durch diese Kühnheit nicht beleidigt. Sie gefiel ihm vielmehr, und veranlaßte ihn, den Husaren zu fragen, ob sein König viel solche Soldaten hätte, wie er. Der Mann mit dem Todtenkopf antwortete: „Ich gehöre zu den schlech„testen, sonst wär ich jetzt nicht euer Gefangener." Eine solche Sinnesart außerhalb Frankreich zu finden,

war

war den Franzosen ein Räthsel. Man entließ den Husaren, und Clermont schenkte ihm einen Louisd'or. Der
Preuße nahm ihn an, allein im Angesicht des Feldherrn
gab er das Goldstück einem Französischen Soldaten, mit
der Erklärung, daß er den Feinden seines Volks schlech-
terdings nichts zu verdanken haben wollte. Man trug
ihm Dienste und eine Officierstelle an; er antwortete mit
Hohngelächter, daß er ein Preuße sey.

Solche Züge characterisiren den Geist eines Volks
und eines Zeitalters. Ein hoher Sinn dieser Art bey
einem gemeinen Soldaten konnte nur durch National-
grundsätze, und durch Volksstimmung gebildet werden;
daher erregte diese Handlung auch unter den Deutschen
nicht die Bewunderung, die sie verdiente. Sie wurde
bekannt, allein der Name des Preußen, der so dachte
und handelte, ist unbekannt geblieben.

Es ist die Pflicht eines Geschichtschreibers, dergleichen Privathandlungen aufzuzeichnen. Es ist eine angenehme Pflicht, wenn solche seinem Volke Ehre bringen.
Er muß aber auch edle große Handlungen des Feindes
nicht verschweigen. Der Marquis von Armentieres, ein
Französischer General, eben so großmüthig, wie der
Marquis von Bouille, der neuerliche Sieger in Westin-
dien, nahm eine ansehnliche Stadt im Hannöverischen
ein. Der Adel und die Bürgerschaft fleheten durch Abgeordnete um Schonung. Armentieres antwortete:
,,Meine Herren, ich bin nicht gekommen Ihnen Gutes
,,zu thun; seyn Sie aber versichert, daß ich Ihnen so
,,wenig Böses thun werde, als es mir nur möglich seyn
,,wird.,, Und er hielt Wort.

Die größte, die edelste, die außerordentlichste P r i -
v a t h a n d l u n g im ganzen Kriege, das heißt, von
allen denen, die bekannt worden sind, gehört auch den
Franzosen. Hier ist der Ort, sie aufzuzeichnen, gleichviel in welchem Jahre und an welchem Tage der Vorfall
geschah. Der Ritter Ayasassa, ein junger Französischer
Officier vom Regiment Auvergne, der ein Detachement

com-

commandierte, wurde in der Nacht in einem Walde von
den Alliirten überfallen. Es war finster, und er in einiger Entfernung von seinem Haufen. Auf einmal wird
er ganz allein von einer Kriegsschaar umringt. Hundert
Bajonette zum Stoß bereit, gegen seine Brust gerichtet,
drohen ihm bey dem geringsten Laut einen augenblicklichen Tod. Der große Conde sagte: „Man zeige mir
„eine Gefahr, wo keine Rettung möglich ist, und ich
„werde zagen.„ Es war keine für den Ritter denkbar,
wenn er seinen Leuten die Gegenwart des Feindes zuschrie;
ja selbst die Rettung der Seinigen war durch seinen
Tod nicht gesichert. Umsonst! Ayasassa dachte nur an
seine Pflicht. Er rief: „Auvergne, hier sind Feinde!„
und im nemlichen Augenblick wühlten alle Bajonette in
seinen Eingeweiden. Wenn die Decier im Kriege freywillig ihr Leben opferten, so war der Gedanke, dadurch
das Wohl ihres Vaterlandes in kritischen Augenblicken
zu befördern, die mächtige Triebfeder: sie rechneten auf
die Bewundrung Roms, auf Bildsäulen, Tempel und
Unsterblichkeit. Ayasassa, in einem niedrigen Range,
hatte keine solche Aussichten, und gab sich in der Blüthe
seiner Jahre einem gewissen Tode preis.

Ich nehme nun den Faden der Geschichte wieder
auf. Sobald die Truppen sich in den kurzen Winterquartieren wieder erholt hatten, eröffnete Ferdinand den
Feldzug mit dem kühnen Entwurf, den Krieg, wo nicht
in Frankreich selbst, doch an den Gränzen dieses Reichs
hinzuspielen. Da aber die Französische Armee an den
Ufern des Rheins, und zum Theil vortheilhaft postirt
war, so zeigte ein Uebergang über diesen großen Fluß
außerordentliche Schwierigkeiten. Sie wurden jedoch
durch vortrefliche Maaßregeln überwunden, und den
1sten Junius in der Nacht gieng die alliirte Armee theils
in Schiffbrücken, theils in flachen Böten ohnweit Cleve
glücklich über den Rhein. Ferdinand wünschte sehnlich
eine Schlacht; Clermont aber vermied sie sorgfältig, und
hatte sich mit seiner weit stärkern Armee bey Rheinfelden
bis

bis an die Zähne verschanzt. Ihn dort anzugreifen, war
Verwegenheit. Nichts blieb übrig, als ihn weg zu ma-
növriren. Dies gelang seinem Kriegsverständigen Gegner,
und vierzehn Tage nach dem Uebergang über den Rhein
sahe man die Französische Armee in den Ebenen von Crefeldt. Es kam hier den 23sten Junius zu einer Schlacht,
wo die Franzosen mit einem Verlust von 7500 Mann das
Feld räumen mußten. Die Alliirten zählten 1500 Todte
und Verwundete. Die Hauptscene war in einem Ge-
hölz, von dessen Besitz das Schicksal des Tages abhing.
Der Erbprinz von Braunschweig drang mit der Infanterie ein, und nach einem hartnäckigen Gefecht von drey
Stunden wurde der Feind endlich herausgetrieben. Die
Französische Cavallerie litt viel in diesem Treffen, und
die Preußischen Dragoner, die durch gewisse Spottre-
den der Franzosen aufgebracht waren, rächten solche
jetzt nachdrücklich. Ein Nationalverlust dabey für die
Franzosen war der Tod des Grafen Gisors, des einzigen Sohns des Herzogs von Belleisle; ein junger Mann
von seltenen Talenten und den größten Hoffnungen. Er
starb tödlich verwundet in den Armen des Erbprinzen
von Braunschweig, der ihn kannte und liebte. Der sie-
gende Ferdinand ging auf dem Wahlplatz herum, betrachtete gerührt die verstümmelten Leichname, und sagte
zu seinen Officieren, die ihm Glück wünschten: „Dieß
„ist das zehnte Schauspiel dieser Art, das ich in meinem
„Leben sehe. Wollte Gott, daß es das letzte wäre!„
Die Folge dieses Sieges war die Belagerung von
Düsseldorf, wo die Franzosen ihr Hauptmagazin hatten.
Am sechsten Tage, nachdem eine große Anzahl Häuser
durch Bomben und Kugeln in die Asche gelegt waren,
ging die Stadt über. Die Besatzung erhielt einen freyen
Abzug; der ungeheure Vorrath aber, von Proviant,
Munition, und eine Menge schönes Geschütz, fiel den
Eroberern in die Hände. Man erschrack in Frankreich
über diesen neuen Verlust; die Bastille wurde gefüllt,
und Clermont zurückberufen. Der Dauphin wollte sich

felbſt an die Spitze der Armee ſtellen, welches jedoch nicht geſtattet wurde. Man nahm nun die zweckmäßigſten Maaßregeln, die Ehre der Franzöſiſchen Waffen zu retten. Die Armeen wurden mit Recruten, Bedürfniſſen und mannigfaltigen Inſtructionen verſehn. Das Commando am Rhein erhielt ietzt der erfahrne Marſchall von Contades; dabey wurde Soubiſe der Befehl zugeſchickt, mit ſeiner Armee, es koſte was es wolle, in Heſſen einzudringen. Dieſe Provinz ſchien wegen Ferdinands Entfernung eine gewiſſe Eroberung, und zugleich ein Mittel zu ſeyn, die Armee der Alliirten vom Rhein abzuziehen. Soubiſe rückte nun vor, und obgleich ſeine Avant = Garde von der Heſſiſchen Landmiliz geſchlagen wurde, ſo drang er doch mit 30,000 Mann ins Herz der Provinz ein. Der Heſſiſche General, Prinz von Yſenburg, hatte nur 5000 Mann, ſie zu vertheidigen; mit dieſen bezog er ein vortheilhaftes Lager zwiſchen Caſſel und Minden. Er erkannte ſein Unvermögen, mit ſo wenigen zum Theil irregulären Truppen einer großen Armee Widerſtand zu thun, und wünſchte daher blos Zeit zu gewinnen, um den Erfolg der Operationen am Rhein zu erwarten. Dieſem Plan zufolge wollte er ſich zurückziehn. Seine Truppen aber, die ietzt von den Franzoſen die verächtlichſten Begriffe hatten, wollten davon nichts hören. Er war gezwungen Stand zu halten, und ſo kam es zwiſchen ihm und dem Herzog von Broglio, der 12,000 Mann, größtentheils deutſche Regimenter in Franzöſiſchen Sold, gegen ihn anführte, zu einem Treffen bey dem Dorf Sangershauſen. Das Gefecht war ſehr hitzig. Die Heſſen ſtritten wie Löwen, und machten fünf Stunden lang den Sieg ſtreitig; endlich aber wichen ſie der Uebermacht. Yſenburg verließ das Schlachtfeld mit einem Verluſt von 1500 Mann an Todten, Verwundeten und Gefangenen, und faſt ſeiner ganzen Artillerie. Dreyhundert von dieſen muthigen Heſſen erſoffen in der Fulda, da ſie über dieſen Fluß zu ſchwimmen verſuchten. Durch dieſen Sieg wurden die

Fran=

Franzosen Meister von der Weser, und konnten sich im Hannöverschen und Westphalen weiter ausbreiten. Das so schwer heimgesuchte Hessen fühlte jetzt abermals die Geißel des Kriegs. Man versuchte für das unglückliche Land zu capituliren; Contades aber trieb mit den Abgeordneten seinen Spott, und sagte: daß er ein Soldat sey, und nicht schreiben könne.

Die Engländer waren durch die Schlacht bey Crefeldt und Ferdinands Progressen am Rhein ganz für einen Landkrieg gestimmt worden. Die gesetzgebende Gewalt dieses Reichs sowohl als das Volk, alles wünschte die nachdrücklichsten Maaßregeln, um die Franzosen zu Wasser und zu Lande zu bekämpfen. Der große Pitt hatte jetzt das Ruder des Britischen Staats in Händen, und beherrschte die stolze Nation nach Gefallen. Durch seine alles besiegende Beredsamkeit, und durch seinen tiefdringenden Geist, war er gleichsam Dictator, im königlichen Conseil sowohl als im Parlament. Sein Grundsatz war, eine Sache ganz zu unterlassen, oder sie mit allen Kräften auszuführen. Das Parlament bewilligte 18,000 Mann nach Deutschland zu schicken. Wäre dieses früher geschehen, so würde sich Ferdinand jenseits des Rheins behauptet haben. Allein jetzt war die Lage dieses Feldherrn kritisch. Er hatte eine Armee von 80,000 Mann unter Anführung eines erfahrnen Generals gegen sich; die Lebensmittel fingen bey seinen Truppen an zu mangeln, dabey hatte ein lange angehaltenes Regenwetter die Wege von Grund aus verdorben, und die Ufer überschwemmt. Die Märsche waren daher außerordentlich beschwerlich. Ferdinand wollte schlagen; Contades hingegen, seiner Vortheile sich bewußt, vermied sorgfältig ein Treffen. Indessen erforderte das bedrohte Hannover schleunige Hülfe; hiezu kam die Besorgniß für die Subsistenz der Truppen, und für die Sicherheit der Englischen Hülfsvölker, die in Norddeutschland landen sollten, und leicht abgeschnitten werden könnten. Diese Betrachtungen nöthigten den deutschen Feldherrn über den

Rhein

Rhein zurück zu gehn; allein die Schwierigkeiten dabey
waren sehr groß; der Feind mit einer gewaltigen Uebermacht in der Nähe, und sehr wachsam. Die allirte
Armee hatte bey Rees eine Brücke über diesen Fluß geschlagen, die der General Imhof mit 3000 Mann bedeckte. Dieser wurde von 10,000 Mann angegriffen.
Ferdinand war unvermögend ihm Hülfe zu senden, so
daß Imhof sich bloß auf seine eigene Tapferkeit verlassen
mußte. Sein Lager war durch Graben und Hecken gedeckt. Der Feind kannte dieses Terrain nicht, das Imhof sorgfältig benutzte, und anstatt die Franzosen zu erwarten, ihnen vielmehr entgegenging. Der Angriff
war hitzig, und desto wirksamer, da man ihn von dem
kleinen Corps gar nicht erwarten konnte. In einer halben Stunde Zeit war der so überlegene Feind zurückgeschlagen; er eilte nach Wesel, und ließ eilf Canonen, viel
Munition, eine Menge Wagen, und einige hundert
Gefangene zurück. Die Franzosen flohen mit solcher
Uebereilung, daß sie unterweges ihre Waffen von sich
warfen. Auf dem Wege nach Wesel fand man über
3000 Musketen.

So unbedeutend auch dieser Vorfall in einem so
blutigen Thatenvollen Kriege war, so vertrat er doch
hier die Stelle des größten Sieges; denn er entscheid
den Besitz des großen Magazins in Emmerich, und der
Schiffbrücke, ohne welcher es Ferdinand unmöglich gewesen wäre den Rhein zu passiren; so daß dieser vortrefliche Feldherr mit seinen braven Truppen, ohne Lebensmittel, ohne Pontons, kurz ohne Hoffnung, in einen Erdwinkel eingeschlossen, ein Raub der Feinde geworden wäre. Nun aber war der glückliche Uebergang
nicht mehr zweifelhaft. Der angeschwollene Rhein verursachte jedoch, daß man die Brücke bey Rees abbrechen,
und solche bey Griethausen schlagen mußte. Die Franzosen machten den letzten Versuch, sie durch vier Fahrzeuge von einer besondern Bauart zu vernichten, die von
Wesel ausliefen; allein diese wurden durch bewaffnete
Böte

Böte aufgefangen, so daß den 9ten und 10ten July die ganze alliirte Armee glücklich über den Rhein ging. Bald nachher wurde Imhof mit einem Corps den Englischen Truppen entgegengeschickt, die in Embden gelandet waren, und sich mit den Bundsgenossen ohne Hindernisse bey Crefeldt vereinigten.

Ferdinand nahm nun, um seinen Truppen Erholung zu verschaffen, vortheilhafte Stellungen an dem Fluß Lippe, wobey er Hannover deckte. Ysenburg wurde an der Weser postirt, und der General Oberg mußte mit 20,000 Mann Hessen decken. Oberg bezog das feste Lager bey Sandershausen, und versuchte alle Mittel, um von den Franzosen in seinen Verschanzungen angegriffen zu werden. Soubise, der ihm mit 30,000 Mann gegenüber stand, wollte dieses nicht, sodern bemühete sich, ihm in den Rücken zu kommen. Diese Besorgniß trieb Oberg aus seinem Lager. Er erfüllte dadurch den Wunsch der Franzosen. Nun wurde er von dem überlegenen Feind bey Lutternberg auf allen Seiten angegriffen. Die Hessen wehrten sich tapfer, und schlugen die feindliche Infanterie zurück, wurden aber in dem Augenblick des Sieges von der Französischen Cavallerie in der Flanke und im Rücken angefallen. Der Mangel an Reuterey auf Hessischer Seite vermehrte diesen Unfall, und nöthigte Oberg zum Rückzug. Die Alliirten verlohren dabey 1500 Mann an Todten, Verwundeten und Gefangenen, nebst acht und zwanzig Canonen.

Die Sachsen, von denen ein 10,000 Mann starkes Corps zu den Franzosen kurz zuvor gestoßen war, hatten an diesem Siege vielen Antheil; auch wurden in der Folge von den Franzosen wenig Vortheile erfochten, wozu diese braven Truppen nicht thätig das Ihrige beytrugen. Dennoch mußten sie von ihren stolzen Bundsgenossen allerhand Demüthigungen dulden, und ging es übel, so legte man es ihnen zur Last. Diese Sächsischen Krieger waren größtentheils Ueberläufer von der Preußischen Armee, gebohrne Sachsen, die nicht wider ihren Re-

H 5

genten

genten fechten wollten. Man hatte sie in zwölf Regimenter vertheilt, und jetzo standen sie in französischem Sold. Sie führten vier und zwanzig Canonen bey sich, ein Geschenk der Dauphine, und mit ihrem Namen geziert. Es war ein Tribut, den diese Prinzessin ihrem bedrängten Vaterlande zollte. Ihr Bruder, der Prinz Xaver, zweyter Sohn des Königs von Pohlen, war Anführer dieses Corps. Dieser Prinz brachte das ihm eigne stolze Wesen zur Armee mit, das die Sächsischen Soldaten revoltirte, die voll guten Willen waren, und eine bessere Behandlung zu verdienen glaubten. Man murrte nicht allein, sondern es wurden ganz laut in Gegenwart des Prinzen Schimpfreden ausgestoßen. Xaver, an einem Hofe erzogen, wo ein Asiatischer Luxus regierte, und morgenländische Ehrfurchtsbezeugungen Sitte waren, konnte bey diesen Beleidigungen seinen Sinnen kaum trauen. Er dachte auf schreckliche Strafen. Ein Sächsischer General aber gab ihm den weisen Rath, bey dieser Volksstimme ja zu schweigen und sein Betragen zu ändern; er that beydes, und seine Soldaten, die von seinen Kriegstalenten ihre Begriffe nicht änderten, ehrten jetzt wenigstens in ihm den Sohn ihres Königs.

Der Sieg bey Luttenberg verschaffte Soubise den Marschallsstab. Er durchzog nunmehr die benachbarten Provinzen, erpreßte überall starke Brandschatzungen, und drang fast bis an die Mauern von Hameln. Die Regierung in Hannover war in großer Unruhe, und abermals wurden das Archiv und andere Sachen von Wichtigkeit nach Stade in Sicherheit gebracht. Ferdinands Märsche und Stellungen verhinderten jedoch das weitere Vordringen der Franzosen, und die Vereinigung ihrer Armeen, die nach einigen fruchtlosen Unternehmungen die Winterquartiere bezogen: die Hauptarmee unter Contades zwischen der Maas und dem Rhein, die Truppen des Soubise aber längst den Ufern des Rheins und des Mayns. Hessen wurde ganz von ihnen geräumt. Hier nahm nun der Prinz von Ysenburg seine Winter-
quar=

quartiere; der Herzog Ferdinand hingegen verlegte seine Truppen in Westphalen, und nahm sein Hauptquartier in Münster.

Durch die Thätigkeit dieses großen Feldherrn wurden die Franzosen gehindert, die grausamen Befehle ihres Hofes zu vollziehen, die nicht eines erleuchteten Volks, sondern der Irokesen würdig waren. Man beschloß in Versailles bereits im Sommer, ohne Rücksicht auf Menschlichkeit, die erhaltenen Vortheile aufs äußerste zu benutzen. Der Kriegsminister Belleisle schrieb an den Marschall Contades: „Ich weiß keine andere Quelle „für unsre dringenden Bedürfnisse, als das Geld, was „wir aus den feindlichen Ländern ziehn. Diese müssen „uns auch, außer dem Gelde, alles was nur zur Sub„sistenz gehört, verschaffen: Heu, Stroh, Haber, Brodt, „Korn, Vieh, Pferde, ja sogar Menschen, um unsre „ausländische Regimenter zu recrutiren. Bis Ende des „Septembers (1758) wird es nöthig seyn, e i n e g ä n z„l i c h e Wüste aus allen Gegenden zu machen, die vor „der Fronte des Cordons liegen, den wir im Winter ziehen „wollen, damit es dem Feinde ganz unmöglich ist, sich „uns zu nähern.„ In den folgenden Briefen waren diese Befehle noch bestimmter. Unter dem 5ten October hieß es: „Sie, mein Herr, müssen ganz Westphalen „in eine Wüste verwandeln, und in den Ländern an der „Lippe, und in Paderborn, als den fruchtbarsten Pro„vinzen, muß alles bis auf die Wurzeln in der Erde aus„gerottet werden.„

Die Französischen Kriegsbefehlshaber folgten zwar nicht ganz genau dieser grausamen Vorschrift, doch betrugen sich manche auf eine Art, die hinreichend ihren guten Willen anzeigte. Gewaltsame Erpressungen gehören zu den gewöhnlichen Greueln des Krieges, selbst bey den cultivirtesten Völkern; nur dann sind sie der Aufzeichnung werth, wenn sie bis zu einer außerordentlichen Höhe getrieben werden. Dies war der Fall in der Gräfschaft Hanau, die so wie ganz Hessen in diesem Kriege

vor=

vorzüglich die eiserne Ruthe der Feinde fühlte. Hier befand sich der Französische Intendant Foullon, der die Regierung, den Adel, den Magistrat und die vornehmsten
Bürger, drey und neunzig Personen wegen einer uner-
schwinglichen Contribution in ein einziges Zimmer einker-
kern ließ, wo sie drey Tage und zwey Nächte ohne Speise
und Trank, und ohne Schlaf wegen Mangel des Raums
mehrentheils stehend zubringen mußten. Diese unter
Christen in einem solchen Fall unerhörte Behandlung bekam am dritten Tage noch den Zusatz, daß die Wache
niemand zur Befriedigung der natürlichen Nothdurft aus
dem Zimmer lassen durfte. Es wurde ihnen sogar Wasser
und Brodt verweigert, und als die Regierungsräthe von
Gunderode, von Hugo und andre eingekerkerte Standespersonen, es von ihren Tyrannen verlangten, schrieb einer derselben, Namens La Sone, zur Antwort: „Ich
„will Ihnen zwar heute Abend die verlangte Erlaubniß
„bewilligen, und Sie sollen Brodt und Wasser erhalten,
„allein erwarten Sie weiter keine solche Gefällig-
„keiten.„

[1759] Alle im Kriege begriffene Völker rüsteten
sich nun mit Macht zum künftigen Feldzug. Friedrich
beschloß mit der Hauptarmee vertheidigungsweise zu verfahren, ohne jedoch die Gelegenheiten zu versäumen,
sich ferner furchtbar zu machen. Noch in diesem Winter
gab er eine Probe seiner Entschlossenheit. Der Polnische
Fürst Sulkowsky nahm, ohne Rücksicht der Neutralität
der Republik Pohlen, thätigen Antheil am Kriege. Er
warb Truppen und errichtete Magazine für die Russen.
Auf die Vorstellungen des Königs von Preußen gab er
die trotzigsten Antworten, und berief sich auf seine Un-
abhängigkeit, auf die Würde eines Magnaten, und verdoppelte dabey seine Bemühungen zum Vortheil der Russen. Er residirte in der Stadt Riesen, in Pohlen, in
einer beträchtlichen Entfernung von den Schlesischen Gränzen.

zen. Er hatte sowohl eigne Soldaten als Canonen, und überdem glaubte er auch durch seine Republick hinreichend geschützt zu seyn. Der Preußische Name aber, den ietzt die mächtigsten Nationen der Erde mit Ehrfurcht nannten, konnte nicht wohl ungestraft von einem so kleinen Sclavenbeherrscher verspottet werden. Friedrich, ohne politischen Bedenklichkeiten Gehör zu geben, schickte den General Wobersnow mit einem Corps Truppen nach Pohlen. Riesen wurde ohne Schwerdtstreich eingenommen, der Fürst zum Gefangenen gemacht, und seine Soldaten entwaffnet; dabey wurden die für die Russen angelegten Magazine ruinirt, und alle Canonen, Pferde, Wagen und Kriegsgeräthe fortgeschleppt. So kam dieser Zug nach Schlesien zurück. Man zwang diese Polnische Soldaten durch Prügel, Preußische Dienste zu nehmen, und ihr Fürst wurde nach der Festung Glogau gebracht, wo er bis zu Ende des Krieges gefangen saß. Dies war das Schicksal eines stolzen Edelmanns, der auf den Besitz einer Anzahl Dörfer voll nackter Bauern trotzend, sich unbefugt zum Bundsgenossen mächtiger Monarchen aufwerfen und sich in ihre Kriege mischen wollte. Ein andrer Bundsgenosse dieser Art war ein Zeitungsschreiber in Erlangen, der sich auf die Gesinnungen seines Souverains verließ, und den Preußen in seinen Blättern auch den Krieg ankündigte. Die Lästerungen waren darin nicht sparsam angebracht. Ein Preußischer Officier übernahm die Züchtigung dieses Federhelden, Er ließ ihm eine Anzahl Stockprügel geben, und sich von dem Patienten förmlich darüber quittiren.

Die Preußischen Truppen waren nie thätiger als diesen Winter. Erfurth wurde von den Preußen eingenommen, viele feindliche Magazine vernichtet, und ein Corps Oesterreicher geschlagen. Heinrich rückte trotz der rauhen Jahreszeit, der hohen Gebirge und der ungangbaren Wege in Böhmen ein, forcirte die Pässe, und zerstreute die feindlichen Truppen. Hülsen schlug den Oesterreichischen General Rheinhardt, machte 2000 Gefangene,

gene, und nahm viele Magazine weg, die mit 25,000 Tonnen Mehl, 137,000 Scheffel Haber, 86,000 Rationen Heu und 74,000 Brodten angefüllt waren. Eine Armee von 50,000 Mann hätte damit auf fünf Monat mit Brodt, und 25,000 Mann Cavallerie einen ganzen Monat mit Fourage können versorgt werden. Dieser ganze ungeheure Vorrath wurde verdorben, eine neuerbaute Brücke vernichtet, und hundert fünfzig Schiffe auf der Elbe verbrannt. Das Magazin in Saatz setzten die Oesterreicher selbst in Flammen, damit es nicht den Preußen in die Hände fallen sollte. Auch gegen die Reichstruppen wurden von Sachsen aus Diversionen gemacht. Prinz Heinrich rückte selbst in Franken ein, und schickte verschiedene Corps aus, um vorwärts zu dringen. Diese vertrieben allenthalben die aus so vielen Völkerschaften bunt zusammengesetzten Executionsschaaren, deren militairische Verfassung, Disciplin und sehr geringfügige Thaten in diesem thatenvollen Kriege einen sonderbaren Contrast mit den großen deutschen Heeren machten, die die Augen der Welt auf sich zogen. Ihre Flucht geschahe mit großem Verlust, und die Gefangenen wurden immer zu hunderten gemacht. Bey Himmelskron wurde der General Riedesel mit 2500 Mann gefangen, und Bamberg, Würzburg und andere Reichsverbündete Städte, wo die Preußen hinkamen, in Contributionen gesetzt.

Ein ander Corps Preußen fiel in Mecklenburg ein, nahm Schwerin weg, zwang die junge Mannschaft, sowohl in den Städten als auf dem platten Lande, zum Soldatendienst, und erpreßte große Contributionen. Auf diese Weise mußten die armen Mecklenburger für die politischen Maasregeln ihres Herzogs büßen, der es für rathsam gehalten, aus Haß gegen den König von Preußen sich an die Spitze der Achtserklärer in Regensburg zu stellen, ohne die Folgen zu überlegen. Er wollte dadurch seinen thätigen Antheil an einem Kriege zeigen, worin der Sieg der mächtigen Verbündeten nicht einen Augenblick zweifelhaft

felhaft schien.   Er schmeichelte sich an der Seite des
Stärkern mit großen Vortheilen; an deren Stelle traten nun Verwüstungen seines ohnehin nicht reichen
Landes.   Die Preußen verfuhren nirgends als Feinde
mit solcher Grausamkeit, wie hier. Man zerstörte,
was man nicht fortbringen konnte; selbst die Betten
der armen Einwohner wurden aufgeschnitten; die Fe-
dern in die Luft gestreut, und den Winden übergeben.
Ein rührender Brief der Prinzessin Charlotte von
Mecklenburg - Strelitz an Friedrich, worin diese Gräuel
in ihrer Nachbarschaft geschildert waren, hemmte die
Fortsetzung derselben, und war die erste Veranlassung
die Briefstellerin auf den Brittischen Thron zu erheben.

Auch die Schweden hatten diesen Winter keine
Ruhe. Damgarten, Wolgast und andre Oerter, die
sie besetzt hatten, wurden ihnen abgenommen; die
Städte Anclam und Demmin aber förmlich belagert
und erobert. Man machte hier 2700 Gefangene, und
eine große Beute an Geschütz, Munition und Proviant. Der Verlust für die Schweden war dabey sehr
beträchtlich, in Rücksicht auf die Entfernung ihres Landes, und auf die vielen Hindernisse, die sie in Stockholm zu bekämpfen hatten, um mit den nöthigsten
Kriegsbedürfnissen versehn zu werden.

Alle Provinzen Süd - Deutschlands durch schlechte
Festungen gesichert, und ihrer Soldaten beraubt, lagen nun den Preußen nach ihren glücklichen Progressen
in Franken offen. Der Erbprinz von Braunschweig
war mit 12,000 Mann Alliirten zum Prinz Heinrich
gestoßen. Die Reichsvölker flohen allenthalben, und
ihr Feldherr, der Herzog von Zweybrücken, lag dem
Herzog von Broglio dringend um Hülfe an. Das
Glück zeigte hier den Preußen angenehme Aussichten,
allein Heinrich mußte die Verfolgung aufgeben, um
Sachsen zu decken, wo die Oesterreicher eingefallen waren; er zog daher seine siegreichen Kriegshaufen zurück.

Die

Die Ruſſen hatten ſich mittlerweile in Pohlen zuſammengezogen, und bedroheten die Preußiſchen Staaten mit einem neuen Einfall. Friedrich ſchickte ihnen den General Dohna mit einem ſtarken Corps entgegen, um ihr Vorrücken, wo nicht zu verhindern, doch zu erſchweren. Das Recht des Stärkern zeigte ſich hier auffallend; denn Dohna, ohne Rückſicht auf den neutralen Boden, ſchrieb Lieferungen aus, ohne ſie zu bezahlen. Sie wurden mit Gewalt zuſammengetrieben, eine Menge Pohlen als Recruten herausgehoben, und unter die Regimenter geſteckt. Dabey wurde ein Preußiſches Manifeſt publicirt, worin man die Nothwendigkeit dieſer Maaßregeln zu rechtfertigen ſuchte.

Der Mangel an Lebensmitteln nöthigte endlich die Preußen ſich nach der Oder zurückzuziehn. Die Ruſſen, deren Magazine die Preußen verbrannt hatten, und denen es ebenfalls an Subſiſtenz fehlte, rückten auch auf dieſen Fluß los, und bey Züllichau an den Brandenburgiſchen Gränzen trafen beide Armeen aufeinander. Der Feldmarſchall Soltikow war an Fermors Stelle gekommen, der um Erlaubniß gebeten hatte, das Obercomando niederzulegen. Er blieb jedoch bey der Armee, und diente unter ſeinem Nachfolger. Auch die Preußen erhielten jetzt einen andern Anführer. Der König, unzufrieden mit Dohna, der die Gelegenheit die Ruſſen mit Vortheil anzugreifen nicht genutzt hatte, nahm ihm das Commando, und gab es dem General Wedel. Dieſer traf den 22ſten July bey der Armee ein. Er kannte weder ſeine Truppen, weder ihre Stärke und Schwäche, noch ſeinen Feind, noch die Gegend. Er hatte indeſſen beſtimmte Befehle, ohne Verzug die Ruſſen anzugreifen, wenn er ihre Vereinigung mit den Oeſterreichern nicht auf eine andre Art hindern könnte. Laudon war zu dieſem Endzweck mit 30,000 Mann auf dem Marſch. Die Ruſſen eilten zu ihm zu ſtoßen, und da ſie den 23ſten July, den Tag nach Wedels Ankunft, ihren

Zug

Zug fortsetzen, so konnte der Angriff nicht länger verschoben werden. Die Armeen waren an Stärke einander sehr ungleich, Wedel wurde geschlagen, und mußte sich mit einem Verlust von 5000 Todten, Verwundeten und Gefangenen zurückziehn.

Nun hielt nichts mehr die Vereinigung der verbündeten Armeen auf. Laudon theilte die seinige, ließ Haddick mit 12,000 Mann zurück, und stieß mit 18,000 Mann größtentheils Cavallerie den 2ten August zu den Russen. Die Bewegungen, und überhaupt die Operationen dieser beyden Oesterreichischen Generäle, ihren großen Endzweck zu erreichen, und alle Hindernisse zu übersteigen, waren musterhaft. Die Reichsarmee, die so wenig den ganzen Krieg that, trug diesmal zur Ausführung des Laudonschen Entwurfs das ihrige bey. Sie fiel in Sachsen ein, und nöthigte dadurch den General Fink, der mit einem Preußischen Corps den General Haddick bisher beobachtete, ihn aus den Augen zu lassen, um Leipzig und Torgau zu decken. Die ganze vereinigte Macht der Verbündeten, über 80,000 Mann stark, rückte nun vorwärts, und verschanzte sich am Ufer der Oder, ohnweit Frankfurth. Alle Bemühungen Wedels waren jetzt dahin gerichtet, den Feinden den Uebergang über diesen Fluß zu erschweren.

Der König hatte sich begnügt in Schlesien vertheidigungsweise zu verfahren. Er blieb lange bey Landshut gelagert, um günstige Augenblicke zu erwarten. Daun stand ihm mit der Hauptarmee gegenüber, und auch er wartete auf eine vortheilhafte Gelegenheit vorzurücken, oder zu schlagen. Um diese Hofnung zu vernichten, und die Oesterreicher nach Böhmen zurückzutreiben, wandte sein wachsamer Feind alle Mittel an, ihre Subsistenz zu erschweren. Das Vorrücken der Russen aber änderte den Plan beider Feldherrn. Daun bemühte sich ihnen näher zu kommen, um ihre

Operationen zu erleichtern, und Friedrich den Maaßregeln beyder Heere entgegen zu arbeiten.

Das unglückliche Treffen bey Züllichau veranlaßte
endlich den Monarchen, selbst nach seinen Brandenburgischen Staaten zu eilen. Heinrich schickte einen
großen Theil seener Truppen aus Sachsen zur Verstärkung des Oder-Heers, und ging sodann selbst nach
Schlesien, um in der Abwesenheit des Königs die zu-
rückgelassene Armee zu commandiren; auch das Finksche Corps erhielt Ordre, Sachsen zu verlassen, und
nach der Oder zu marschiren. Der Zug Friedrichs war
glücklich. Seine ihm zugeschickten Truppen langten
bey ihm an, ohne allen Verlust, er selbst stieß bey Gu-
ben auf Haddicks Corps, nahm ihm einige Canonen
und 500 Mehlwagen ab, machte 2000 Gefangene,
und vereinigte sich dann ohne Hinderniß mit der We-
dellschen Armee.

Nun beschloß er ohne Verzug eine Schlacht zu
liefern. Seine vereinigte Macht war letzt 40,000
Mann; das verbündete Heer aber über 70,000 Mann
stark. Es stand zwischen Frankfurt und Kunersdorf
auf Anhöhen in einem verschanzten Lager, das von einer ungeheuren Artillerie vertheidigt wurde. Der
rechte Flügel war durch die Oder, und der linke durch
Sümpfe und Büsche gedeckt. Vor der Fronte waren
tiefe Gründe. Aller dieser großen Vortheile ohngeachtet bestimmte der König den 12ten August zum Angriff.
Er formirte seine Armee in einem Walde, und von hieraus fiel seine Linie Colonnenweise mit der größten Lebhaftigkeit auf den linken Flügel der Russen, der auf
den sogenannten Mühlbergen stand. Der Entwurf
des Königs war, den Feind zu gleicher Zeit von vorne,
in der Flanke, und im Rücken anzugreifen. Allein
unglücklicherweise war er mit der Gegend nicht
genau bekannt. Unerwartete große Teiche hemmten
den Marsch. Man machte starke Umwege, wodurch
die Truppen ermüdet wurden, und die kostbare Zeit
ver=

verlohren ging. Das schwere Geschütz, das man im
Walde nicht umwenden konnte, mußte abgespannt, die
Canonen umgedreht, und sobann die Pferde wieder
vorgespannt werden. Endlich kamen die Preußen aus
dem Walde heraus, und näherten sich den Russischen
Verschanzungen. Diese wurden nun von drey Batterien beschossen. Die Russen beantworteten dies Feuer
durch hundert Canonen, die sie auf dem linken Flügel
zusammengehäuft hatten. Nun gab der König Befehl,
die feindlichen Batterien zu stürmen. Die dazu bestimmten Grenadiers arbeiteten sich durch den Verhack,
avancirten durch einen Grund, und erstiegen endlich
dessen Anhöhen, die ganz nahe an den Russischen Verschanzungen waren, daher das Kartätschenfeuer in ganzen Lagen auf die Preußen traf. Sie ließen dennoch den
Muth nicht sinken, sondern verdoppelten vielmehr ihre
Schritte, und erstiegen mit gefälltem Gewehr die Batterien der Russen. Nunmehr hörte aller Widerstand auf.
Der Feind wurde aus allen Verschanzungen herausge-
schlagen. Der ganze Russische linke Flügel suchte seine
Rettung in der Flucht, und ließ alle Artillerie im Stich.

Die Schlacht fing zu Mittag an, und um sechs
Uhr des Abends waren die Preußen schon Meister von
allen Batterien dieses Flügels, von mehr als hundert
erbeuteten Canonen, und einigen tausend Gefangenen.
Der Sieg schien so entschieden, als die feindlichen von
Kollin und Hochkirch es je gewesen waren, und schon
wurden vom Schlachtfelde Couriers mit dieser angenehmen Nachricht nach Berlin und Schlesien abgeschickt,
als auf einmal das Kriegsglück sich auf die unerwar-
tetste außerordentlichste Weise änderte.

Die Preußische Infanterie hatte nun alles gethan,
allein der Sieg konnte nicht benutzt werden; denn die
Preußische Cavallerie befand sich auf dem andern Flügel,
und die Canonen hatten nicht so geschwind folgen können. Dieser mißliche Umstand war desto nachtheiliger,
da das Terrain so sehr die Wirkung des Geschützes be-

J 2   gün-

günstigte, als die Bewegungen des Fußvolks ein=
schränkte. Endlich kamen einige Canonen auf den Hö=
hen an, allein in zu geringer Anzahl, um das ange=
fangene große Werk zu vollenden. Unterdessen rückte
der König mit dem andern Flügel auch auf die Russen
los, ein gleiches that das Finksche Corps. Dieses
Vorrücken aber war wegen des Terrains mit vielem
Verzug verbunden; bald mußten die Truppen sich zwi=
schen den ausgedehnten Teichen durchziehn, bald über
schmale Brücken passiren. Die Russen benutzten diese
Zwischenzeit, sich zu sammlen, und ihr Geschütz zweckmä=
ßig agiren zu lassen; und Laudon, der bisher mit den
Oesterreichern noch keinen Antheil an der Schlacht ge=
nommen hatte, setzte sich nun auch schnell in Bewe=
gung. Der König ließ die Cavallerie vorrücken, die
auch unter Seidlitz Anführung zwischen den Teichen
durch defilirte, sich unter dem Russischen Canonenfeuer
formirte, und dem Feinde näherte; allein die schreck=
lichen Kartätschenlagen, die ganze Züge Mann und
Roß zu Boden streckten, brachten die muthige Reute=
rey in Unordnung und zwangen sie zur Flucht.

Indessen war noch nichts für die Preußen verloh=
ren, vielmehr waren ihre Vortheile entschieden. Die
Russen, 80 ja 100 Mann hoch zusammengedrängt,
formirten ein Chaos; allein dieses Chaos war durch
funfzig Canonen gedeckt, die einen Kartätschenhagel
bereit hielten. Die Preußen waren durch einen Marsch
von funfzehn Stunden, durch die entsetzliche Blutar=
beit, und durch die Hitze eines sehr schwülen Sommer=
mertages, so abgemattet, daß sie kaum Athem schöpfen
konnten. Die Schlacht war für die Preußen gewon=
nen, und die größte Wahrscheinlichkeit vorhanden, daß
die Russen, deren Verlust außerordentlich war, sich in
der Nacht zurückziehn würden. Sie hätten jetzo gerne
dem Sieger die Ehre des Tages unbedingt überlassen,
allein sie hielten sich in ihrer letzten Verschanzung siche=
rer, als auf der Flucht am hellen Tage. Friedrich
                                        glaubte

glaubte aber nichts gethan zu haben, so lange noch etwas zu thun übrig blieb. Er war der Meinung, die er bey dieser Gelegenheit auch öffentlich äußerte, daß man die Russische Armee nicht allein besiegen, sondern vernichten müsse, weil sie immer wiederkäme, ihre Verheerungen zu erneuern. Die Preußischen Generals setzten diesen Argumenten nichts als den gegenwärtigen kraftlosen Zustand der Truppen entgegen. Seidlitz selbst stellte dieses dringend vor. Die Vorstellungen dieses großen Feldherrn, von dessen Muth Friedrich so sehr überzeugt war, schienen der Sache den Ausschlag zu geben, und schon wankte der König, als einer der vornehmsten Generals sich eben näherte, und von ihm mit der Frage beehrt wurde; * * * * was meint er? Dieser, ein Hofmann, stimmte ganz für die Meinung des Königs, und nun hieß es: Marsch!

Der vollkommene Sieg hing nun von der Eroberung des sogenannten Spitzberges ab, den der Kuhgrund deckte. Dieser Grund war 400 Schritt lang, 50 bis 60 Schritt breit, und 10 bis 15 Fuß tief, dabey an allen Seiten sehr steil, und von Laudons besten Truppen besetzt. Die Preußen stürzten sich hinein, und bemühten sich den entgegengesetzten steilen Rand zu erklettern, allein aller dieser Muth war fruchtlos; denn wem es glückte mit der größten Anstrengung sich diese jähe Höhe herauf zu arbeiten, fand entweder gleich seinen Tod, oder wurde in den Abgrund zurückgestürzt.

Die Natur behauptete endlich ihre Rechte. Aller Muth konnte die fehlenden Kräfte der Preußen nicht ersetzen. Der Spitzberg wurde wiederholt angegriffen, aber nicht erstiegen: Das entsetzliche unaufhörliche Feuer der Russen und Oesterreicher aus grobem Geschütz und Musketen, fiel wie ein Todesregen auf die Preußen, und schmetterte alles zu Boden. Fink, der mit seinem Corps andre Anhöhen zu stürmen versuchte, strengte auch vergebens alle Kräfte an. Friedrich selbst setzte

sich

sich der größten Gefahr aus; seine Uniform wurde von Kugeln durchlöchert, und zwey Pferde ihm unterm Leibe erschossen. Einer seiner Adiutanten rettete noch den König, indem er ihm sein eignes gab. Alle Versuche, die Russen und Oesterreicher vom Berge zu treiben, waren jedoch fruchtlos. Nun wagte es die Preußische Cavallerie die Anhöhen anzugreifen, allein alle Reuter-Tactik des Seidlitz vermochte hier nichts. Die Cavallerie, gewohnt unter seiner Anführung feindliche Cavallerie übern Haufen zu werfen, und Infanterie in die Flucht zu schlagen, erlag hier im ungleichen Kampf unter den Canonen der Russen. Er selbst, dieser tapfere Befehlshaber, wurde verwundet. Ein gleiches Schicksal hatte der Prinz Eugen von Würtemberg, der einen zweyten Angriff versuchte; ihm folgte der General Puttkammer, der mit den weißen Husaren auf den Feind zustürzte, allein todtgeschossen wurde, auch die übrigen vornehmsten Befehlshaber der Preußischen Armee, die Generals-Fink und Hülsen wurden verwundet. Alle Truppen der Preußen zu Pferde und zu Fuß geriethen in große Unordnung. In diesem kritischen Augenblick brach Laudon hinter dem rechten Flügel mit frischen Truppen hervor, und fiel die ganz abgematteten Preußen auf der Seite und im Rücken an. Dieser Feldherr, der so oft im Kriege den glücklichen Zeitpunkt zu treffen wußte, führte hier Cavallerie an, die gehörig formirt in die zerrütteten Haufen der Preußen drang. Die Schlacht war nun bald entschieden.

Nie war Friedrichs Standhaftigkeit so außerordentlich erschüttert worden, als an diesem unglücklichen Tage. In wenig Stunden hatte ihn das Kriegsglück von der Höhe eines unbezweifelten Sieges in die Tiefe einer vollkommenen Niederlage herabgestürzt. Er versuchte alles, um seine fliehende Infanterie zum stehn zu bringen; allein Vorstellungen und dringendes Bitten, sonst von den Lippen eines Königs so wirksam,

nichts

nichts wollte hier helfen. Man sagt, daß er in dieser verzweiflungsvollen Lage sich laut den Tod wünschte. Seine lebhafte Einbildungskraft stellte ihm in den ersten Augenblicken die Folgen dieser verlohrnen Schlacht als schrecklich dar, so daß er von eben dem Schlachtfelde, wo er wenig Stunden zuvor Siegs = Couriere abgefertigt hatte, jetzt Befehle nach Berlin sandte, die Sicherheitsmanßregeln und schleunige Rettung zum Gegenstande hatten. Die königliche Familie mußte sich entfernen, die Archive wurden weggebracht, und die reichen Privatpersonen erinnert, ihre Glücksgüter zu sichern. Er glaubte den Feind schon in seiner Residenz, und diese geplündert und verwüstet zu sehn; dabey hielt er sich für unvermögend ihn daran zu hindern. Seine Truppen waren so zerstreut, daß er am Tage nach der Schlacht kaum 5000 Mann beysammen hatte; alle eroberte Canonen waren wieder verlohren gegangen, und hiezu waren noch über hundert Preußische gekommen. Der General Wunsch, der ein kleines Corps Preußen auf der andern Seite der Oder commandirte, war gegen Ende des Treffens zu Frankfurt angelangt, und hatte die Russische Besatzung zu Gefangenen gemacht; da aber die verlohrne Schlacht diese Vortheile vernichtete, und ihn jetzt großer Gefahr aussetzte, so mußte er die Stadt wieder verlassen. Die einbrechende Nacht war dem König günstig. Er zog seine Armee zurück, und gewann einige Anhöhen, die der Feind nicht anzugreifen wagte.

Diese Schlacht war ein wahres Mordfest. Noch war keine in diesem Kriege so blutig gewesen. Die Preußen hatten 8000 Todte, und mehr als 12,000 Verwundete, von welchen jedoch nur wenige gefangen wurden. Fast alle Preußische Generals und Officiers vom Range waren verwundet. Die Russen hatten auch 16,000 Mann Todte und Verwundete, nach Soltikows eignem Geständniß, der in einem Briefe an seine Monarchin von der Schlacht Nachricht gab,

J 4 und

und in Ansehung des Verlusts sagt: „Ew. Majestät
„werden sich darüber nicht wundern. Sie wissen, daß
„der König von Preußen seine Niederlagen allemal
„sehr theuer verkauft.„ Auch, sagte dieser Feldherr:
„Wenn ich noch einen solchen Sieg erfechte, so werde
„ich, mit einem Stab in der Hande, allein die Nach-
„richt davon nach Petersburg bringen müssen.„

Den Tag nach der Schlacht ging Friedrich über
die Oder, zog die Flüchtlinge an sich, vereinigte sich
mit Wunsch, rief den General Kleist mit 5000 Mann
aus Pommern zurück, und ließ aufs schleunigste Geschütz aus seinen Arsenälen kommen. Die Russen, die
ihn ohnerachtet seiner Niederlage fürchteten, verschanzten sich. Der König flößte abermals durch eine Rede
seinen Truppen Muth ein, und in wenig Wochen war
Berlin gesichert, seine Armee mit allem versehn; und
so verstärkt, daß sie nicht allein im Stande war, das
Churfürstenthum Brandenburg zu decken, sondern,
auch, daß Wunsch sich mit seinem Corps entfernen,
und nach Sachsen marschiren konnte.

Unter den Preußen, die in dieser Schlacht bey
Kunersdorf als Opfer des Kriegs-Dämons fielen, befand sich der Major Kleist; ein edler Deutscher, verehrungswürdig durch seinen Character, unsterblich durch
seine Gesänge; von seinem König wegen seiner Deutsch-
heit verkannt, von seinen Zeitgenossen kalt bewundert,
aber gewiß von der späten Nachwelt gepriesen. Er
sagt in einem seiner Gedichte:
        „Vielleicht sterb einst auch ich
        „Den Tod für's Vaterland.„
Diese Ahndung traf zum Unglück für die deutsche gelehrte Republik an diesem mordvollen Tage ein. Kleist
führte ein Bataillon gegen den Feind an, und eroberte
damit drey Batterien. Die rechte Hand wird ihm
durch eine Kugel zerschmettert; er nimmt den Degen
in die linke, und nun rückt er mit seinen Soldaten,
die ihn wie ihren Vater liebten, auf die vierte Batterie

rie log. Ein Kartätschenschuß streckt ihn zu Boden. Er wird aus dem Schlachtgetümmel getragen, in einen Graben gelegt, und so seinem Schicksal überlassen. Es war grausam gegen ihn. Die Cosaken, den Menschen an Gestalt ähnlich, in allem übrigen aber den Raubthieren aus Libyens Wüsten gleich, bey denen Rauben, Morden und Brennen gleichsam Instinkt, und Mitleid ein fremdes Gefühl war, fielen über den im Blut schwimmenden Kleist her. Sie rissen ihm alles vom Leibe herunter, selbst das von Blut triefende Hemde; und nun lag der Held, der Weise, der unsterbliche Dichter des Frühlings, nackend wie ein Wurm im Morast, und wünschte sich Lumpen. Sein Zustand jammerte einigen Russischen Husaren, die vorbeyritten; sie warfen ihm einen alten Mantel, etwas Brodt, und einen halben Gulden zu. Allein andere Cosaken kamen, und nahmen auch diese Almosen weg. Er mußte also nackend, hülflos und ohne Verband, die ganze Nacht durch bis am folgenden Tage in seinem Blute schwimmen. Kleist war schwer, aber nicht tödtlich verwundet. Dieser schreckliche Zustand aber, und das Wasser des Morasts, das in seine Wunden drang, machte solche tödtlich. Er starb in Frankfurt als ein Gefangener einige Tage nach der Schlacht. Die Russen gaben ihm ein ehrenvolles Leichenbegängniß. Viele ihrer Officiers vereinigten sich mit den academischen Lehrern und begleiteten den Trauerzug. Der Sarg war ohne Degen. Diesen Mangel zu ersetzen, nahm ein Russischer Officier den Seinigen, legte ihn darauf, und nun ging der Weg zum Grabe, das die deutschen Musen betrauerten, die Barden besangen, und gefühlvolle Mädchen mit Rosen bestreuten.

Die Russen hatten nun innerhalb drey Wochen zwey Schlachten gewonnen, und dennoch verschlimmerten diese feindliche Siege die Lage des Königs eben nicht außerordentlich; denn das Nachtheilige derselben war nicht sowohl durch seine Niederlage, als durch

J 5

seine

seine Entfernung von Sachsen und Schlesien erzeugt
worden, die die Feinde benutzt hatten. Er war jetzt
von beiden Provinzen abgeschnitten. Eine Vereinigung der großen Russischen und der großen Oesterreichischen Armee, die in der Lausitz stand, war nun zu besorgen. Daun und Soltikow hielten deshalb in Gu-
ben eine Zusammenkunft. Es wurde aber nichts darin
beschlossen. Die Russen blieben in ihrem Lager bey
Fürstenwalde ganz ruhig stehen, und begnügten sich
die Schleusen am Friedrich Wilhelms Canal zu zerstören. Diese Schleusen, die die Oder mit der Spree
verbanden, ein Denkmal der Größe des in der Brandenburgischen Geschichte verewigten Churfürsten, wurden nun von den barbarischen Feinden völlig zu Grunde gerichtet.

Um diese Zeit starb der König von Spanien, Ferdinand der Sechste. Der König von Neapel, Carl,
bestieg nun den Spanischen Thron, und sein achtjäh-
riger Sohn, Ferdinand der Vierte, den Neapolitani-
schen. Das Oesterreichische Haus hatte auf die Königreiche Neapel und Sicilien große Ansprüche, und nie
war die Gelegenheit bequemer sie geltend zu machen.
Der Monarch ein Kind, die Regierung in unsichern Händen, die Staatsmänner ohne feste Grundsätze, die Finanzen in schlechtem Zustande, die Truppen in geringer
Anzahl und ohne Disciplin. Es war kein Feldzug,
sondern nur eine Besitznehmung erforderlich, und alle
Umstände versprachen für jetzo eine ungestörte Ruhe
in diesem Besitz. Spanien kannte seinen neuen Monarchen noch nicht, und war zu einem solchen Kriege
unvorbereitet. Frankreich aber befand sich ganz entkräftet, und unfähig Armeen nach Italien zu senden.
Auch kam die Sache im geheimen Rath der Kaiserin
wirklich auf das Tapet. Da aber der Wiener Hofe
die Staatsklugheit ganz den Privatleidenschaften untergeordnet war, so wurde die Hoffnung auf die höchst
ungewisse Eroberung von Schlesien, der unfehlbaren
Erober-

Eroberung von zwey so wichtigen Königreichen vorge-
zogen, die nicht so wie ehemals der Oesterreichischen
Monarchie wegen der Entfernung entbehrliche Staaten, sondern jetzt in Verbindung mit andern Italieni-
schen Provinzen, der Kaiserin Maria Theresie und ihren Nachkommen die Herrschaft in Italien auf viele
Zeitalter würden verschaft haben.

Die Oesterreicher und Reichstruppen waren mittlerweile in Sachsen eingedrungen, und hatten Leipzig,
Torgau und Wittenberg weggenommen. Man erwartete nun die gänzliche Befreyung dieses Landes, Berlin erobert, und Magdeburg belagert zu sehn. Nichts
aber von allem diesen geschah, und der König, der
sich auf sein Glück verließ, und auf die erprobte Unentschlossenheit der feindlichen Feldherrn ihre Siege zu
benutzen, war schon am nächsten Morgen nach der
Schlacht dieses Trostes voll. Er hatte einige Tage
zuvor durch einen vom Herzog Ferdinand abgeschickten
Officier den Sieg von Minden erfahren. Friedrich
befahl ihm zu warten, weil er dem Herzog ein ähnliches Gegencompliment zurückzusenden hoffte. Der
Officier zeigte sich den Tag nach der Schlacht. „Es
„ist mir leid,‟ sagte der König, „daß die Antwort
„auf eine so gute Botschaft nicht besser hat gerathen
„wollen. Wenn sie aber auf Ihrem Rückweg noch
„glücklich durchkommen, und Daun nicht schon in
„Berlin, und Contades in Magdeburg antreffen, so
„können Sie den Herzog Ferdinand von mir versi-
„chern, daß nicht viel verlohren ist.‟

Ob nun gleich die Russen von ihrem Siege fast
gar keine Vortheile zogen, so entspann sich doch daraus eine Kette von Unglücksfällen für den König, der
in keiner Epoche seiner Kriege sie so sehr gehäuft erlebt
hatte. Das nächste Unglück war der Verlust von Dresden. Die Oesterreicher hatten beständig ihr Augenmerk auf die Eroberung dieser Residenz gerichtet, und
nun wagten sie vereinigt mit den Reichstruppen in der
Abwe-

Abwesenheit des Königs einen neuen Versuch es zu belagern. Das Geschütz dazu langte bald aus Prag an. Schmettau war zur Vertheidigung vorbereitet. Er verließ deshalb die Neustadt, die von der Altstadt durch die Elbe getrennt ist, und schränkte sich allein auf die Vertheidigung dieser letztern ein. Die Neustadt wurde nun von den Oesterreichern besetzt, der Kaiserliche General Guasco drohete die Stadt von achtzehn Batterien zu beschießen, Schmettau versprach ihm mit hundert Canonen die Antwort zu geben. Allein auf einmal verbreitete sich die Nachricht von der Schlacht bey Kunersdorf. Die Feinde benutzten die erste Bestürzung, den Commandanten auf seine gefährliche Lage bey der schwachen Besatzung aufmerksam zu machen, und ihm die Unmöglichkeit des Entsatzes vorzustellen; dabey trug man ihm eine ehrenvolle Capitulation an. Schmettau hatte sich immer als ein sehr entschlossener, thätiger und muthvoller Befehlshaber gezeigt; auch jetzt war er zu allem vorbereitet. Er verlachte alle Drohungen, die nun täglich auf eine abgeschmackte Weise gehäuft wurden. Der Herzog von Zweybrücken ließ ihm sagen, daß, wenn die Dresdner Vorstädte von den Preußen abgebrannt würden, so sollte die ganze Besatzung niedergehauen, Berlin und Halle geplündert, in Brand gesteckt, und alle Preußische Länder in Grund und Boden verwüstet werden. Schmettau beantwortete dieses Compliment dadurch, daß er sogleich die Vorstädte anzünden ließ. Nunmehr folgte eine Bothschaft nach der andern, wobey die Generals Maquire und Guasco selbst Unterredungen mit dem Preußischen Commandanten hielten. So nachtheilig auch des letztern Lage war, so durfte man doch die nachdrücklichste Gegenwehr erwarten; allein ein Schreiben Friedrichs veränderte alles.

Der König hatte ihm gleich nach der unglücklichen Schlacht gemeldet, daß es äußerst schwer seyn würde, Dresden zu entsetzen, er möchte daher im Nothfall nur

nur auf die Caſſen bedacht ſeyn. Nun verlohr Schmettau etwas zu ſchnell die Hoffnung, und ſeine ganze
Sorge war jetzt, die ungeheure Geldmaſſe zu retten,
die ſich in der Stadt befand. Hier als im Mittelpunct
des Landes waren die Einkünfte deſſelben, die Contri-
butionsgelder, die Kriegskaſſe für die Truppen und
andre Gelder in Verwahrung gebracht. Die Summen betrugen über fünf Millionen Reichsthaler. Die
Nothwendigkeit alſo, ein Metall in Sicherheit zu
bringen, deſſen Mangel alle Kriege endigt, und ſelbſt
die tapferſten Heere auseinander ſprengt, gab Schmettau den Ausſchlag. Er wußte nicht, daß ein Hülfscorps bereits im Anzuge war. Die Belagerer aber,
die von deſſen Ankunft und Progreſſen in Sachſen
wohl unterrichtet waren, und Dresden ſchon ſo gut
wie gerettet hielten, vergaßen alle Drohungen, und
räumten faſt jede Bedingung ein, die Schmettau verlangte. Er capitulirte, da man eben anfangen wollte
die Stadt förmlich zu beſchießen, und erhielt mit ſeiner Beſatzung, ihrer Bagage und allen Geldwagen
einen freyen Abzug. Die Munition, Kriegsbedürf-
niſſe und Magazinen blieben aber zurück. Man fand
allein an Korn, Gerſte und Hafer 30,000 Scheffel,
12,700 Centner Mehl, und andre Proviantartikel.

Kaum war dieſe Capitulation geſchloſſen, vom
Reichsfeldmarſchall, Herzog von Zweybrücken unterzeichnet, und ein Thor von den Eroberern in Beſitz
genommen, ſo langte Wunſch mit ſeinem Corps nach
ſehr forcirten Märſchen zwey Meilen von Dresden an.
Seine Soldaten hatten alle Kräfte angeſtrengt, und
konnten in der nemlichen Stunde ihren Marſch nicht
weiter fortſetzen. Wunſch that indeſſen ſogleich durch
Canonenſchüſſe ſeine Ankunft kund. Er wußte von
der Capitulation nichts, und war daher entſchloſſen
die Neuſtadt zu ſtürmen. Seine Annäherung belebte
den ganz geſunkenen Muth der Preußen in Dresden;
und viele Officiers der Beſatzung waren der Meinung,
daß

daß man die ganze Capitulation vernichten, und die
wenigen Truppen, die das eine Thor besetzt hielten,
unverzüglich herauswerfen müßte. Schmettau, immer noch für seine Geldwagen besorgt, wollte von dieser verwegenen Maaßregel nichts hören, so leicht auch
die Ausführung schien. Der Platz-Major Hausmann
aber glaubte pflichtmäßig es auch ohne Befehl thun zu
müssen, setzte sich zu Pferde, und forderte die Hauptwache auf, ihm zu folgen. Der commandirende Officier, Hauptmann Sidow, aber weigerte sich zu gehorchen, worauf er ihn wie einen Feigherzigen behandelte,
und eine Pistole auf ihn abfeuerte, die jedoch nicht
traf. Einige Soldaten von der Hauptwache, um ihren Officier zu rächen, feuerten nun auch, und streckten in einem Augenblick den braven Hausmann zu Boden. Alle Hoffnung der gutgesinnten Preußen war
nun vorüber. Wunsch marschirte zurück, und Dresden wurde von den Oesterreichern ganz besetzt. Die
Capitulation aber ward fast in allen Puncten gebrochen, und die nicht gefangene, sondern als frey erkannte Besatzung auf das schändlichste behandelt. Die
Kaiserlichen Officiers und Gemeinen, ja die Generals
selbst, wetteiferten gleichsam, um durch ein unedles
Betragen einander zu übertreffen. Man riß die Preußischen Soldaten mit Gewalt aus den Gliedern heraus, und zwang sie zum Oesterreichischen Dienst.
Die Officiers wurden mit den niederträchtigsten
Schimpfworten belegt, mit Baionetten und Kolben
herumgestoßen, geprügelt, verwundet, ja getödtet.
Die Oesterreichischen Officiers selbst, uneingedenk ihres
Standes, oder vielmehr unbekannt mit den Grundsätzen von Ehre und Großmuth, waren Handlanger,
ja eigentlich die Hauptacteurs bey diesem ehrlosen Geschäfft, und schrien ihren Soldaten beständig zu:
„Schießt die Hunde todt! Feuer auf die Canaillen!„
So gieng es durch alle Haufen. Die Oberbefehlshaber, die Generals Maquire und Guasco blieben mit
                                        ihren

ihren Mißhandlungen nicht zurück. Die den Preußen durch die Capitulation gesicherten Gewehre, Pontons und Kriegsgeräthe, wurden ihnen mit Gewalt entrissen, die heilig versprochenen Wagen und Schiffe zum Transport verweigert, und auf ihre Beschwerden mit Drohungen geantwortet. Nach einem langen Zögern glückte es endlich dem General Schmettau, seine Gelder und seine Besatzung als eine Beute davon zu bringen.

Der Prinz Heinrich war mittlerweile mit der großen Armee aus Schlesien nach Sachsen gekommen, hatte vermittelst eines außerordentlich forcirten Marsches den Oesterreichischen General Wehla bey Hoyerswerda überrumpelt, 600 seiner Soldaten erlegt, und ihn selbst mit 1800 Mann gefangen genommen. Die Russen standen jetzt in der Lausitz, so wie auch Daun. Es währte aber nicht lange, so fehlte es an Lebensmitteln. Die Oesterreicher hatten die größte Mühe für ihren eignen Unterhalt zu sorgen, und boten daher den Russen anstatt des Proviants Geld an, um sich damit zu versehn. „Meine Soldaten essen „kein Geld,‟ antwortete Soltikow, und nahm seinen Marsch durch Schlesien nach Pohlen. Laudon begleitete ihn, und wandte alle Bemühungen an, ihn zur Belagerung von Glogau zu bewegen. Dieser Entwurf aber wurde ganz vereitelt, da die verbundenen Armeen bey Beuten an der Oder zu ihrem Erstaunen ein Preußisches Lager erblickten. Hier stand der König und deckte Glockau. Sie wagten es nicht ihn anzugreifen, sondern gingen über die Oder, marschirten längs diesem Fluß, und schienen ihre Absicht nun auf Breslau zu richten. Ueberall aber fanden sie Preußen, und die Pässe wohlbesetzt. Herrnstadt war die Gränze ihres Schlesischen Zuges. Da sich dieser offne, aber durch die Natur befestigte Ort nicht ergeben wollte, wurde er durch Feuerkugeln in einen Aschenhaufen

haufen verwandelt, und nach dieser That ging der Marsch nach Pohlen.

Am Ende des Octobers waren Schlesien und Brandenburg von Russen und Oesterreichern befreyt. Zwölf brennende Dörfer bezeichneten den Abzug der erstern, die ohne Verheerungen nicht Krieg führen konnten. Dies Unglück traf auch die Güter des Grafen Kosel an der Oder. Er beklagte sich darüber beym König, und dieser antwortete: „Wir haben mit Bar„baren zu thun, die am Begräbniß der Menschlichkeit „arbeiten. Sie sehn, mein lieber Graf, daß ich „mehr darauf bedacht bin, dem Uebel abzuhelfen, als „darüber zu klagen, und das rathe ich allen meinen „Freunden.„ In der That war die Erbitterung der mächtigen Verbündeten gegen den König von Preußen so außerordentlich, daß sie unser Zeitalter schändete. Alle begangene Gräuel wurden dadurch gekrönt, daß sowohl die Oesterreichischen als Russischen Truppen bey ihren Einfällen in Brandenburg und Schlesien wiederholt bekannt machten, daß auf hohen Befehl den Preußischen Unterthanen nichts als Luft und Erde übrig bleiben sollte *).

In Sachsen hatte Wunsch Wittenberg und Torgau wieder eingenommen, und bey letzterer Stadt ein großes Corps Oesterreicher geschlagen. Nun war noch das mit Reichstruppen besetzte Leipzig übrig; allein fünf Tage nach dem Gefecht bey Torgau, nahm Wunsch auch Leipzig weg, und machte die Besatzung zu Kriegsgefangenen. Der Prinz Heinrich vereinigte sich darauf mit Wunsch, und zog auch das Finksche Corps an sich.

Dann

---

*) Auf diese sonderbare buchstäbliche Aeußerung bezieht sich das Manifest, das der Preußische Oberst Kleist zu Grab in Böhmen den 17ten November 1759 bekannt machte.

Daun machte allerhand Entwürfe, den Prinzen aus Sachsen zu vertreiben; da aber durch Heinrichs Wachsamkeit und überlegene Kriegstalente alle Versuche vereitelt wurden, und er nicht allein Stand hielt, sondern auch Mittel fand, Leipzig und Wittenberg zu decken, so machte der Oesterreichische Feldherr einen neuen großen Entwurf. Er wollte den Preußischen Heerführer von diesen beyden Städten abschneiden, und ihn selbst in seinem Lager einschließen. Daun theilte deshalb seine Armee in verschiedene Corps, die sich zu diesem Endzweck in Bewegung setzten. Das stärkste derselben commandirte der Herzog von Aremberg. Heinrich errieth etwas von dem Vorhaben des Feindes, und unter den Papieren eines Adjudanten des Herzogs von Aremberg, der gefangen wurde, fand man die weitern Nachrichten. Er schickte nun sofort die Generals, Fink, Wedel und Wunsch, mit ihren Corps auf abgesonderten Wegen. Alle stießen auf den Feind, der sich beständig zurückzog. Endlich traf das Wunschsche Corps ohnweit Düben auf das große Arembergische, das sich in Schlachtordnung stellte. Der General Platen an der Spitze von Dragonern und Husaren stürzte in Carriere auf die im Anschlag liegende Infanterrie los, warf sie über den Haufen, machte über 1400 Gefangene, und zerstreute die übrigen.

Der König ging Unpäßlichkeit halber nach Glogau, und schickte den General Hülsen mit dem größten Theil seiner Armee auch nach Sachsen, wo die Preußen ietzt so sehr das Uebergewicht bekamen, daß Daun für rathsam fand, das feste Lager bey Plauen zu beziehn, und Dresden zu decken. Diese Stadt war nun noch von allen kürzlich gemachten Eroberungen der Oesterreicher in Sachsen allein in ihren Händen. Ihnen auch diesen so wichtigen Ort zu entziehn, war Friedrichs Hauptabsicht, sobald er in Person mit den Truppen aus Schlesien in Sachsen ankam, und sich mit dem Prinz Heinrich vereinigt hatte. Alles kam

Archenh. Kriegsg.   K   darauf

darauf an, die Daunsche Armee zum Rückzug nach
Böhmen zu nöthigen. Dieser Rückzug wäre vielleicht
von selbst erfolgt, allein der König wünschte ihn zu
beschleunigen. Fink wurde deshalb mit 11,000 Mann
nach Maxen im Gebirge geschickt, und der Oberst Kleist
mußte mit einem Corps in Böhmen einfallen. Diese
Expedition war auch nicht unglücklich; er machte Ge=
fangene, brandschatzte und plünderte, um wegen der
in Schlesien und der Mark verübten Grausamkeiten
Repressalien zu gebrauchen.

Finks Stellung drohete dem Feind die Zufuhr
von Böhmen zu sperren; sie war aber selbst äußerst
gewagt, und Fink, in der Entfernung vom Könige,
mit seinem Corps von dem ganzen Kaiserlichen Heer
umgeben. Diesen General ahndete seine critische Lage;
er erdreistete sich daher, vor seinem Abmarsch dem
Monarchen einige Vorstellungen zu thun; sie wurden
aber ungnädig aufgenommen. Friedrich antwortete:
„Er weiß, daß ich keine Difficultäten leiden kann.
„Mache er, daß er fortkommt.„

Fink marschirte nun nach Maxen, und ließ den
Paß von Dippoldiswalde durch den General Lindstädt
mit 3000 Mann besetzen, wodurch die Gemeinschaft
mit Freyberg offen blieb. Der König aber war mit
dieser Disposition nicht zufrieden, und schrieb ausdrück=
lich: „daß es besser seyn würde, wenn er das ganze
„Corps zusammenzöge, weil er dadurch im Stande
„sey, den Feind mit mehrerem Nachdruck zu empfan=
„gen. Ueberdieß könnten die wenigen Bataillons bey
„Dippoldiswalde bald über den Haufen geworfen wer=
„den, weil der Feind gewiß mit einer starken Macht
„ankommen würde, wenn er etwas unternehmen
„wollte.„ Friedrichs Befehl wurde nun vollzogen,
wobey Fink jedoch sogleich die Stellung der Feinde mel=
dete, und daß ihnen nun der Weg ihn anzugreifen
völlig offen sey. Die folgenden Briefe des General
Fink an den König wurden alle von den Oesterreichern
auf=

aufgefangen. Und aus dieser Quelle entstand für Friedrich das große Unglück, ein so starkes Corps ganz zu verlieren.

Der 21ste November war der unglückliche Tag, der den Preußischen Kriegern unvergeßlich seyn wird. Fink wurde von allen Seiten angegriffen. Er stand im Grunde; die Feinde auf Anhöhen. Hiezu kam ihre große Uebermacht. Auf der einen Seite Daun mit 30,000 Mann, auf der andern der Herzog von Zweybrücken mit den Reichstruppen. Die Preußen fochten jedoch mit großer Bravheit. Das feindliche Feuer aber war ganz auf Einen Punkt gerichtet. Maxen gerieth in Brand. Die Haubitz-Granaten der Oesterreicher richteten unter der Preußischen Wagenburg große Verwirrung an, und diese theilte sich bald der ganzen Infanterie mit. Der Rückzug war den Preußen abgeschnitten. Es fehlte ihnen endlich an Munition, nachdem man den ganzen Tag gefeuert und alle Patronen verschossen hatte. Die Hoffnung vom König entsetzt zu werden, war sehr gering, weil er ihre Noth nicht kannte. Fink hatte sich bey soviel Gelegenheiten als einen Kriegserfahrnen, muthigen Feldherrn gezeigt, auch jetzt entfiel ihm der Muth nicht. Er wollte sich durchschlagen, und versammelte deshalb die Generals, denen er sein Vorhaben eröffnete. Allein die gänzliche Unmöglichkeit, mit Gewalt durch die stark besetzten Defileen durchzudringen, ließen keine Wahl übrig, als gänzliche Aufopferung aller Truppen, oder Gefangenschaft. Fink glaubte dem König durch das erstere keinen Dienst zu leisten, da so viel Oesterreichische Kriegsgefangene in Preußischen Händen waren, die folglich ausgewechselt werden konnten. Wunsch schlug vor, mit der Cavallerie einen Versuch zu machen, in der Nacht zu entkommen, und brach auch wirklich auf. Die Infanterie aber konnte nicht folgen, und Fink wurde nun gezwungen zu capituliren. Daun wollte von keinen andern Bedingungen hören, als

Gefan-

Gefangenschaft, und bestand sogar darauf, daß Wunsch mit der Cavallerie zurückberufen werden und sich auch ergeben sollte. Vergeblich schützte Fink vor, deß dieser General ein abgesondertes Corps commandirte; der Oesterreichische Heerführer bestand darauf, und der bedrängte Fink mußte alles eingehn. Wunsch kehrte auf Befehl um, allein er unterschrieb die Capitulation nicht. Er wurde aber doch gefangen. Die Bagage der Preußen blieb ungeplündert. Dies war der Hauptartikel der Uebergabe. Das ganze Corps streckte nun das Gewehr, neun Generals und 11,000 Mann Fußvolk und Reuter; nur einige Husaren entkamen, und brachten dem König diese für den Preußischen Kriegsruhm so schreckliche Nachricht. Nach geendigtem Kriege wurden die Generals Fink, Rebentisch und Gersdorf vor's Kriegsgericht gefordert, und da ihre Vertheidigung nicht hinreichend befunden ward, zur Festungsstrafe verdammt. Rebentisch blieb noch einige Zeit im Dienst, allein die andern beiden verlohren sogleich ihre militärischen Würden.

Diesem Unglück folgte gleich darauf ein anderes. General Dierke stand mit 3000 Mann am Elb = Ufer ohnweit Meißen. Der König rief diesen General zurück. Er mußte über den Fluß, der voller Eis war. Nur wenig Fahrzeuge waren vorhanden, und diese wurden von dem angreifenden Feinde bald zertrümmert. Nun mußte sich Dierke mit allen den seinigen, die noch nicht über den Fluß gesetzt hatten, ergeben. Auf diese Weise fielen abermals 1400 Mann den Oesterreichern in die Hände.

Auch jetzo wurden die Erwartungen von Freunden und Feinden betrogen. Daun, anstatt seine großen Vortheile zu nutzen und vorwärts zu bringen, bezog, wie ein Besiegter, abermals das feste Lager bey Pirna. Friedrich hingegen, der fast die Hälfte seiner Armee, und zwar am Ende des Feldzugs, verlohren hatte, wo alle Regimenter sehr geschwächt waren, und der

jetzt

jetzt wenig mehr als 20,000 Mann beysammen hatte,
änderte seine Stellung dennoch nicht, sondern behauptete,
außer dem kleinen Bezirk um Dresden, ganz Sachsen.
Indessen ließ er, um der großen Ungleichheit abzuhelfen, 12,000 Mann von den alliirten Truppen kommen. Diese, unter Anführung des Erbprinzen von
Braunschweig, stießen bey Chemnitz zum Könige.

Nun folgte eine besondere Wintercampagne, die
sehr viel Menschen wegraffte. Die Armee des Königs
wurde in der Nachbarschaft von Dresden in die kleinen Städte und Dörfer verlegt, und zwar so gedrängt,
daß nur ein geringer Theil der Soldaten unter Dach
kommen konnte. Ganze Regimenter lagen die Hälfte
des Winters in kleinen Dörfern, die sie nachher mit
größern vertauschten. Die Officiers bewohnten die
Stuben oder Kammern, und die Soldaten bauten sich
Brandhütten, worin sie Tag und Nacht wie die Tatarn sich um das Feuer lagerten. Der Winter war dieses Jahr ungewöhnlich strenge, und der Schnee lag
viele Wochen lang Knie-tief. Das Holz wurde von
den Soldaten selbst herbeygeschleppt, oft aus einem
entlegenen Walde. Diese Holztransporte dauerten wegen der grimmigen Kälte den ganzen Tag fort, so daß
man immer große Haufen von Lastträgern bey allen
Dörfern herumziehn sahe. Die Lebensmittel waren
dabey nicht im Ueberfluß, und der Soldat auf sein
Commißbrodt eingeschränkt, womit er unaufhörlich
Wassersuppen machte. Die Wachen und Commandos
kamen wegen der vielen Kranken sehr oft herum, und
hatte der Soldat diese überstanden, so konnte er doch
in dem kurzen Zwischenraum der Ruhe nicht pflegen.
Wenn er kein Holz auf dem Rücken hatte, so lag er
der Länge nach in der Asche, um seinen Körper zu
braten. Dies war aber noch nicht alles. Es stand
ein kleines Lager bey Wilsdruf, eine Meile von Dresden. Der König wollte dieses Lager nicht abbrech
lassen. Vier Bataillons mußten es besetzen. Di

K 3

wur

wurden alle vier und zwanzig Stunden abgelöst, so
daß die ganze Infanterie bey der Königlichen Armee
diese Rolle nach der Reihe beständig fortspielen mußte.
Die Zelter blieben stehen; auch waren sie eingefroren,
und die Leinwand den Brettern ähnlich.

Da keine Vollkommenheit den Sterblichen eigen,
und es der Geschichte unwürdig ist, bey jedem Fehler,
bey jedem Eigensinn, bey jeder Laune eines großen
Mannes, tiefdurchdachte Weisheitsgründe vorauszu-
setzen, so mag es erlaubt seyn, durch die Natur der
Dinge gerechtfertigt, an der Nutzbarkeit dieses Eisla-
gers zu zweifeln, dessen Fortdauer wahrscheinlich mehr
durch Laune als durch Absichten bestimmt wurde, weil
die menschlichen Kräfte darin wie todt waren.

Die große Kälte war diesen Winter sehr anhaltend,
und täglich erfroren den leicht bekleideten Soldaten die
Glieder *). Im Lager waren keine Brandhütten;
die Feldwachen hatten brennende Holzhaufen, und für
die Officiers waren bretterne Häuschen gebaut. Die
gemeinen Soldaten, um ihr von Kälte erstarrtes Blut
flüssig zu machen, liefen entweder wie die Unsinnigen
im Lager herum, oder sie, uneingedenk des Kochens,
verkrochen sich in ihren Zelten, wo sie auf einander lagen, um wenigstens einige Theile ihres Körpers an den
Leibern ihrer Cameraden zu erwärmen. In dieser Lage
war Angriff und Vertheidigung gleich unmöglich; und
nie kehrte ein Regiment aus diesem Lager in die elenden Winterquartiere zurück, ohne die Zahl ihrer Kranken zu vermehren. Sie starben in ihren Löchern wie
die Fliegen, und dieser einzige Winterfeldzug kostete
dem

*) Der Verfasser befand sich damals bey der Armee des Königs.
Er war ein Augenzeuge des hier erzählten; denn auch das
Regiment von Forcade, bey welchem er stand, das in dem
Dorf Costebaude, eine Meile von Dresden, das Winterquar-
tier hatte, machte alle Wochen einen Marsch ins Lager bey
Wilsdruf zur Ablösung.

dem Könige mehr Menschen, als zwey große Schlachten gethan haben würden. Der Verlust war indessen minder merkbar, weil der Abgang beständig durch Recruten ersetzt wurde. Die Oesterreicher hatten kein besser Schicksal gehabt; es rissen Seuchen unter ihnen ein, so daß in sechzehn Tagen 4000 Mann starben.

Der Krieg gegen die Schweden hatte in diesem Feldzug, so wie immer, wenig auszeichnendes. Da der Preußische General Kleist nach der Schlacht bey Kunersdorf zum König stoßen mußte, bekamen die Schweden freye Hand. Sie benützten diese Gelegenheit, um einige von den Preußen schwach besetzte Oerter wegzunehmen, neun Preußische bewaffnete Fahrzeuge im Stettiner Hafen zu erobern, und bis Prenzlau vorzudringen. Der Preußische General Manteufel aber zog bald ein Corps zusammen, und trieb sie aus Prenzlau und über den Pena = Fluß zurück. Er ließ ihnen keine Ruhe, sondern drang unter beständigen Gefechten bis Greifswalde, wobey er viele Gefangene machte, endlich aber wegen der großen Kälte den Winterfeldzug endigen mußte. Die Schweden rächten sich an diesem thätigen General; sie überfielen ihn in der Nacht in Anclam, und nahmen ihn gefangen.

Der Feldzug der Alliirten war mit abwechselndem Glücke geführt worden. Die Britten hatten jetzt an dem Landkrieg den thätigsten Antheil genommen, und das Parlament hatte dazu 1900,000 Pfund Sterling bewilliget, ohne die ungeheuren Transportkosten zu rechnen. Die Franzosen fingen ihre Operationen durch einen kühnen Streich an. Sie überrumpelten mitten im Winter Frankfurt am Main. Diese freye Reichsstadt, die ihr Contingent an Truppen und Geld getreulich dem Reich entrichtete, glaubte daher von den Bundsgenossen des Reichs nichts zu besorgen zu haben Sie hatte den Franzosen schon Durchmärsche, allein nur in einzelnen Schaaren bewilligt. Der Vorwand dazu war immer der Uebergang über den Main.

Es wurde jetzt abermals ein solches Ansuchen gethan, und auch unter den bekannten Bedingungen gestattet. Ein ansehnliches Corps Franzosen versammlete sich vor der Stadt; man ließ ein Regiment hinein, wobey das Thor so lange gesperrt seyn sollte, bis das Regiment die Flußbrücke passirt haben würde. Die ganze Besatzung war in Waffen; theils um die Franzosen zu escortiren, theils waren sie auch an das gefährliche Thor postirt, den Befehlen des Magistrats den gehörigen Nachdruck zu geben. Dies hinderte aber nicht, daß diese wichtige Stadt ohne alles Blutvergießen eingenommen wurde. Die französischen Truppen schlossen sich an das einmarschirende Regiment an, warfen die Thorwache, die sich widersetzen wollte, über den Haufen, flößten den übrigen Stadtsoldaten Schrecken ein, und in wenig Augenblicken war das Reichsverbundene Frankfurt in den Händen der Franzosen, die darin wie in einer eroberten Stadt hauseten. Ihr Feldherr, Soubise, verfügte sich aufs Rathhaus, und machte seine Befehle bekannt. Alle Straßen waren mit Soldaten und brennenden Holzhaufen bedeckt. Die Einwohner durften ihre Häuser nicht verlassen, ja sich nicht einmal an den Fenstern zeigen, und die Stadtsoldaten wurden entwaffnet.

Frankfurt wurde nun das Hauptquartier der Franzosen, die dadurch völlige Communication mit den Kaiserlichen und Reichstruppen erhielten: dabey konnten sie auf dem Rhein und dem Main mit allen Bedürfnissen versehen werden. Diese erlangten Vortheile den Franzosen zu entreißen, war Ferdinands Hauptentwurf bey Eröffnung des Feldzugs. Es verzögerte sich damit bis zum April, weil die Reichstruppen, wie auch ein Corps Oesterreicher und Franzosen, in Hessen und andern benachbarten Ländern eingefallen waren, und erst wieder vertrieben werden mußten. Dieses geschah auch von dem Erbprinzen von Braunschweig mit so gutem Erfolg, daß die Reichstruppen

in

in verschiedenen kleinen Gefechten geschlagen, in Meinungen ein ganzes Regiment Cüraßier, ein Bataillon
Würtemberger und zwey Chur-Cöllnische Grenadier-
Bataillons zu Gefangenen gemacht, und die verbundenen Provinzen geschwind wieder von den Feinden befreyet wurden. Ferdinand ließ nun 12,000 Mann
zurück, um Hannover und Heßen zu decken, und
marschirte mit 30,000 Mann auf Frankfurt los. Der
Herzog von Broglio, der die dortige Französische Armee commandirte, bemächtigte sich eines starken Po-
stens bey dem Dorfe Bergen in der Nähe von Frankfurt, der nothwendig erst von Ferdinand weggenommen
werden mußte, ehe er seinen Zweck ausführen konnte.

Es war der 13te April, als beyde Armeen an diesem Ort aufeinander trafen. Das Dorf Bergen wurde
zuerst mit großem Ungestüm angegriffen. Hier standen acht Bataillons von den deutschen Truppen im
Dienst Frankreichs, und hinter dem Dorfe mehrere
Brigaden französischer Infanterie, die ein sehr lebhaf-
tes Feuer machten. Der Prinz von Ysenburg, an der
Spitze der Heßischen Grenadiers, that den Angriff.
Die Franzosen, die alle Vortheile des Terrains auf
ihrer Seite hatten, behaupteten ihren Posten gegen
einen Feind, der mit vielen natürlichen Hinderniffen
zu kämpfen hatte. Vor dem Dorf waren Hohlwege,
die die Heßen nur in kleinen Haufen paffiren konnten,
und Zäune und Hecken, wo sie herüber klettern mußten.
Der Erbprinz von Braunschweig rückte nun mit seiner
Division zu ihrer Unterstützung an, und fiel den Franzosen in die linke Flanke. Die Heßen, dadurch aufgemuntert, erneuerten den Angriff mit verdoppelter
Wuth, und schon wichen die Franzosen, als ihr Heerführer Broglio durch eine sehr geschickte Bewegung in
die Flanken der Alliirten fiel. Die Heßen wurden
nun zurückgeschlagen, und ihr Anführer, der Prinz
von Ysenburg, getödtet. Einige Französische Regimenter, durch ihre Hitze verleitet, verließen nun in

K 5

großer

großer Unordnung ihre Posten, um den weichenden
Feind zu verfolgen. Hiedurch bekam die Cavallerie
der Alliirten Gelegenheit, mit vielem Nachdruck einzuhauen. Eine Menge Franzosen fielen unter ihren
Streichen. Alles hing jedoch von dem Besitz des Po-
stens bey Bergen ab. Der Angriff wurde daher innerhalb drey Stunden dreymal erneuert, allein ohne
Erfolg. Nun blieb Ferdinand nichts übrig, als ein
wohlgeordneter Rückzug im Angesicht eines überlegenen
Feindes. Die List mußte den Mangel an Macht ersetzen. Es war noch kaum Mittag, und nur die
Nacht konnte den Rückzug decken. In dieser Verlegenheit stellte sich Ferdinand, als ob er das Treffen
erneuern wollte. Er theilte seine Infanterie in zwey
Haufen, stellte die Cavallerie in der Mitte, und eine
kleine Colonne Fußvolk vor derselben, und so machte er
Miene das Dorf Bergen und einen Wald auf dem linken
Flügel zugleich anzugreifen, und beide wurden auch lebhaft beschossen. Dieses dauerte bis die Nacht einbrach,
da sich denn die alliirte Armee bey Windecken zurückzog.
Sie hatte 2000 Mann und fünf Canonen verlohren.

So gering auch dieser Verlust war, so nachtheilig
war doch der mißlungene Sieg für die Alliirten. Die
Franzosen blieben im Besitz von Frankfurt, das in
Ferdinands Händen eine Quelle der größten Vortheile
geworden wäre; sie konnten ihre Operationen mit
größern Hoffnungen erneuern, da hingegen Ferdinand
vertheidigungsweise gehen mußte. Indessen blieb er
doch Meister von der Weser, aller Versuche der Franzosen ohnerachtet, ihn von diesem Fluß zu entfernen.
Sie rückten nun vorwärts, nahmen Cassel weg, eroberten Münden mit Sturm, bemächtigten sich großer
Magazine, und nahmen über 1400 Mann gefangen;
auch Münster eroberten sie nach einer förmlichen Belagerung, nnd nöthigten die 4000 Mann starke Besatzung sich zu Kriegsgefangenen zu ergeben. Dieser
Sieg bey Bergen verschaffte Broglio die Würde
                                           eines

eines Reichsfürsten, womit ihn der Kaiserliche Hof belohnte.

Der Entwurf der Franzosen war nun, ins Hannöverische einzubringen. Ferdinand aber vereitelte alle ihre Maaßregeln. Er hatte sich durch List der Reichsstadt Bremen bemächtigt, wodurch er Meister von der Weser bis nach Stade war. Nicht allein der Besitz von Hannover, sondern das Glück des ganzen Feldzugs hing jetzt von einer Schlacht ab. Der Verlust von Minden vermochte Ferdinand, diese Schlacht zu beschleunigen. Um den Feind dazu zu vermögen, ließ er dessen im Rücken habende Magazine durch zwey ausgesandte Corps bedrohen. Der Erbprinz von Braunschweig commandirte eins derselben, womit er nach Hervorden zu marschirte, um den General Drewes zu unterstützen, der auf Osnabrück losging, die Thore aufsprengte, die Besatzung zur Flucht nöthigte und das dasige Magazin wegnahm. Die Alliirten waren vortheilhaft postirt, und die Franzosen in Gefahr von ihrer Zufuhr abgeschnitten zu werden. Condates wurde bange. Er hielt am 31sten July des Abends Kriegsrath, und der Schluß fiel dahin aus, noch die Nacht zu marschiren, und den Feind mit Anbruch des Tages anzugreifen. Die von einander abgesonderten Corps der alliirten Armeen schienen dazu die vortheilhafteste Gelegenheit darzubieten. Indessen, um gegen widrige Zufälle nicht unvorbereitet zu seyn, hatte der Französische Feldherr über einen Bach, der nach der Weser zugeht, neunzehn Brücken schlagen lassen. Die Franzosen marschirten in neun Colonnen. Eine derselben, unter Broglio's Anführung, sollte den Angriff auf das Corps des Generals Wangenheim thun, der in einiger Entfernung von der Hauptarmee in einem festen Lager stand. Ferdinand erhielt von diesem Entwurf erst um drey Uhr des Morgens durch Ueberläufer Nachricht. Sie war ihm höchst angenehm, da er eine Schlacht eifrig wünschte, und schon selbst zum

Angriff

Angriff sich entschlossen hatte. Er brach also ohne Verzug auf.

Broglio langte inzwischen bey Wangenheims Lager an. Der Erfolg der Unternehmung hing von der raschen Ausführung ab. Man verlohr aber kostbare Augenblicke durch ein unzeitiges Haltmachen. Die Franzosen, ungewohnt sich in der Geschwindigkeit zu formiren, anstatt mit Tagesanbruch der Ordre gemäß anzugreifen, mußten erst ihre zerstreuten Haufen sammlen, und ihre Colonnen ordnen; daher Broglio nicht früher als um fünf Uhr in Schlachtordnung gestellt war. Wangenheim bekam dadurch Zeit, sich in Vertheidigungsstand zu setzen, und Ferdinand, ihm zu Hülfe zu kommen. Durch die meisterhafte Bewegung und Schlachtordnung dieses Feldherrn wurde der ganze Plan des Contades zerstöret. Wangenheim verließ sein Lager und schloß sich an die Hauptarmee an. Die Franzosen befanden sich nun in einer gefährlichen Stellung, umgeben von der Weser, von einem Morast, und von dem feindlichen Heer. Es mußte indessen geschlagen seyn. Broglio setzte den Angriff mit großer Lebhaftigkeit fort; seine Truppen aber litten außerordentlich durch die Artillerie der Alliirten, die in kurzer Zeit die Französische ganz zum Schweigen brachte.

Die Schlachtordnung der Franzosen war so, daß der Kern ihrer Cavallerie im Mittelpunct des Treffens stand. Diese so widersinnige Anordnung, die die große Niederlage der Franzosen bey Hochstädt bewirkt hatte, war für die Alliirten gleichsam die Losung des Siegs. Ferdinand ließ auf dies Centrum die Englische und Hannöversche Infanterie losgehn, während der Prinz von Anhalt den linken Flügel der Franzosen angreifen sollte. Diese Colonnen rückten muthig auf die feindliche Reuterey an, ohne das große Canonenfeuer zu achten, das in einer schiefen Richtung auf ihre Flanken gemacht wurde. Die französische Cavallerie wollte den Angriff nicht erwarten, sondern brach los, und
fiel

ftel die anrückende Infanterie von allen Seiten mit
dem größten Ungestüm an. Diese aber setzten der
Wuth der Franzosen eine unbezwingbare Standhaftigkeit entgegen; sie blieben in Ordnung, und sandten
einen so anhaltenden Kugelregen auf die Cavallerie,
daß diese endlich in der größten Verwirrung die Flucht
nahm. Andre Cavallerie-Regimenter erneuerten den
Angriff, sie hatten aber eben das Schicksal, zurückgeschlagen zu werden; neue Corps traten an ihre
Stelle, endlich rückten die Gensd'armes und Carabi-
niers an, die auch wirklich in die Englische Infanterie
einbrachen, allein doch zurückgeworfen wurden, und
so ging es viermal. Die alliirte Infanterie behauptete
nicht allein ihren Pösten, sondern rückte vorwärts,
und ließ alle Reuteranfälle abprellen. Die Sächsischen
Truppen bey der Französischen Armee zeichneten sich
an diesem Tage aus. Durch ihren muthigen Anfall
kamen die Engländer in Unordnung; sie setzten sich
aber bald wieder, und schlugen die Sachsen zurück.
Die Flucht der ganzen französischen Cavallerie hatte
die Linie zerrissen; die nächst der Reuterey stehenden
Brigaden französische Infanterie waren ohne Unterstützung, und ihre Flanken entblößt. Broglio bemühte sich mit seinem geschlagenen Corps in diesen Mittelpunct zu rücken, wo nichts als Verwirrung herrschte.
Dies war der critische Augenblick, die französische Armee ganz zu vernichten. Kriegskunst und Tapferkeit hatten ihn erzeugt, und die größte Niederlage der Franzosen in diesem Jahrhunderte, größer als die Tage von
Hochstädt, Turin und Ramillies, schien völlig entschieden zu seyn, als die Treulosigkeit eines Englischen Generals die Franzosen von ihrem gänzlichen Untergange
rettete.

Die Infanterie der Alliirten hatte alles gethan,
und nun war die Reihe an der Cavallerie, das Werk
zu vollenden. Ferdinand sandte deshalb schleunig die
nöthigen Befehle an Lord Sackville, der die Englische
und

und deutsche Cavallerie commandirte. Dieser Britte,
unwürdig seines Volks, dem es nicht an Klugheit,
noch an persöhnlichem Muthe fehlte, hegte eine niedrige
Eifersucht gegen den Herzog Ferdinand. Er war der
einzige im Heer, der die erkämpften Vortheile dieses Tages ungerne sah. Sein Patriotismus wich dem
Neide. Er gab vor, die deutlichsten Ordres des Feldherrn nicht zu verstehn. Drey Adiutanten hintereinander, davon zwey Engländer waren, brachten ihm
vergebens die gemessensten Befehle, anzurücken. Er
that es nicht, ließ die kostbaren Augenblicke verstreichen,
und ritt endlich selbst, den Herzog aufzusuchen, um
eine Erklärung zu holen, die ihm der niedrigste seiner
Reuter gegeben haben würde. Ferdinand, voller Un-
geduld und Erstaunen, sandte noch vor seiner Ankunft
einen ähnlichen Befehl an den Marquis von Granby,
den nächstfolgenden Brittischen Befehlshaber, der das
zweyte Treffen der Cavallerie commandirte. Dieser
gehorchte auch sogleich. Sackville setzte sich nachher
selbst an der Spitze, allein der glückliche Zeitpunct
war vorüber, den alle Reichthümer Brittaniens nicht
wieder zurückrufen konnten. Broglio nutzte diesen Verzug aufs beste. Er zog sich in ziemlicher Ordnung zurück, und die übrigen Französischen Truppen des lin-
ten Flügels folgten ihm.

Während dieser Zeit war es auf dem rechten Flügel der Alliirten auch sehr hitzig hergegangen. Die
Preußische, Hannöversche und Hessische Cavallerie hatte die Französische Infanterie über den Haufen geworfen, eine große Menge niedergehauen, und einige tausend Gefangene gemacht. Alles suchte nun seine Rettung in der Flucht. Broglio deckte bey diesem Unglück den Rückzug des Französischen rechten Flügels,
und die Sachsen, die ohngeachtet ihres großen Verlustes noch ziemlich Ordnung hielten, beschirmten die
Flüchtlinge des linken Flügels.

Die

Die Franzosen verlohren in der Schlacht 8000 Todte, Verwundete und Gefangene, dreyßig Canonen und siebzehn Fahnen, einige Tage nachher aber einen großen Troß ihrer schweren Bagage, einen Theil der Kriegskaffe, die Bagage der vornehmsten Befehlshaber, und das Kriegsarchiv. Hiezu kamen noch die Magazine von Osnabrück, Minden, Bielefeld, Paderborn, und andre. Die Alliirten zählten nur 1300 Todte und Verwundete. Der Marschall Contates schrieb gleich nach der Schlacht an den Herzog Ferdinand, nannte ihn Sieger, und bat um Sorgfalt für die blessirten Franzosen; eine Bitte, die das große Herz des deutschen Feldherrn ganz überflüssig machte.

Sackville wurde nun nach England zurückberufen, wo er zitternd erschien. Er fürchtete das Schicksal des Admirals Bing, zu dessen tragischem Ende er als Mitglied des geheimen Conseils kräftig mitgewirkt hatte. Die ganze Nation war gegen ihn aufs äußerste erbittert. Der Pöbel drohete ihn in Stücken zu reißen; die bessern Volksklassen betrachteten ihn als einen Nichtswürdigen, und der König Georg der Zweyte wollte seinen Namen nicht nennen hören. Er entsetzte ihn seiner Militärstelle, und ließ sich das Buch geben, worin seine geheimen Räthe aufgezeichnet waren; hier strich er mit eigner Hand den Namen des Sackville aus. Es wurde sodann sein Betragen vor einem Kriegsgerichte untersucht, und nun krönte er seine Niederträchtigkeit durch seine Vertheidigung. Er gab vor, der große Feldherr hätte seine Kriegstalente beneidet, und ihm widersprechende Befehle zugeschickt, um ihn zu verderben. Eine Menge Zeugen aber, zum Theil von vornehmer Geburt und von hohem Range, kamen von der Armee nach London, die alle Sackville's schändliches Betragen in der Schlacht, vor Gericht außer Zweifel setzten. Er wurde schuldig befunden, und für unfähig erklärt, je in England wieder Kriegsdienste zu thun. Das Kriegsgericht konnte diese Unfähigkeit nicht über die Civildienste ausdehnen,

und

und der König, der ihn für völlig außer Stand gesetzt
hielt, jedem Staat zu schaden, unterließ es aus besonderer Achtung gegen den Vater des Generals, den alten
Herzog von Dorset. als dieser Greis bald nach dem
Vorfall zum erstenmal bey Hofe erschien, und mit kum-
mervollen Blicken sich dem König näherte, betrachtete
ihn der Monarch eine Zeitlang stillschweigend mit gerühr-
tem Herzen. Endlich umarmte er ihn und sagte: „Ich
„ bedaure Sie, Mylord, daß Sackville ihr Sohn ist. „

Es ist indessen nicht unschicklich hier zu bemerken,
daß dieser in der deutschen Kriegsgeschichte mit Schande
gebrandmarkte, und in England unter Georg dem Zweyten förmlich entehrte Lord Sackville eben derjenige ist,
der unter der Regierung Georg des Dritten sich durch
Intriguen ans Staatsruder drängte, ein Haupturheber
des Americanischen Bürgerkriegs war, und unter dem
Namen Lord Germaine Kriegsminister wurde. In dieser Würde entwarf er die Kriegsoperationen in America,
wodurch der General Bourgogne, durch bestimmte Befehle gezwungen, in den Wüsten von Saratoga mit seinem Corps das Opfer eines unwürdigen Ministers wurde.
Dieses Unglück entschied in America; denn kaum war
davon die Nachricht nach Europa gekommen, so erklärte
Frankreich die Brittischen Unterthanen in America für
unabhängig.

An dem nemlichen Tage des Sieges bey Minden
wurde ein andrer von dem Erbprinzen von Braunschweig
bey Goofeld erfochten. Ferdinand beging eine Handlung,
die Freunde und Feinde in erstaunen setzte. Im Begriff sich mit einer weit stärkern Armee zu schlagen, hatte
er dennoch die seinige um 10,000 Mann geschwächt, mit
denen der Erbprinz jetzt auf den Herzog von Brisac losging. Die Disposition des Angriffs war so wohl gemacht, daß der zum Treffen nicht unvorbereitete Feind
sich auf einmal umringt sah, und nach einem sehr blutigen Gefecht seine Rettung mit Hinterlassung aller Bagage in einer schleunigen Flucht suchen mußte. Eine

Menge

Menge Todten blieben auf dem Wahlplatz liegen, mit deren Beerdigung 2000 Bauern drey Tage lang zu thun hatten. Der Verlust der Alliirten in diesem Treffen war 300 Mann.

Die Folgen dieses Tages waren für die Franzosen sehr nachtheilig. Contades mußte sofort seinen vortheilhaften Posten bey Minden verlaffen, Caffel räumen, über die Weser gehen, beständig verfolgt und haraffirt von dem Feinde ein mit Proviant schlecht versehenes Land durchziehen, und kurz, alle in diesem Feldzug erlangte Wortheile fahren laffen. Ansehnliche Magazine wurden weggenommen, und allenthalben eine Menge Gefangene gemacht. Der Prinz von Hollstein nahm mit seiner Preußischen Cavallerie auf einmal ein ganzes Bataillon der sogenannten königlichen Grenadiers gefangen. Nun folgten mehrere große Gefechte, die alle zum Vortheil der Alliirten ausfielen. Das Fischersche Corps wurde von dem Erbprinzen bey dem Städtchen Wetter überfallen und theils niedergehauen, theils gefangen genommen; nur wenige retteten sich mit ihrem Anführer. Ein anderer Corps bey Elnhausen wurde von Luckner angegriffen, und mit ansehnlichem Verlust geschlagen. Marburg, mit 900 Franzosen besetzt, wollte sich nicht ergeben. Es wurde daher förmlich belagert, allein am fünften Tage nach eröffneten Laufgräben erfolgte die Uebergabe. Der General Imhof wurde nach Münster abgeschickt. Er blokirte die Stadt eine Zeitlang, und schritt sobann zu einer förmlichen Belagerung, da denn die Besatzung sechs Tage nach eröffneten Laufgräben kapitulirte. Sie erhielt einen freyen Abzug, allein alles Geschütz, Munition, Proviant und Kriegsgeräthe wurde eine Beute der Eroberer. Dies geschah am 20sten November, an eben dem Tage, da die Preußen das Unglück bey Maxen erlebten, und der Englische Admiral Hawke die Französische Flotte während eines schrecklichen Sturms an den Küsten Frankreichs zertrümmerte; eine Seeschlacht, die

Archenh. Kriegsg.   £   von

von allen je auf dem Element des Waffers erfochtenen
die außerordentlichste war.

Imhof fand die Festungswerke von Münster in so
schlechtem Zustande, daß der Ort ihm kaum haltbar schien.
Er besetzte ihn jedoch mit 5000 Mann, und kehrte zur
Hauptarmee zurück. Der Feldzug war noch nicht zu
Ende, so sehr auch die späte Jahreszeit daran erinnerte.
Es erfolgte nun die Ueberrumpelung von Fulda, wo sich
der Herzog von Würtemberg mit seinen Truppen befand.
Dieser hatte 10,600 Mann in französischen Sold gegeben, und kommandirte sie selbst. Das Lager war nahe
bey der Stadt. Der Herzog ahndete keinen Feind, und
hatte die Fuldaer Damen zu einem Ball eingeladen, der
eben anfangen sollte, als der gegen ihn ausgesandte
Erbprinz von Braunschweig mit den Hüsaren und Dragonern seines Corps vor den Thoren erschien. Er drang
in die Stadt; eine Menge Feinde wurden niedergehauen, die draußen befindlichen zerstreut, und über
1200 Gefangene gemacht. Der Herzog selbst war so
glücklich, zu entkommen. Seine Truppen zogen sich in
großer Verwirrung aus Fulda heraus, und die Damen
dieses geistlichen Hofes mußten die Hoffnung zum Ball
aufgeben.

Der Erbprinz ging bald nach dieser Expedition nach
Sachsen, um den König von Preußen zu verstärken.
Dieses erzeugte bey den Franzosen die Idee, die geschwächte Armee der Alliirten in ihren Cantonirungsquartieren zu überfallen. Broglio, der jetzt die französische Hauptarmee kommandirte, und eben den Marschallsstab erhalten hatte, wollte sich dieses königlichen
Geschenks durch eine unerwartete That würdig zeigen.
Die strenge Jahrszeit hielt ihn nicht ab, den 25sten
Dezember einen Versuch zu wagen. Ferdinand aber,
der Gießen blokirt hielt, und seine Truppen in die Can-
tonirungsquartiere verlegt hatte, war auf seiner Hut.
Er empfing die Franzosen so nachdrücklich, daß sie sich
nach einer starken Canonade wieder zurückziehen mußten.

Das

Das Unglück Friedrichs bey Maxen, das Hilfstruppen
in Sachsen erforderte, und durch deren Absendung die
alliirte Armee so sehr schwächte, hinderte Ferdinand, von
seinem glücklichen Feldzuge alle gehoffte Vortheile
zu ziehen.

Die Alliirten, die durch den französischen Ueber-
fallungsversuch nun einmal in Bewegung waren, thaten dem Feind allen nur möglichen Abbruch, wobey
sich der Oberst Luckner sehr auszeichnete. Beständ-
dig wurden Detachements Franzosen angegriffen, oder
eine Menge Gefangene gemacht, bis endlich die große
Kälte Winterquartiere und Ruhe durchaus nothwendig
machte. Ferdinand nahm die seinigen in Cassel und
Westphalen, die Franzosen aber in den Gegenden von
Frankfurt am Main. Es schien, als ob die Nationen ihre Natur vertauscht hätten; denn während
daß sowohl hier wie in Sachsen Deutsche und Franzosen mitten im Winter gegen einander zu Felde lagen,
befanden sich die Russen und Schweden schon seit zwey
Monat in ihren Winterquartieren.

Es wurden nun einige Versuche zum Frieden gemacht. England hatte bis jetzt viel gewonnen, und
Preußen wenig verlohren. Sachsen ersetzte Friedrich
hinreichend den Verlust der vom Feinde besetzten Provinzen, und im Felde war er troß aller erlittenen Unglücksfälle so furchtbar als iemals. Beyde verbündete Monarchen also trugen an, Friede zu machen. Diese Aeußerung geschah im Haag, und der König Stanislaus, der
jetzt in einer philosophischen Ruhe die zweymal erhaltene
und zweymal verlohrne Pohlnische Krone so leicht entbehrte, bot seine Residenz Nancy zum Friedens-Con-
greß an. Friedrich und Georg waren damit wohl zufrieden. Ersterer schrieb aus seinem Hauptquartier in Freyberg: „Ich verehre dieses Anerbieten mit der größten
„Dankbarkeit, und würde selbiges gern annehmen. Alle
„Handlungen, welche unter Ew. Maiestät Obhut voll-
„zogen werden, müssen glücklich ablaufen. Allein nicht

jeder-

„jedermann empfindet so friedliche Gesinnungen. Die
„Höfe von Wien und Petersburg haben auf eine beson=
„dere Art die Vorschläge verworfen, die der König von
„England und ich gethan haben. Vermuthlich werden
„selbige auch den König von Frankreich zur Fortsetzung
„des Krieges bewegen, von dem sie sich den glücklichsten
„Erfolg versprechen. Sie werden also auch allein schuld
„an dem Blute seyn, welches noch fließen wird. Hör=
„ten doch alle Fürsten, wie Ew. Majestät, die Stimme
„der Menschenliebe, der Güte und der Gerechtigkeit!
„die Welt würde nicht länger ein Schauplatz der Ver=
„heerungen, des Mordens und des Feuers seyn. „

Die Gegner gaben auf diesen Antrag nur sehr un=
bestimmte Antworten. Man schlug sodann Breda und
endlich Leipzig zum Friedens = Congreß vor, allein ohne
Erfolg. Die Feinde Friedrichs hofften alles von ihrem
großen Bündniß, daher sie jetzt auch nicht einmal Miene
machten, an dem Frieden arbeiten zu wollen. Sie nutz=
ten vielmehr den Winter, ihre Heere zu verstärken, und
den Abgang des verflossenen Feldzugs zu ersetzen. Frie=
drich that ein Gleiches, hatte aber mit ungleich größern
Schwierigkeiten zu kämpfen. Seine Gegner beherrsch=
ten achtzig Millionen Menschen, und die Anzahl aller
seiner Unterthanen war nicht sieben Millionen. Das
Königreich Preußen und andre Provinzen seiner Staa=
ten, waren in feindlichen Händen. Von hieraus konnte
er also seine Heere nicht ergänzen. Sachsen ersetzte jedoch
größtentheils diesen Verlust. Es war für den König die
wohlthätigste Quelle, die ihm immerfort Geld, Pro=
viant und Soldaten verschaffte. Die Lieferungen an
Landesprodukten und Menschen, die mit der außeror=
dentlichsten Schärfe in dieser unglücklichen Provinz er=
preßt wurden, waren ungeheuer. Sie betrugen für das
Jahr 1760. zwey Millionen Thaler an Gelde, 10,000
Rekruten, einige 100,000 Scheffel Getreide, und viele
tausend Pferde, nebst einer großen Menge Schlachtvieh.

Dabey

Dabey wurden die besten Wälder umgehauen, und das
Holz an Unternehmer verkauft.

Der Torgauer Wald, der schönste in Deutschland,
hatte auch dieses Schicksal. Die Lage desselben an den
Ufern der Elbe erleichterte die Unternehmung. Alles
wurde den Fluß hinunter nach Hamburg geschafft. Auch
die churfürstlichen Pächter mußten die Pachtgelder auf
ein Jahr voraus bezahlen. An Gelde fehlte es daher
dem Könige von Preußen bey diesen Anstalten ganz und
gar nicht, wohl aber an Menschen. Der Abgang bey
Friedrichs Heeren war wegen der Menge der Ueberläufer zu groß, um ihn durch Sächsische Rekruten und eigne
Unterthanen völlig zu ersetzen. Dieses erzeugte ein Wer-
bungssystem, das seiner Natur und Ausdehnung nach
nie auf Erden seines Gleichen gehabt hat. Gefangene
Soldaten feindlicher Heere wurden zu Preußischen Soldaten mit Gewalt gestempelt. Man frug nicht, ob sie
dienen wollten, sondern sie wurden zu den Preußischen
Fahnen geschleppt, mußten Treue schwören, und so gegen ihre Landsleute fechten. Das ganze Reich wurde
mit heimlichen Preußischen Werbern überschwemmt.
Der größte Theil derselben waren keine wirkliche Officiers, sondern gedungene Abentheurer, die sich alle nur
ersinnliche Künste erlaubten, Menschen zu haschen. Der
Preußische Oberst Colignon, ein zu diesem Geschäfft von
der Natur geformter Mann, war ihr Befehlshaber, und
belehrte sie durch sein Beyspiel. Er reisete in allerhand
Kleidungen und Gestalten herum, und beredte die Menschen zu Hunderten in Preußische Dienste zu treten. Er
versprach nicht allein, sondern er gab sogar Patente,
worin junge Laffen, Studenten, Kaufmannsdiener und
andre zu Lieutenants und Kapitains der Preußischen Armee ernannt wurden; bey der Infanterie, bey den Kü-
rassiers, bey den Husaren, gleich viel; sie durften nur
wählen. Der Ruhm der Preußischen Waffen war so
groß und allgemein gegründet, daß Colignons Patenten-
fabrik unaufhörlich beschäfftigt war. Er durfte für keinen

nen Transport forgen, und konnte das Handgeld sparen; denn seine Rekruten reiseten größtentheils auf eigne Ko=sten. Viele unerzogene Söhne in Franken, in Schwa=ben und am Rhein, bestahlen ihre Väter; Kaufmanns=diener ihre Herren; Verwalter ihre Kassen, um die großmüthigen Preußischen Offiziers aufzusuchen, die Compagnien wie Kreuzer wegschenkten. Sie eilten mit ihren Patenten nach Magdeburg, wo man sie als ge=meine Rekruten in Empfang nahm, und mit Gewalt ünter die Regimenter steckte. Auf diese und andere Weise verschaffte Colignon nebst seinen Helfern dem König in dem Laufe des Krieges 60,000 Rekruten.

Die Thätigkeit Friedrichs, der Diensteifer seiner Offiziers, und die allezeit fertigen Gelder, besiegten also die Schwierigkeiten, die man in Wien und Petersburg für unüberwindlich hielt. In der Ueberzeugung, daß der Mangel an Menschen Friedrichs Thaten ein Ziel setzen würde, erschwerte man ihm auch die Auswechselung der Gefangenen an beyden Kaiserlichen Höfen, und end=lich wurden sie ganz verweigert. Dennoch ging alles sein'n Gang fort, und bey Eröffnung eines jeden Feld=zugs befanden sich die Preußischen Armeen immer voll=zählig. Da bey Maxen ganze Regimenter verlohren gegan=gen waren, so wurden eben diese Regimenter aus den Rekonvaleseirten, den Selbstranzionirten und den An=geworbenen wieder neu errichtet.

[1760] Der Operationsplan der mächtigen Verbün=heten hatte zum Zweck, den König zu zwingen, entwe=der Sachsen oder Schlesien preiszugeben. Dieser Ent=wurf wurde erst nach vielen Berathschlagungen von den Höfen zu Wien und Petersburg genehmigt; denn jeder Theil dachte vorzüglich an seine Privatvortheile. Die Franzosen wünschten, daß die Russen Stettin belagern möchten, Soltikow wollte den Krieg in Pommern längs dem Seeufer führen, und bestand darauf, erst Danzig

weg=

wegzunehmen; die Oesterreicher hingegen dachten nur
bloß auf die Eroberung Schlesiens. Endlich gewannen
ihre Vorschläge die Oberhand, und Soltikow erhielt Befehl, mit der Russischen Hauptarmee in diese Provinz
einzudringen und Breslau zu belagern. Diesen Plan
hielt man in Petersburg für vortrefflich und unverbesserlich, so sehr auch die fehlenden Kriegsbedürfnisse bey den
Russen eine solche Unternehmung unmöglich zu machen
schienen. Den Kriegsverständigen mußte es natürlich ein
Räthsel seyn, daß man eine grosse Stadt belagern wollte,
wozu das Geschütz aus Böhmen, die Armee aber von
der Weichsel herkommen sollte.

Schlesien war im Anfang dieses Jahres nur schwach
besetzt. Der Preußische General Fouquet deckte diese
Provinz mit 13,000 Mann. Er stand bey Landshut in
einem verschanzten Lager, und hatte ausdrücklichen Befehl diesen Posten nicht zu verlassen. Laudon griff ihn
hier; da er sich eben durch Detachements geschwächt
hatte, mit 50,000 Mann in fünf besondern Corps und
an fünf Orten zugleich an. Nachdem er einige Schanzen erstiegen hatte, ließ er den Preußischen Befehlshaber, wie bey einer Festung, förmlich auffordern, sich
zu ergeben. Fouquet antwortete durch Kugeln, und zog
sich unter beständigem Gefecht von Anhöhe zu Anhöhe,
bis er endlich der Uebermacht unterliegen mußte. Er
selbst wurde gefährlich am Kopfe verwundet, und stürzte
zu Boden. Ein Oesterreichischer Reuter war eben im
Begriff ihm vollends den Rest zu geben, allein die seltne
Treue eines gemeinen Reitknechts rettete diesen Feldherrn.
Er warf sich auf seinen Herrn, und fing mit seinem
Leibe die demselben zugedachten Wunden auf. Sie waren nicht tödtlich; der Mann wurde wieder hergestellt,
und seine Treue durch ein mangelfreyes bequemes Leben belohnt.

Fouquet wurde nun mit 6000 Mann fast lauter Infanterie zu Kriegsgefangenen gemacht. Sechshundert
Preußen waren auf dem Wahlplatz geblieben und 1800

verwundet worden. Die Reuterey hatte sich durchge-
schlagen, und auch ein kleiner Theil des Fußvolks war
entkommen. Die Oesterreicher zählten an 3000 Todte
und Verwundete. Laudon befleckte seinen Sieg durch
die Plünderung von Landshut. Diese Stadt, ein offner
und durch den Leinwandshandel blühender Ort, wurde
von den Oesterreichern wie eine mit Sturm eroberte Festung behandelt. Durch dieses barbarische Mittel wollte
man die Tapferkeit der Soldaten belohnen, und sie zu
künftigen Thaten aufmuntern.

Die wichtigste Folge des Treffens bey Landshut war
die Eroberung von Glatz. Diese Festung, nächst Magdeburg die größte in den Preußischen Staaten, hatte
nur eine Besatzung von 2400 Mann, größtentheils
Ueberläufer und Ausländer; hiezu kam ein unwürdiger
Commandant, ein Italiener; Namens D, der durch
Zufall zu diesem Posten gekommen war, und, was das
Uebel erhöhete, die Entfernung des Königs. In dieser
mißlichen Lage war die Hauptfestung Schlesiens, als sie
im July vom General Draskowitz berennt, und von
sechzehn Batterien beschossen wurde. Die Preußen verließen gleich einige Außenwerke. Die Croaten nahmen
solche in Besitz, und durch diese schleunigen Vortheile aufgemuntert, stürmten sie auch die Hauptwerke. Die
bunt zusammengesetzte Besatzung machte einen Aufruhr,
ganze Compagnien warfen das Gewehr weg, und in vier
Stunden war die Festung und alles dazu gehörige, ohne
die geringste Capitulation, in den Händen der Oesterreicher. Das alte Fort wurde mit dem Schwerdt in der
Faust eingenommen, und das neue ergab sich auf Discre-
tion. Die Sieger fanden hier ungeheure Magazine,
und erlangten durch diese Eroberung einen festen Fuß
in Schlesien.

Während daß dieses in Schlesien vorging, hatte
Friedrich den Prinzen Heinrich mit einer Armee nach
der Oder an den Pohlnischen Gränzen geschickt, um die
Russen zu beobachten; er selbst aber hatte den Feldzug
in

in Sachsen mit der Belagerung von Dresden eröffnet.
Daun, durch die kriegslistigen Bewegungen, und Märsche
des Königs hintergangen, hatte sich von dieser Residenz-
stadt entfernt. Er glaubte, Friedrich, der durch die
Lausitz zog, sey Willens nach Schlesien zu gehen; und
nun wünschte er nichts so eifrig, als ihm darin zuvorzukommen. Er hatte jetzt wirklich zwey Märsche voraus;
nach seiner Einbildung waren solche gewonnen, sie waren aber vielmehr verlohren; denn der König wandte
sich auf einmal, ging wieder zurück, und nun ließ er
sich vor Dresden nieder. Hier war die Bestürzung sowohl der Einwohner als der Besatzung unaussprechlich.
In wenig Stunden waren die Oesterreicher aus dem
großen königlichen Garten und den Vorstädten von den
Preußen vertrieben, und vielleicht hätte ein kühngewag-
ter Sturm in diesen kritischen Augenblicken das Schicksal von Dresden ganz kurz entschieden. Er ist wahrscheinlich, daß die mit einer stürmenden Eroberung ver-
knüpften Gräuel, und zwar in einer Königsstadt, den
verneinenden Entschluß Friedrichs bestimmten. Er hoffte
diesen so wichtigen Ort in der Geschwindigkeit durch Capitulation zu bekommen; allein die Annäherung der
Oesterreicher, die sich auf der andern Seite der Elbe
eine Gemeinschaft mit der Stadt eröffneten, und eine
Menge Truppen hereinwarfen, veränderte die Scene.
Es kam nun zu einer förmlichen Belagerung, die unter
die merkwürdigsten Begebenheiten dieses außerordentlichen Krieges gehört.

Die Preußen fingen den 14ten July an, die Stadt
an beyden Seiten der Elbe zu beschießen. Noch am
nämlichen Tage steckte die Besatzung das an dem Ufer
des Flusses aufgethürmte Brennholz in Brand, damit
die Preußen es nicht zur Ausfüllung des Stadtgrabens
gebrauchen möchten. Das Feuer griff um sich, und
legte viele benachbarte Häuser in die Asche. Das schwere
Preußische Geschütz war noch nicht angekommen, daher
bediente man sich zuerst nur der zwölfpfündigen Cano-

£ 5   nen,

nen, der Haubitz-Grenaden und der Feuerkugeln. Der
häufig entstehende Brand wurde jedoch noch zur Zeit
durch gute Anstalten gelöscht, wozu man vorzüglich die
in der Stadt wohnenden Juden brauchte. In der Hoffnung, daß die Gefahr der Einäscherung einer königlichen
Residenz, und zwar von einem Bundsgenossen, dessen
Länder man beschützen wollte, auf die Oesterreicher wir-
ken würde, wurden gleich anfangs die Schüsse mehr auf
die Stadt, als auf die Wälle gerichtet. Der Commandant, General Maquire, durch höhere Befehle gelei-
tet, ließ sich jedoch dadurch nicht irre machen; er vertheidigte sich, unterstützt von der ganzen Oesterreichischen
Armee, die wenig Tage nachher ankam, und deren
Truppen, wie in einem unbelagerten Ort, in der Neustadt beständig aus- und einzogen, nachdem sie das schwache Corps der Preußen, das an dieser Seite der Elbe
in einer sehr beträchtlichen Entfernung von der Königlichen Armee stand, mit Verlust vertrieben hatten. Dieser Vortheil der geöffneten Communication war so außerordentlich, daß alle Operationen der Belagerer dadurch
vereitelt werden mußten. Es rückten nun ganze Corps
Oesterreicher in die Stadt, die Ausfälle thaten, während daß die Besatzung ruhete. Friedrich, der das Innere der Städte Prag und Olmütz bey seinen Belagerungen verschont hatte, nahm nun ein ander System an.
Er wollte versuchen, ob nicht die Gewißheit, Dresden
in wenig Tagen in einen Schutthaufen verwandelt zu
sehen, den Abzug der Oesterreicher veranlassen würde.

Die schwere Artillerie kam mittlerweile aus Magdeburg an, und nun wurden unaufhörlich Bomben in
die Altstadt geworfen. Die Einwohner wehklagten er-
bärmlich, und wußten nicht, wo sie sich in der Angst
hinwenden sollten. In den Häusern waren sie in Gefahr
zerschmettert zu werden, zu verbrennen, oder zu ersticken,
und auf den Straßen droheten die Kugeln ihnen auch
den Tod. Dergleichen Unglücksfälle geschahen fast stündlich, so daß man sich nur nothgedrungen aus den Häusern

fern wagte. Die Vorstadt vor dem Wilsdruffer Thore,
die bey der vorigen Belagerung verschont geblieben war,
wurde jetzt von den Preußen in Flammen gesetzt, um
den Wällen desto näher zu seyn. Das Feuer wüthete
nun entsetzlich in und außer der Stadt; viele der vornehmsten Straßen brannten von einem Ende zum andern. Prächtige Palläste, die jede Stadt Italiens würden geziert haben, wurden ein Raub der Flammen.
Alle Augenblicke stürzten Häuser von vielen Stockwer-
ken ein, die Sitze der Industrie und des Wohlstandes;
oft wurden die armen Einwohner unter dem Schutt begraben, oder sie flohen und ließen alles im Stich. Was
dies Elend noch vermehrte, war das Betragen der
Oesterreichischen Besatzung, deren Raubgier den unglücklichen Dresdnern mehr Schaden, als Bomben und
Flammen that. Eine Menge Keller und unterirdische
Gewölbe in dieser Residenz waren bombenfest. Hieher
brachten viele hundert Familien alles, was sie nur kost-
bares hatten. Die Zugänge und Oeffnungen wurden
sorgfältig verrammelt, mit großen Schlössern versehn,
oder vermauert; und nun gaben diese bedrängten Einwohner das übrige preis. Sie retteten sich auf die nahe
liegenden Weinberge, oder in die benachbarten Städte.
Umsonst war ihre Vorsicht, und vergebens ihre Erwartung, den besten Rest ihres Eigenthums wiederzusehen.
Ihre Bundsgenossen, die Oesterreicher, erbrachen diese
bombenfesten vermauerten Keller, und raubten alles.
Jede noch so künstlich verwahrte Oeffnung wußten sie
auszuspähen. Viele dieser Bösewichter wurden hinge-
richtet; allein es half nichts. So schlecht war die
Mannszucht, und so wild das Betragen in einer Stadt,
die man beschützen wollte. Die Nachwelt selbst verlohr
bey dieser Zügellosigkeit. Einige wichtige vollendete Manuscripte des vortrefflichen Satyrenschreibers Rabner,
die auch in einem solchen Keller aufbewahrt wurden, fielen in die Fäuste der Croaten, die den Druck unbesorgt
ließen. Rabner klagte bitter über diesen Verlust, und

nie

nie wollte er auf das Zureden seiner Freunde sich ent-
schließen, die nämlichen Materien wieder zu bearbeiten.
Er sagte: „er wolle den Narren die Freude nicht
„verderben, die ihnen die Belagerung von Dresden
„gemacht habe. „

Das Bombardement wurde indessen immer fortgesetzt. Eine Menge Bomben fielen auf die Kreuzkirche,
eine der ältesten und schönsten Kirchen in Sachsen.
Der festgebaute Thurm that langen Widerstand, endlich aber stürzte er ein, zerschmetterte das Dach der
Kirche und die umliegenden Häuser. Die wüthenden
Flammen vollendeten das Werk. Auf diesem Thurm
standen einige Canonen, die man zufolge eines alten
Gebrauchs an Feyertagen abfeuerte. Man war so un-
vorsichtig gewesen, sich derselben auch jetzo bey der Belagerung gegen die Feinde zu bedienen; daher die Preußen die Kirche wie eine Batterie betrachteten, die man
zerstören müsse. Da keine Befehle zur Schonung der
andern Kirchen gegeben wurden, so fuhr man mit diesem Geschäffte fort, da denn der gewölbte prächtige
Thurm der Frauenkirche den Bombardirern oft zum Ziel
diente; allein die Bomben prallten immer von der Kup-
pel ab, und verursachten bloße Risse.

Die persönliche Rettung war jedoch das Hauptaugenmerk. Die häufigen Nachrichten von ganzen Familien,
die unter den Trümmern ihrer Wohnungen elendiglich
umkamen, und die Hungersnoth, die sich einstellte,
setzte alles in Bewegung. Da man nach eröffneter
Communication in der Neustadt vor den Bomben gesichert war, so lagen die Menschen in den dortigen Häusern bis unter den Dächern aufeinander gehäuft; noch
mehrere aber verließen die Stadt gänzlich. Die Landstraßen wimmelten von Menschen. Greise und Matro-
nen, durch Alter und Schwachheit zu Boden gedrückt,
krochen an ihren Stäben fort, oder lehnten sich auf den

Arm

Arm ihrer Söhne und Töchter, die große Bündel trugen und selbst kaum fortkonnten. Mütter, von ihrer Kindheit an mit allen Gemächlichkeiten des Lebens vertraut, wanderten zu Fuße mit ihren Säuglingen an der Brust, und seufzten zum Himmel. Erwachsene Kinder weinten, und kleine schrien. Viele dieser Flüchtlinge fanden eine Linderung ihres Unglücks im Gebet, und beteten laut. Einer tröstete den andern. Der Anblick der rauchenden Stadt aber, der nagende Hunger und der Prospect eines künftigen Elends machte jedoch diesen Trost sehr unwirksam. Da es an Pferden mangelte, schleppten viele an Wohlstand und Ueberfluß gewöhnte Personen ihre geretteten Habseligkeiten selbst auf dem Rücken fort. Man sahe wohlgebildete Frauenzimmer, die in dieser Residenz so häufig sind, von feinen Sitten und zarter Leibesbeschaffenheit, wie die Lastthiere bepackt. Die Schwächlichen und Kranken dieses Geschlechts wurden von ihren männlichen Freunden auf Schubkarren gefahren. Alle Begriffe des Schicklichen und Anständigen hörten in diesen schrecklichen Stunden auf, alle Verhältnisse des bürgerlichen Lebens wurden geschwächt, oder aufgelöst.

Die Belagerten waren im Ueberfluß mit Artillerie versehn, die auch wohl bedient wurde; allein sie konnten das Feuer der Preußen nicht zum Schweigen bringen, da diese ihre Bomben-Batterien hinter Schutthaufen abgebrannter Häuser aufgeführt hatten. Den 19ten July, an einem einzigen Tage, wurden über 1400 Bomben und Kugeln in die Stadt geschleudert. Es brannte in allen Winkeln. An kein Löschen wurde mehr gedacht; auch war es nicht möglich, da die Belagerer das den Einwohnern so nöthige Röhrwasser abgeschnitten hatten. Ein Ausfall folgte dem andern. Manche fielen für die Belagerten gut aus, die immer von frischen Truppen unterstützt, mit ausgedehnter Gewalt angreifen konnten. Sie trieben die Preußen bisweilen

weilen aus den Laufgräben, vernagelten Canonen, und brachten Gefangene nach Dresden zurück.

Friedrich, durch diese Unfälle aufgebracht, ahndete sie an dem Regiment von Bernburg, das sich in den Laufgräben nicht lange genug gewehrt, und der Uebermacht gewichen hatte. Die Strafe war in den Preußischen Kriegsannalen beyspiellos. Die gemeinen Soldaten mußten ihre Seitengewehre, und Unteroffiziers sowohl als die Offiziers mußten ihre schmalen Huthtressen ablegen. Beides war sehr entbehrlich; der Soldat marschirte leichter, und der Offizier vermißte kaum diese fehlende Zierde an seiner Uniform. Indessen war es als Abzeichen hinreichend, bey ehrgeizigen Kriegern die größte Wirkung zu erzeugen. Das Regiment, das von dem alten berühmten Fürsten Leopold von Dessau selbst gebildet, nicht selten Proben von Tapferkeit und guter Kriegsdiciplin gegeben hatte, wurde aufs tiefste gebeugt. Fast alle Officiers desselben, reiche und arme, überzeugt nach den Umständen ihre Pflicht gethan zu haben, verlangten ihren Abschied, der ihnen jedoch sämmtlich verweigert wurde. In Frankreich und andern Ländern verläßt der Officier den Dienst wenn er will; bey den Preußischen Heeren hingegen, wo die obern und untern Befehlshaber keinen Kriegern der Welt an Ehrsucht nachstehen, und wo alles zu der Kriegsmaschine gehörige auf sie ankommt, war unter Friedrichs des Großen Regierung der Zwang Sitte, der sich so wenig mit dem Fantom von Ehre verträgt; ein Schattenbild, das jedoch bey unserer hohen Cultur mehr als Substanz gilt. Man ist zu sehr geneigt, sich jede Verfahrungsart eines großen Mannes als das Resultat tiefdurchdachter Staatsmaximen vorzustellen; indessen dürfte es wohl erlaubt seyn, dieses mit Vernunft und Erfahrung streitende Zwangsystem unter Friedrichs Launen zu setzen, die der Zufall erzeugte, und die hernach zu Grundsätzen wurden. Die Geschichte dieses Monarchen wimmelt von solchen Beyspielen,

spielen, die der Lobredner übersieht, der Philosoph ungerne sammlet; und der Geschichtschreiber nicht zu brauchen weiß.

Ich kehre zur Belagerung von Dresden zurück, die jetzt blos Ehren halber noch fortgesetzt wurde. Die Oesterreicher wünschten sehnlich solche bald geendigt zu sehen, und machten daher in Verbindung mit den Reichstruppen einen Versuch, die königliche Armee zu überfallen, die das Belagerungscorps deckte. Das Hauptquartier Friedrichs war in einem Dorfe in einiger Entfernung vom Lager; dies schien eine feindliche Unternehmung zu begünstigen. Man schmeichelte sich ihn gefangen zu nehmen, und überhaupt die Scenen von Hochkirch zu erneuern. Mit dem anbrechenden Tage sollte es geschehen. Dieser Entwurf aber mißlang; so rasch man auch dabey verfuhr. Die leichten Truppen der Oesterreicher drangen vor, die Preußischen Feldwachen zogen sich zurück, und der König hatte kaum Zeit sein Pferd zu besteigen, um das Dorf zu verlassen. Dies Dorf war die Gränze der anrückenden Krieger; denn mit einer Geschwindigkeit, die allen Glauben übersteigt, sahe man das Preußische Heer in Waffen. In Zeit von drey Minuten lag alles, Infanterie, Cavallerie und Artillerie in ihren Zeltern im tiefen Schlaf, über die ganze Linie war eine todte Stille verbreitet, und auf einmal stand alles in Schlachtordnung. Die Sonne war eben aufgegangen, und verkündigte einen schönen Sommertag, als das gräßliche Geschrey, „zum Gewehr!„ von vielen tausend Stimmen wiederholt, durchs ganze Lager tönte *). Die Soldaten stürzten halb angezogen aus ihren Zeltern, stellten sich in Reihen und Gliedern, und so rückte das ganze Treffen in geschlossener Linie dem Feind entgegen, der sich nun eilfertig zurückzog, weil Daun eine förmliche Schlacht gar nicht wünschte.

Dieser

*) Auch hier redet der Verfasser als Augenzeuge.

Dieser Vorfall erzeugte eine Veränderung in der Stellung der königlichen Armee. Das Preußische Lager wurde von dem sogenannten großen Garten entfernt, und um nun die linke Flanke der neuen Stellung zu sichern, machte man aus dem Garten einen Verhack. Die hohen majestätischen Bäume, ehrwürdig durch ihr Alter, und unschätzbar wegen ihrer Seltenheit, die, in schönster Ordnung gestellt, die herrlichsten Alleen bildeten, wurden jetzt umgehauen, und überhaupt der ganze Garten, der durch Größe, Kunst und Pracht sich so sehr auszeichnete, eine Zierde Deutschlands, und eines mächtigen Monarchen würdig war, in wenig Stunden in die scheuslichste Einöde verwandelt. Die marmornen Bildsäulen, die den Garten schmückten, hatten die Sachsen vor der Belagerung weggeräumt, und die Sammlung der Königlichen Antiken, dießseits der Alpen eine der vortrefflichsten, in eben diesen Garten vergraben, den man zerstörte. Die Preußen hatten hievon keine Spur, und diese Denkmäler der Kunst wurden für die Sachsen erhalten.

Die Belagerung wurde seit dieser veränderten Stellung nur schwach fortgesetzt. Alle Hoffnung zur Eroberung von Dresden war nun verschwunden. Zu den vielen andern Hindernissen kam noch der Verlust eines beträchtlichen Preußischen Transport von Munition und Getreide, womit acht aus Magdeburg kommenden Schiffe beladen waren, die sämmtlich den Oesterreichern in die Hände fielen; auch fingen die Lebensmittel an, den Preußen zu fehlen, die Feinde waren Meister von der Elbe, und machten alle Zufuhr höchst unsicher.

Eben da Friedrich im Begriff war, die Belagerung aufzuheben, kam die Nachricht von der Einnahme von Glatz an. Die Belagerten verkündigten solche durch Freudenfeuer, und schossen rings um die Stadt mit Kugeln Victoria. Der thätige Laudon wollte nun die erlangten Vortheile aufs beste nutzen, und belagerte Breslau.

lau. Diese Neuigkeit beschleunigte den Aufbruch des Königs. Es war in einer sehr regnigten und stürmischen Nacht, da die Preußen von Dresden abzogen. Durch einige Canonen mußte das Feuer in den Laufgräben unterhalten werden; es wurde immer schwächer, und endlich hörte es gar auf. Der König verließ nun sein Lager, und marschirte mit seiner Armee nach Meißen zu.

So endigte sich die Belagerung von Dresden, die den Preußen 1478 Todte und Verwundete gekostet hatte. Sechs Kirchen in dieser Residenz und 416 großentheils hohe schöne Häuser, Palläste und öffentliche Gebäude, lagen in der Asche, und 115 waren beschädigt. Eine Menge Einwohner hatten ihr Leben verlohren, oder waren verstümmelt worden, und noch mehrere, deren Loos zuvor Wohlstand gewesen, waren nun bettelarm. Viele hundert Familien, die durch die Industrie zahlreicher Generationen empor gekommen waren, und die Früchte derselben als ihr Erbtheil in stiller Ruhe genossen hatten, verlohren nun unwiederbringlich ihr Alles. Blutsverwandte, durch die Bande der Zärtlichkeit und Liebe aneinander gefesselt, trennten sich ietzt. Die vom männlichen Geschlecht nahmen den Wanderstab in die Hand, verließen ihr unglückliches Vaterland, und suchten Brodt unter einem fremden Himmel. Mädchen, im Ueberfluß erzogen und von vielen Händen bedient, entsagten nun allen ihren angenehmen Aussichten, und wurden selbst dienende Personen, um ihr Leben zu fristen. Die schreckliche Wirkung dieser unglücklichen Belagerung ist ietzt nach neun und zwanzig Jahren, noch sehr fühlbar. Das Land hat sich erholt, aber die, nicht von dem Handel, sondern bloß durch die Arbeitsamkeit der Einwohner sich nährende Hauptstadt, ist zurück geblieben. Man hat den Schutt aufgeräumt; man sieht Häuser und Pallä-ste auf den Brandstätten; allein der hohe Wohlstand einer vormaligen Königsstadt, wo Künste und Pracht mit einander wetteiferten, wo ausgezeichnete Kunsttalente

Archenh. Kriegsgesch. M die

die höchste Aufmunterung fanden, wo feine Sitten in
Verbindung mit Reichthum und großer Industrie herrsch-
ten, und wo man durch die ausgesuchtesten Ergötzlichkei-
ten den größten Weltstädten das Muster gab; von diesem Dresden sind wenig Spuren mehr vorhanden.

Mit dieser unglücklichen Unternehmung auf Dresden
schloß sich die Kette von Unglücksfällen, die seit zwölf
Monaten ununterbrochen auf Friedrich losgestürmt hatten. So wie der Feldzug vom Jahre 1757 in der Kriegsgeschichte ohne Beyspiel ist, eben so beyspiellos ist es, von
einem Monarchen in einem so kurzen Zeitraum so viel
auf einander gethürmtes Kriegsunglück zu erfahren, ohne
ganz unterzuliegen. Die gegen die Russen verlohrne
Schlacht bey Züllichau im July 1759 führte den Reihen,
und war gleichsam die Losung des widrigen Schicksals;
ihr folgten die schreckliche Niederlage bey Kunersdorf und
der Verlust von Dresden. Fink wird mit seinem großen
Corps bey Maxen, Dierke mit seinem kleinen bey Meißen
gefangen; sodann der tödtende Winterfeldzug mit seinen
Seuchen; das unglückliche Treffen bey Landshut, die
Eroberung von Glatz, und jetzt die mißlungene Belagerung von Dresden.

Nun gieng der Marsch nach Schlesien, Breslau zu
entsetzen, das von Laudon förmlich belagert wurde. Diese
Begebenheit, stellt ein erstaunenswürdiges Schauspiel dar.
Friedrich der mit dem Adlerblick des Genies seine Heerführer zu wählen wußte, wandte diese Sorgfalt sehr selten bey der Wahl der Commandanten in seinen Festungen an. Er überließ es gewöhnlich der Rangordnung,
oder dem Zufall, ob ein D, oder ein *) Heiden darin

das

*) Friedrich kannte beide nicht und war gleich erstaunt über das
schändliche Betragen des erstern, als über das bewunderungs-
würdige Verhalten des letztern, der bey seinem Garnison-
Regiment nicht zum Dienst im Felde bestimmt, noch weniger
durch

das Commando führte. Diesmal war er von seinem
guten Genius wohl bedient worden. Die Königliche
Leibgarde hatte seit der Schlacht bey Kollin, wo sie
großentheils aufgerieben wurde, in Breslau ihr Kriegs-
quartier, und ihr Befehlshaber, der General Tauenzien, wurde durch diesen Umstand Commandant der
Hauptstadt Schlesiens. Dieser General, in der Pots-
dammer Kriegsschule erzogen und grau geworden, verband mit den höchsten Begriffen von Ehre großen Muth,
Einsicht und militärische Talente. Alles dieses in einem
hohen Grade vereinigt, war auch durchaus in einer Lage erforderlich, die vielleicht nie ihres Gleichen gehabt
hat. Laudon stand mit 50,000 Oesterreichern vor der
Stadt, und innerhalb der Mauern waren 19,000 Oesterreichische Kriegsgefangene, im Begriff zu revoltiren.
Allein diesen Feinden von innen und außen hatte Tauenzien in einer großen Stadt nur 3000 Mann entgegen zu
stellen, und von dieser so schwachen Besatzung waren
2000 entweder Ueberläufer, oder gezwungene Soldaten
oder Invaliden. Nur auf die ungefähr 1000 Mann
starke Garde des Königs konnte er sich verlassen, und
auch diese bestand größtentheils aus Ausländern, wovon
die mehresten der gemeinen Soldaten bey ihrem geringen
Sold nur ungerne dienten, und blos durch Grundsätze
von Ehre und Disciplin bey ihren Fahnen gehalten wurden. Vorfälle dieser Art bezeichnen den militärischen
Geist der Preußen, und unsers Zeitalters überhaupt,
auf eine sehr auffallende Weise. Vorfälle, die aufs beste bewährt dem Philosophen ein Problem scheinen, und
der scharfsinnige Geschichtschreiber wegen des unwahr-
scheinlichen kaum anzuführen wagt. Dieses Wunder,

M 2

mit

durch seinen Rang zum Befehlshaber erkohren, mit ganz be-
gränzten Aussichten in Rücksicht auf militärischen Ruhm, in
einer kleinen Stadt seine Tage verleben sollte, dessen seltener
Muth aber zu wiederholten malen die großen Entwürfe der
Russen zerstörte.

mit einer geringen Anzahl größtentheils unzufriedener
und unbrauchbarer Soldaten, eine Armee in der Stadt
im Zaum zu halten, und einer andern ausserhalb den
Mauern Widerstand zu thun, und alles dieses in einem
großen nicht außerordentlich befestigten Ort, ein solches
Wunder konnte nur die Macht der Preußischen Kriegs-
disciplin bewirken; und wenn bey der spätesten Nachwelt
militärische Tugenden von Geschichtschreibern gepriesen
und von Dichtern besungen werden, so wird Hochkirch
und Breslau wegen des Triumphs der Disciplin bey
ihnen ewig ein Gegenstand der Bewunderung seyn.

Laudon forderte den Commandanten auf, sich zu
ergeben, und bediente sich der Gründe: „Breslau sey
„keine Festung; es wäre wider Kriegsgebrauch, selbige
„zu vertheidigen; der König sey jenseit der Elbe, und
„der Prinz Heinrich ohnweit der Warthe; die Russen
„würden in zwey Tagen mit 75,000 Mann erscheinen;
„er glaube, daß die Stadt lieber Oesterreicher als Rus-
„sen einnehmen würde; er wolle der Besatzung die Be-
„dingungen der Capitulation überlassen; würde aber die
„Uebergabe verweigert, so solle die Stadt aus fünf
„und vierzig Mörsern in Brand gesteckt werden. „Tauen-
„zien antwortete kurz: „Breslau sey eine Festung, und
„er würde den Feind auf den Wällen erwarten, wenn
„auch die Häuser in Asche verwandelt werden sollten.„
Hierauf fing das Bombardement an. Der Commandant nahm dabey seine Maaßregeln so weislich und so
nachdrücklich, gegen die Feinde sowohl innerhalb als
außerhalb der Stadt, daß alle feindliche Versuche fehl schlugen; und da Laudons Hauptquartier aus Feldschlangen
mit forcirten Ladungen erreicht werden konnte, so ließ er
diesem Feldherrn keine Ruhe, und zwang ihn durch Kugeln, die in sein Wohnzimmer fielen, sich weiter zurückzuziehen. Da indessen Tauenzien des Entsatzes nicht gewiß, und von seiner Schwäche überzeugt war, so versammelte er die Officiers der Königlichen Garde, stellte
ihnen

ihnen feinen Zuſtand und die Möglichkeit vor, daß die Stadt noch vor Ankunft des Königs von den Feinden mit dem Schwerdt in der Fauſt erobert werden könnte; in dieſem Fall nun wollte er mit der Garde auf den Wällen einen Abſchnitt machen, und ſich ſodann bis auf den letzten Blutstropfen wehren; damit, wie er ſagte, die Welt nicht das ſonderbare Schauspiel erlebte, die ganze Leibwache Friedrichs kriegsgefangen zu ſehen. Die Offieiers, von kriegeriſchem Ehrgeiz und Vaterlandsliebe beſeelt, ſtimmten dieſem edlen Vorſatz bey, und waren feſt entſchloſſen, fechtend zu ſterben. Glücklicherweiſe kam es nicht zu dieſer verzweifelten Scene; denn der Prinz Heinrich nahte ſich mit ſtarken Märſchen, und nun hob Laudon die Belagerung auf. Sie hatte nur fünf Tage gewähret, allein in dieſer kurzen Friſt viel Schaden angerichtet. Man hat als merkwürdig aufgezeichnet, daß dabey das ſchönſte Frauenzimmer in der Stadt, und der ſchönſte Soldat von der Königlichen Leibwacht getödtet, desgleichen der ſchönſte Pallaſt eingeäſchert worden; auch das Wohngebäude des Königs war im Feuer aufgegangen.

Heinrichs ſchleunige Ankunft rettete nicht allein Breslau, ſondern ganz Schleſien; denn die Ruſſiſche Hauptarmee befand ſich auch ſchon im Herzen dieſer Proving, eine Meile von der Hauptſtadt, und der Plan ihres Verführers war, ſich mit den Oeſtrreichern zu vereinigen. Dieſe Abſicht aber wurde durch die klugen Maaßregeln des Prinzen Heinrich für jetzo vereitelt, ſo daß Soltikow es nicht wagte, über die Oder zu gehen. Die Zeit war beiden Theilen überaus koſtbar; denn auch Friedrich, der für Breslau beſorgt war, näherte ſich mit ſtarken Schritten. Er hatte Hülſen mit einem anſehnlichen Corps in Sachſen zurückgelaſſen, und war im Angeſicht der Oeſterreichiſchen Hauptarmee über die Elbe, die Sprée, die Queiße und die Bober gegangen. Er war zwiſchen durch die Corps von Riedeſel und Laſcy

M 3

paſſirt;

paſſirt; dabey er das Beckſche Corps vor ihm, und die
große Oeſterreichiſche Armee im Rücken gehabt hatte.
Obgleich er einen Zug von zweytauſend Proviantwagen
bey ſich hatte, und die Brücken zerſtört waren, ſo legte
er doch in fünf Tagen zwanzig deutſche Meilen mit ſeiner Armee zurück, und erreichte ohne Verluſt die Schle-
ſiſche Gränze. Daun folgte ihm beſtändig nach, vermied
alle Gelegenheit zum Treffen, und vereinigte ſich endlich
mit der Laudoniſchen Armee, um wo möglich den König
von ſeinem Bruder Heinrich abgeſondert zu halten. Nie
hatte noch Schleſien ſo viele Heere auf ſeinem Boden ge-
ſehn: über 100,000 Oeſterreicher, 75,000 Ruſſen und
80,000 Preußen. Friedrich und Daun zogen neben
einander her, und nur allein die Katzbach, ein kleines
Waſſer, trennte beide Armeen.

Die Ruſſen, die ſich noch auf der andern Seite der
Oder ohnweit Breslau befanden, waren gar nicht mit
den behutſamen Bewegungen der Oeſterreicher zufrieden.
Sie glaubten, daß, da man den König nicht gehindert
habe, über die Elbe, Spree und Bober zu gehen, es
ihm auch jetzt nicht verwehrt werden würde, die Oder zu
paſſiren, ſich mit dem Prinzen Heinrich zu vereinigen,
und ſodenn mit ſeiner ganzen Macht auf die Ruſſen zu
fallen. „Es koſtet dem König nur einen ſeiner gewöhn-
„lichen ſtarken Märſche und Kunſtgriffe,‚‚ ſagte der
Feldmarſchall Soltikow,‚‚um dieſe zu bewirken,‚‚ Er
erklärte dabey ausdrücklich, daß er, ſobald man den König über die Oder gehen ließe, ſich nach Pohlen zurück
ziehen würde.

Dieſe Drohung nöthigte Daun eine Schlacht zu
wagen, um den König aufzuhalten. Den 15ten Auguſt
ſollte das Preußiſche Lager bey Liegnitz angegriffen werden. Die Lage derſelben war nicht vortheilhaft, und der
feindliche Entwurf vortrefflich. Man wollte Friedrich
mit Tagesanbruch an vier Orten zugleich anfallen, und
wo

wo möglich einen Pendant zu Hochkirch liefern. Der König erhielt zufällig erst am Abend vor der Ausführung von diesem Vorhaben Nachricht, und sogleich war sein Entwurf gemacht. Mit Anbruch der Nacht verließ er mit der Armee das Lager, dessen Wachtfeuer jedoch durch Bauern unterhalten wurde, zog sich auf die Anhöhen von Liegnitz, und stellte sich alsdann in der Stille in Schlachtordnung. Es fing eben an zu dämmern, als sich Laudon näherte, der mit seinen 30,000 Mann starken Corps den linken Flügel der Preußen im Lager angreiffen sollte, von welchem er der vorigen Stellung nach sich noch entfernt zu seyn glaubte. Bald aber wurde er mit Erstaunen gewahr, daß er die ganze Armee des Königs vor sich hatte, dessen zweytes Treffen auf ihn losstel. Das erste Treffen hatte Friedrich zur Beobachtung Dauns bestimmt, der seinem rechten Flügel gegenüber stand. Laudon, der sich auf die Unterstützung seines Oberfeldherrn verließ, wich dem Kampf nicht aus, sondern bot den Preußen die Spitze, und überließ den Ausgang der Tapferkeit seiner Truppen und dem ihn so oft begleitenden Glück. Er ließ seine Cavallerie auf die Preußische einbrechen, die aber gleich zurückgeworfen wurde, und nun rückte die Preußische Infanterie vor, und schlug die Österreichische vollends aus dem Felde. Ihre Hoffnung auf Hülfe wurde vereitelt; denn Daun konnte wegen des Terrains nicht anders, als mit dem größten Nachtheil, das ihn erwartende erste Treffen der Preußen angreifen. Er machte einige Versuche vorzudringen, allein sie mißglückten. Laudon, der alles gethan, und sich persöhnlich der größten Gefahr ausgesetzt hatte, zog sich nun zurück, und überließ dem König das Schlachtfeld, zwey und achtzig Canonen und 6000 Gefangene; 2500 Oesterreicher waren todt oder verwundet. Bey Friedrichs Heer hingegen zählte man 1186 Todte und Verwundete.

Es war ein sehr schöner Sommertag. Die Sonne beschien den blutigen Wahlplatz, die Leichen und Ster-

ben-

henden; allein sie beleuchtete auch eine angenehm rüh-
rende Scene. Das Regiment von Bernburg, das,
wie oben erzählt, bey Dresden ausgezeichnet herabgesetzt war, gieng mit dem Vorsatz in die Schlacht, die
verlohrne Ehre wieder zu erkämpfen, oder sich dem
Kriegs-Dämon aufzuopfern. Dieser Entschluß, der
ohne Unterschied des Ranges oder des Alters in jeder
Brust Wurzel faßte, und dessen Keime die tiefgebeug-
ten Officiers sorgfältig entwickelten, erzeugte eine be-
wunderungswürdige Tapferkeit, ganz des Preußischen
Namens würdig. Dem König blieb sie nicht unbemerkt.
Er ritt nach vollendeter Blutarbeit bey dem Regiment
vorbey. Die Officiere schwiegen, in der stillen Hoffnung auf des Monarchen Gerechtigkeit; vier alte Soldaten aber fielen ihm im Zügel, umfaßten seine Knie,
beriefen sich auf ihre gethane Pflicht, und fleheten um
dieß verlohrne Gnade. Friedrich antwortete gerührt:
„Ja Kinder, Ihr sollt sie wieder haben, und alles soll
„vergessen seyn.„   Noch den nemlichen Tag erhielt das
Regiment die entzogenen militärischen Waffen und Zierrathen; und Friedrich machte selbst bey der Parole das
tapfere Verhalten des Regiments, und die völlige Be-
gnadigung desselben bey der ganzen Armee bekannt.

Diese Schlacht bey Liegnitz dauerte nur zwey
Stunden. Um fünf Uhr des Morgens, da die feine
Welt in den meisten Europäischen Ländern noch im tiefen
Schlaf begraben liegt, und die arbeitenden Volksklassen
sich erst von ihrem Nachtlager erheben, war hier bereits
ein förmliches Treffen geliefert, und ein wichtiger Sieg
erfochten, der die Vereinigung der Russen und Öster-
reicher hinderte, und alle ihre auf die Schlesischen Festungen gemachten Entwürfe vereitelte. Friedrich ließ
auf der Stelle von der ganzen Armee ein Freudenfeuer
machen, und sodann setzte er sich gleich in Marsch.
Der Zug gieng den nemlichen Tag noch drey Meilen.
Er konnte sich noch mit seinem Bruder Heinrich vereinigen.

gen. Die Ruſſen zogen ſich über die Oder zurück, und
der Weg nach Breslau war den Preußen jetzt völlig
offen. Nie war der König vergnügter. Das Kriegsglück, das ihn einige Zeit her ſo ſehr verfolgt hatte,
ſchien ihn jetzt wieder anzulächeln. Er hatte eine
Schlacht gleichſam auf dem Marſch gewonnen, und
zwar auf eben dem Felde, wo im Jahr 1241 zwiſchen
den chriſtlichen Nationen und den Tatarn ein großes
blutiges Treffen geliefert wurde. Ein wenig Tage darauf an den Marquis d'Argens geſchriebener Brief des
Königs, zeigt ſeine damaligen Geſinnungen:

„Ehedem, ſchrieb Friedrich, mein lieber Marquis,
„würde das Treffen vom 15ten Auguſt viel entſchieden
„haben; jetzo aber iſt es nur eine kleine Balgerey.
„Eine große Schlacht iſt erforderlich, um unſer Schick-
„ſal zu beſtimmen. Nach aller Wahrſcheinlichkeit wird
„ſie bald vorfallen, und alsdann wollen wir uns freuen,
„wenn der Ausgang für uns vortheilhaft iſt. Ich
„danke Ihnen indeſſen für den aufrichtigen Antheil, den
„Sie an dieſem Vorfall nehmen. Es waren nicht we-
„nig Künſte vonnöthen, um die Dinge bis zu dieſem
„Punct zu führen. Sprechen Sie doch nicht von Ge-
„fahren; das lezte Treffen hat mir nur ſein Kleid und
„ein Pferd gekoſtet. Das heißt den Sieg wohlfeil er-
„kauft. Ich habe den Brief nicht empfangen, den
„Sie anführen. Unſere Korreſpondenz iſt gleichſam blo-
„quirt, denn die Ruſſen ſtehen auf der einen Seite der
„Oder, und die Oeſterreicher auf der andern. Es
„wurde ein kleines Gefecht erfordert, um dem Adju-
„tanten Cocceji den Weg zu bahnen. Ich hoffe, daß
„er Ihnen meinen Brief eingehändigt haben wird.
„Nie in meinem Leben bin ich in einer ſo critiſchen Lage
„geweſen, als in dieſem Feldzuge. Glauben Sie ge-
„wiß, daß noch eine Art von Wunder erforderlich iſt,
„um alle die Schwierigkeiten zu überſteigen, die ich
„vorherſehe. Ich werde ohnfehlbar meine Pflicht thun;

„aber

„aber errinnern Sie sich beständig, mein lieber Mar-
„quis, daß ich nicht das Glück leiten kann, und daß
„ich verbunden bin, sehr viel auf den Zufall bey meinen
„Entwürfen zu rechnen, da nur die Mittel fehlen, sie
„selbständig zu machen. Es sind Hercules Arbeiten,
„die ich endigen soll, und zwar in einem Alter, wo die
„Kräfte mich verlassen, wo die Kränklichkeit meines
„Körpers zunimmt; und um die Wahrheit zu sagen,
„wo die Hoffnung, der einzige Trost der Unglücklichen
„selbst anfängt mir zu fehlen. Sie sind nicht genug von
„den Angelegenheiten unterrichtet, um sich eine deutli-
„che Vorstellung von allen den Gefahren zu machen,
„die den Staat bedrohn. Ich kenne sie, und verhehle
„sie. Ich behalte alle Besorgnisse für mich, und theile
„der Welt nur die Hoffnungen, oder die wenigen ange-
„nehmen Neuigkeiten mit, die mir zu Gute kommen.
„Wenn der Streich, den ich im Sinne habe, glückt,
„alsdann mein lieber Marquis, wird es Zeit seyn, sich
„der Freude zu überlassen. Ich führe hier das Leben
„eines kriegerischen Karthäusers. Meine Angelegenhei-
„ten beschäftigen nicht wenig meinen Geist; die übrige
„Zeit widme ich den schönen Wissenschaften, die mein Trost
„sind, so wie sie es jenem großen Consul, dem Vater seines
„Landes und der Beredsamkeit, waren. Ich weiß nicht,
„ob ich diesen Krieg überleben werde; geschieht es, so bin
„ich fest entschlossen, meine übrigen Tage in der Entfer-
„nung von Unruhen im Schooß der Philosophie und der
„Freundschaft zuzubringen. Noch weiß ich nicht, wo wir
„unser Winterquartir haben werden. Mein Haus in
„Breslau ist durch das letzte Bombardement in die Asche
„gelegt. Unsre Feinde beneiden uns sogar das Licht des
„Tages und die Luft, die wir athmen; dennoch müs-
„sen sie uns einen Ort übrig lassen, und wenn er sicher
„ist, so werde ich mich freuen, Sie dort zu sehen. Was
„wird aus dem Frieden zwischen Frankreich und Eng-
„land werden? Sie sehen mein lieber Marquis, daß
„Ihre Landsleute blinder sind, als Sie glaubten: sie

„per-

„verlieren Canada und Pondichery, um der Königin
„von Ungarn und der Czarin von Rußland gefällig zu
„seyn. Gebe doch der Himmel, daß der Prinz Ferdinand
„sie für ihren Eifer belohnen möge.„ — — —

Der regierende Herzog von Würtemberg, der nicht
blos als Reichsstand die bestimmte Hülfe an Soldaten
lieferte, sondern persönlichen Antheil an diesem Kriege
nahm, war mittlerweile mit 12,000 Mann seiner eignen Truppen nach Sachsen gekommen. Hier stieß er
zur Reichsarmee. Hülsen, der bey Meißen stand, verließ diesen Posten bey Annäherung einer so großen Uebermacht, und bezog ein verschanztes Lager bey Strehlen.
Hier wurde er den 18ten August von allen Seiten angegriffen; die Preußen aber behaupteten ihre Stellung,
schlugen den Feind nach einem lebhaften Gefecht zurück und machten 1300 Gefangene. Nach diesem
Treffen marschirte Hülsen nach Torgau, um seine Magazine zu decken. Hier verschanzte er sich, und behauptete sein Lager sechs Wochen lang.

In Sachsen also, so wie in Schlesien, sahe man
die Preußischen Waffen triumphirend. Indessen waren
die erlangten Vortheile nicht so entscheidend, daß die
zahlreichen Feinde nicht hätten Mittel finden sollen, den
Krieg fortzusetzen und ihrem furchtbaren Gegner Schaden zu thun. Daun war zwar durch die meisterhaften
Bewegungen des Königs genöthigt, sich nach der
Schlacht bey Liegnitz in die Gebirge zu ziehen, um nicht
von Böhmen abgeschnitten zu werden; Soltikow hatte
alle Entwürfe zur Vereinigung mit den Oesterreichern
aufgegeben, und wurde durch den General Golz beobachtet, der mit einem Corps Preußen bey Glogau stand;
allein die Russen in Pommern waren dagegen nicht
müßig. Eine Russische Flotte war auf den Küsten dieser Provinz angekommen, und nun wurde Colberg von
sieben und zwanzig Russischen und Schwedischen Kriegs-
                                        schiffen,

schiffen, Fregatten und Bombardier - Galliotten zu Waſſer, und von 15,000 Mann zu Lande förmlich be= lagert. Dieſer Verſuch aber gelang nicht beſſer, als der vorige. Heyden wehrte ſich abermals aufs tapferſte, bis der General Werner aus Schleſien zum Entſatz her= beyeilen konnte. Er hatte nur 6000 Mann bey ſich, allein mit dieſen marſchirte er vierzig Meilen in zwölf Tagen, und ſo kam er den 18ten September bey Col= berg an, wo er die Ruſſen mit dem Säbel in der Fauſt überſtel. Dieſe, durch die große Entfernung der Preußi= ſchen Armeen ſicher gemacht, träumten nicht die Mög= lichkeit eines Entſatzes, daher war das geringe Corps des Werner vermögend, ein ſolches Schrecken unter ih= nen zu verbreiten, daß ſie nicht allein ſofort die Belage= rung aufhoben, ſondern auch mit der größten Ueber= eilung davon flohen. Sie gaben dabey ihre Canonen, Munition, Zelter, Fourage, Bagage, und ſelbſt ihren nothdürftigen Proviant preis, um ſich von den anrücken= den Preußen in Sicherheit zu ſetzen. Ein Theil rettete ſich auf die Schiffe, die andern entflohen zu Lande. Ei= nige Tage hernach verſchwand auch die Flotte. Man ſchlug eine Denkmünze auf dieſe außerordentliche Bege= benheit, bezeichnet mit den Worten Ovids: Res ſimilis fictae, und Ramler beſung dieſe Befreyung ſeiner Va= terſtadt in einer vortreflichen Ode.

Werner, der eine ſo ſchöne Unternehmung ausge= führt und keine Ruſſen mehr zu beſiegen hatte, wandte ſich nun gegen die Schweden. Er überſtel ſie in der Vorſtadt von Paſewalk, nahm ihnen ſieben Canonen weg, und machte 600 Gefangene.

Der Sommer war nun zu Ende. Die unfreund= liche Jahrszeit näherte ſich nun, und ſowohl Oeſter= reicher als Ruſſen ſtngen an auf ihre Winterquartiere zu denken. Indeſſen war die Idee mit ſo zahlrei= chen und ſehr überlegenen Heeren den ganzen Feldzug, nichts

nichts ausgeführt zu haben, nicht wenig demüthigend
für Friedrichs Feinde, und erzeugte einen Entwurf auf
Berlin. Zwanzig tausend Russen unter Czernichef, und
vierzehn tausend Oesterreicher unter Lascy traten daher
ihren Marsch nach Brandenburg an, den Soltikow
mit seiner ganzen Macht in der Entfernung deckte. Der
Russische General, Graf Tottleßen, ein Deutscher,
der lange in Berlin gelebt hatte, führte den Vortrab
des Russischen Corps, und eilte dermaßen, daß er den
3ten October, sechs Tage nach dem Abmarsch von
Beuthen in Schlesien, mit 3000 Mann vor den Thoren von Berlin stand.

Diese ungeheure Königsstadt ohne Wälle und
Mauern, war nur mit 1200 Mann Garnisonstruppen
besetzt, und folglich ganz außer Stande sich zu vertheidigen. Der Commandant, General Rochow, eben
derjenige, der zwey Jahr zuvor einen Besuch von den
Oesterreichern gehabt hatte, wurde jedoch von Männern,
die Ehrfurcht verdienten, zur Gegenwehr aufgemuntert.
Dies war der Rath des alten Feldmarschall Lehwald,
und des verwundeten großen Generals Seidlitz, die
sich beide damals nebst dem General Knoblauch in Berlin befanden, und aus Patriotismus sich herabließen,
kleine Schanzen an den Stadtmauern in Person zu vertheidigen. Auf die abgeschlagene Aufförderung erfolgte
noch den nemlichen Tag der Ankunft ein Bombardement
mit Feuerkugeln und Haubitz-Granaten, und in der
Nacht wurden zwey Thore heftig bestürmt. Die Flammen brachen an verschiedenen Orten aus; sie wurden
aber bald gelöscht, und die Stürmenden muthig zurückgeschlagen. Das edle Beyspiel mit Ruhm gekrönter
Feldherren, die hier ihres Ranges und Alters uneingedenk Subaltern-Dienste thaten, stählte den Muth eines
jeden Streiters, und ersetzte die fehlende Anzahl der Soldaten. Die Russen gaben den Sturm auf. Den folgenden
Tag kam der Prinz Eugen von Würtemberg mit 3000
Mann

Mann der Stadt zu Hülfe. Er war neun Meilen in einem Tag marschirt, und kaum hatten sich seine Truppen ein wenig erholt, so griff er Tottleben an, und trieb ihn bis Köpenick zurück. Nun aber zeigte sich das Corps des Czernichef. Dieser Feldherr war jedoch im Begriff sich ohne Kampf auch zurückzuziehen, allein die Beredtsamkeit des Französischen Abgeordneten, Mont Alembert verhinderte es. Tottleben wurde ansehnlich verstärkt, und nun rückte er abermals vor, da denn die Preußen sich wegen Uebermacht zurückziehen mußten. Mittlerweile aber traf auch Hülsen mit seinem Corps aus Sachsen in Berlin ein. Nun war man stark genug sich vor den Thoren der Königsstadt zu behaupten, und wäre dieses nur einige Tage lang geschehen, so war Berlin gerettet; denn Friedrich selbst war schon in vollem Anzuge aus Schlesien. und der Rückmarsch der beyden großen Corps, sowohl der Oesterreicher als der Russen war bereits in einem Kriegsrath förmlich beschlossen, noch ehe man die Stadt im Besitz hatte. Die Preußischen Befehlshaber glaubten aber zu viel zu wagen, da sie erfuhren, daß die Hauptarmee der Russen schon in der Gegend von Frankfurt an der Oder angekommen, und der General Panin mit sieben Regimentern bereits unterwegs war, um zu Czernichef zu stoßen. Beide angekommene Preußische Corps marschirten daher nach Spandau, und überließen Berlin seinem Schicksal.

Dies Schicksal war minder schrecklich, als man erwarten konnte. Die Stadt capitulirte nun ohne Verzug, und ergab sich an Tottleben, der hier eine Menge alter Freunde fand, sich der angenehmen hier verlebten Tage erinnerte, und daher diese Königsstadt mit einer Gelindigkeit behandelte, die mit den gewöhnlichen Grausamkeiten der Russen sehr contrastirte. Es hing von ihm ab, dem König von Preußen unersetzlichen Schaden zuzufügen. Berlin, dies neuere Palmyra, wo prachtvolle Werke der Baukunst in zahlloser Menge sich mitten

aus

aus dem Sandmeer erheben, und unabsehbare Stra=
ßen anfüllen, war die größte Manufactur = Stadt in
Deutschland, und der Mittelpunct aller Preußischen
Kriegsbedürfnisse. Hier befand sich ein ungeheurer
Vorrath von Kriegsgeräße aller Art, und viele tau=
send Menschen waren unaufhörlich in ihren Werkstät=
ten beschäftigt, diesen Vorrath zu vermehren, oder
den Abgang zu ersetzen. Nie blühete der Handel in
Berlin so sehr als damals. Man fand hier Kaufleute,
die in Ansehung ihrer Reichthümer, ihres ausgebrei=
teten Credits, und der Größe ihrer Unternehmungen,
den vornehmsten Handelshäusern unsers Welttheils
nichts nachgaben. Der Kaufmann Demke lieferte sei=
nem Contract gemäß innerhalb Jahresfrist 400,000
Mark feines Silbers ins Münzamt. Der Kaufmann
Gotzkowsky contrahirte mit seinem König wegen einer
Proviantlieferung, die 7,500,000 Reichsthaler betrug,
und bald darauf schoß er der Stadt Leipzig zwey Mil=
lionen Thaler Contribution vor. Die Splitgerbersche
Handlung, die neben ihren andern großen Handels=
zweigen auch Gewehr = Fabriken besaß, erhielt in die=
sem Kriege an einem Tage für gelieferte Gewehre
und Rüstungen aus dem königlichen Schatz vier Mil=
lionen Thaler. Kein Privatmann unsers Welttheils
besaß eine größere Manufactur, als der Kaufmann
Wuegelin. Die jüdischen Kaufleute Ephraim und
Itig hatten die Münze gepachtet, und wußten diesen
großen Staatshebel so wohl zu nutzen, daß sie den
Wechsel = Cours der größten Handelsstädte nach Ge=
fallen commandirten, und die reichsten Israeliten in
Europa wurden.

So war der Flor Berlins beschaffen, als Tott=
leben es einnahm. Er behauptete seinen Posten als
Befehlshaber, da Lascy ankam, und mit großem Un=
willen das gelinde Verfahren der Russen sah. Tott=
leben war genöthigt allerhand Rollen zu spielen. Oef=
fentlich die größten Drohungen und Flüche, heimlich
                                        aber

aber die Aeußerung guter Gesinnungen, die die That bestätigte. Die Forderungen der Feinde Friedrichs, die hier in seiner Residenz ihren zerstörenden Entwürfen kein Ziel setzten, waren barbarisch. Unter andern wollte man das Zeughaus, eins der prächtigsten Gebäude in der Welt, ein Meisterstück der neuern Baukunst, in die Luft sprengen. Die Folgen dieser grausamen Zerstörung wären schrecklich gewesen. Es war hier nemlich die Rede von einer gewaltsamen auseinander gesprengten ungeheuern Masse von Quadersteinen, im Mittelpunct der volkreichsten Straßen, mitten unter den schönsten Pallästen Deutschlands, und nahe am königlichen Schlosse. Tottleben mußte nachgeben, und ein Commando Russen von funfzig Mann gieng ab, um das dazu erforderliche Pulver aus einer ohnweit Berlin gelegenen Pulvermühle abzuholen. Diese Russen, mit der Natur des gegenwärtigen Dienstes unbekannt, näherten sich dem Pulvermagazin ohne alle Behutsamkeit; es fing bald Feuer, und nun flogen die Russen sämmtlich in die Luft. Dieser Zufall rettete das Arsenal, da man jetzt kein Pulver überflüssig hatte.

Die Berliner Zeitungsschreiber hatten von den verübten Gräueln der Russen eben nicht mit Glimpf gesprochen. Dieses wollte man jetzo bestrafen, und zwar war ihnen das Spießruthen laufen zugedacht. Einige Standespersonen aber schlugen sich ins Mittel, und die Strafe unterblieb.

Vermöge der Kapitulation wurde die geringe Besatzung der Residenz zu Kriegsgefangenen gemacht. Dieses Schicksal traf auch das halbe Corps der königlichen Cadets. Die ältesten und größten dieses Corps lauter heranwachsende Jünglinge, hatte man entfernt, und nur bloß Kinder von neun, zehn und eilf Jahren zurück gelassen. Ihre große Jugend sollte ihr Schutz seyn, daher man ihrer auch in der Capitulation nicht einmal gedachte, die sich nur auf die wirkliche Besatzung bezog.

bezog. Dem ohnerachtet wurden diese Kinder mit fortgeschleppt; sie mußten marschieren, unter freyem Himmel liegen, und bekamen nicht einmal Brodt. Sie weinten und flehten, daß man sie nicht Hungers sterben lassen möchte. Endlich gab man ihnen einen Hammel. Die allmächtige Noth war auch hier Lehrerin. In einem Alter, wo man sich noch um nichts bekümmert, und kaum die Namen von Speisen weiß, mußten diese, nicht Jünglinge, nicht herangewachsene Knaben, sondern Kinder, das Thier schlachten und zubereiten. Man sorgte gar nicht für sie, und das Brodt wurde ihnen wie ein Almosen zugetheilt. Die Strapazen überstiegen bey weitem ihre Kräfte, und viele büßten darüber ihr Leben ein.

Berlin erlegte 1,500,000 Reichsthaler Contribution, und 200,000 Reichsthaler als ein Geschenk für die Russischen und Oesterreichischen Truppen. Es war ausbedungen, daß dafür kein Soldat in die Stadt einquartiert werden sollte. Lascy kehrte sich jedoch hieran nicht, sondern nahm mit einigen Regimentern seines Corps, ganz gegen den Willen der Russen, mit Gewalt Quartier in der Stadt, und nun geschahen die größten Ausschweifungen. Nicht zufrieden mit Essen und Trinken, erpreßten sie von den Einwohnern Geld, Kleinodien, Kleidungsstücke, kurz alles, was nur mit Händen fortgeschleppt werden konnte. Berlin wurde auf einmal der Tummelplatz von Cosacken, Croaten und Husaren, die bey hellem Tage in den Straßen und Häusern, wo sie nur hinkamen, raubten, die Menschen prügelten und verwundeten. Wer sich des Abends auf die Gasse wagte, wurde nackend ausgezogen. Zweyhundert und zwey und achtzig Häuser wurden erbrochen und ausgeleert. Die Oesterreicher übertrafen in diesem Geschäfte die Russen weit; sie wollten von keinen Capitulationsbedingungen hören, sondern folgten nur ihrem Nationalhaß, und ihrer Raubsucht. Sie drangen wie Rasende in die

N

Königs

königlichen Ställe, die nach der Capitulation nicht
berührt werden sollten, und auch durch vier und zwanzig Mann Russen beschützt waren. Die Pferde wurden herausgerissen, die Kutsche des Königs, erst aller
Zierrathen beraubt, und dann in Stücken geschlagen.
Dabey wurde die Wohnung des königlichen Stallmei-
sters Schwerin geplündert. Selbst Hospitäler, die
Zufluchtsörter kranker und dürftiger Menschen, die
wilde Barbaren verschont haben würden, hatten kein
besseres Schicksal. Raub war die Losung. Nicht einmal die Kirchen blieben verschont. In der sogenannten Jerusalemer Kirche wurde die Sacristey erbrochen.
Man raubte die Kirchengeräthe und Armenkasten.
Selbst einige Gräber wurden geöffnet, um den ver-
faulten Leichnahmen ihre Todtenhüllen zu rauben.

Diese Raubsucht und Wildheit war einer epidemi-
schen Seuche ähnlich. Die Sächsischen Soldaten, die
an gesittetem Wesen von keinen Kriegern in Europa
übertroffen werden, und überdem in der Disciplin fast
den Preußen gleichkommen, verleugneten hier ganz
ihren Nationalcharacter. Ihr Quartier war in Charlottenburg, eine Meile von Berlin, einem wegen eines prächtigen königlichen Lustschlosses berühmten Dorfe.
Uneingedenk, daß der König von Preußen wahrscheinlich
bald wieder nach Sachsen kommen würde, und folglich
schwere Rache ausüben könnte, fielen sie wüthend ins
Schloß ein, und zerstörten alles, was ihr Auge sah. Die
kostbaren Mobilien wurden zertrümmert, die Spiegel
und Porcellangefäße in kleine Stücke zerschlagen, die
Tapeten in Fetzen zerrissen, die Gemälde mit Messern
zerschnitten, die Fußböden, Seitenwände und Thüren
mit Beilen zerhauen. Viele Sachen von Werth ent-
gingen der Zerstörung, aber nicht dem Raube; denn
die Officiers brachten sie für sich als Beute in Sicherheit. Auch die königliche Capelle im Schlosse wurde
ausgeplündert und die Orgel zerbrochen. Was aber
dieses barbarische Betragen krönte, und den König
am

am empfindlichsten kränkte, war die Zerstörung seltner, zum Theil unschätzbarer Kunstwerke, von Griechischen Händen gearbeitet, und in Rom gesammlet. Friedrich hatte diese herrliche Antiken aus dem Kunstkabinet des Cardinals Polignac gekauft; und nun wurden sie, nicht ein Raub der Zeit, nicht ein Opfer wilder kunstverachtender Horden; Nein, gesittete Krieger eines Volks, wo die Künste blühen, zerstörten sie vorsetzlich. Die Köpfe, Arme und Beine der Bildsäulen wurden nicht bloß zerschlagen, sondern zermalmet, um die künftige Zusammensetzung unmöglich zu machen. Die hier befindlichen Oesterreicher und Russen blieben bey diesem Geschäft nicht zurück, das selbst die Befehlshaber, wo nicht durch Beyfall aufmunterten, doch gleichgültig zusahen. Die Einwohner von Charlottenburg glaubten durch eine Contribution von 15,000 Reichsthaler Sicherheit erkauft zu haben. Sie fanden sich aber betrogen. Alle Häuser wurden ausgeplündert, und was nicht mitgenommen werden konnte, in Stücken zerschlagen. Männer wurden bis aufs Blut gepeitscht, mit Säbeln verwundet, und sowohl Weiber als Mädchen genothzüchtigt. Zwey von den so muthwillig verwundeten Männern starben vor den Augen ihrer Henker.

Schönhausen, das Lustschloß der Königin, hatte ein ähnliches Schicksal. Acht Russische Husaren kamen dahin, und forderten unter fürchterlichen Drohungen das königliche Silberzeug. Vergebens sagte man ihnen, daß es weggeschaft wäre; sie durchsuchten das Schloß, und da sie nichts fanden, wurde der Schloßwärter und seine Frau nackend ausgezogen, mit Ruthen gestrichen, und mit glühenden Eisen gezwickt. Einige Tage nachher langten noch mehrere Schaaren an, und nun wurde das Schloß eben so wie in Charlottenburg behandelt; alles in Stücken gebrochen und vernichtet. Ein königlicher Diener wurde auf glühende Kohlen gelegt, und ein andrer mit Säbeln zu Tode

gehauen;

gehauen; das weibliche Geschlecht aber mußte ihren viehischen Lüsten dienen.

Die Oesterreicher sowohl als Russen träumten nun von Winterquartieren in Brandenburg, und betrachteten den Krieg beynahe wie geendigt. Von beiden Nationen waren große Armeen im Mittelpunct von Friedrichs Staaten, und von hieraus wurden alle Provinzen überschwemmt. Die Schweden rückten vor; die Reichstruppen waren in Sachsen, und im Besitz der Elbe; Laudon in Schlesien; und Daun mit einer großen Uebermacht dem König beständig zur Seite.

Dieser eingebildete Triumph aber währte nur wenig Tage. Friedrich rauschte wie eine Fluth aus Schlesien her, und nun veränderten sich auf einmal alle Scenen. Das Wort: „der König kommt!„ war wie ein electrischer Schlag, der durch alle feindliche Armeen fuhr, und alles aufs schleunigste in Bewegung setzte. Die Russische Hauptarmee selbst ging geschwind über die Oder. Die Oesterreicher sowol als die Russen verließen Berlin. Czernichef und Tottleben zogen sich mit so sehr forcirten Märschen zurück, daß sie in zwey Tagen schon zwölf Meilen von dieser Hauptstadt entfernt waren; und Lascy eilte nach Sachsen, um zur Daunschen Armee zu stoßen.

Indessen war dieser Rückzug, der ihre Hoffnungen vereitelte, mit allen nur erstnnlichen Grausamkeiten verbunden. Verwüstung war vorher mehr tolerirt als verordnet, jetzt ward es System. Die Städte Cöpenik, Fürstenwalde, Beskow, Landsberg, Oranienburg, Lübenwalde, das Markgräfliche Lustschloß Friedrichsfelde, und überhaupt alle Brandenburgische Städte, wo diese Unmenschen hinkamen, wurden ausgeplündert oder verheert. Von den Thoren von Berlin bis an die Gränzen von Pohlen, Schlesien und Sachsen, war das platte Land einer völligen Wüste ähnlich. Kein Stück Vieh war den armen Einwohnern geblieben; kein Hausgeräthe, kein Bette, kein

Nah-

Nahrungsmittel. Das Korn, das die Feinde nicht
mitnehmen konnten, wurde in den Koth geworfen,
oder den Winden übergeben.

Die Stadt Frankfurt, die schon so oft von den
Russen heimgesucht worden war, blieb auch jetzt von
ihnen nicht verschont. Man wollte die Stadt in Flammen setzen, und schon hatte man auf dem Marktplatz
ein großes Feuer angezündet. Ein Burgermeister
wurde gepeitscht, die andern Magistratspersonen mit
ähnlichen Grausamkeiten bedrohet, und die Einwohner überhaupt wie die Hunde behandelt. Durch diese
Mittel erlangten die Russen ihren Zweck. Alles, was
die Stadt nur zusammenzubringen vermochte, wurde
dem barbarischen Feinde überliefert. Die Lage des
Orts verursachte, daß die Einwohner außer ihrem
eignen Elend unaufhörlich auch die Verwüstung ihres
Vaterlandes vor Augen hatten. Mehr als 100,000
Stück Hornvieh und Pferde, nebst einer unsäglichen
Beute, wurden hier durchgeschleppt. Das ganze um-
liegende Land erscholl von Raub, Mord und Noth-
zucht. Man setzte muthwillig Dörfer in Brand;
Bauern, Bürger und Edelleute wurden grausam geprügelt, und ihre Weiber und Töchter ohne Rücksicht
auf Alter und Stand, vor den Augen ihrer Männer
und Eltern geschändet. Es war bey dieser Gelegenheit
gleichsam ein Wettstreit unter den Feinden Friedrichs,
welche Nation es der andern an Barbarey zuvorthun
könnte; denn die Oesterreicher unter Lascy begingen
ebenfalls die zügellosesten Ausschweifungen; sie ver-
schonten bey ihrem Rückzuge auch die Gräber nicht.
In Wilmersdorf, einem der Schwerinschen Familie
gehörigen Dorfe, wurde das Grabmal des Guts-
herrn erbrochen, alle Leichname, darunter einige schon
seit vielen Jahren den Würmern zur Speise dienten,
wurden aus ihren Särgen gerissen, nackend ausgezogen und auf das Feld geworfen. Solche Gräuel, die
selbst unter wenig civilisirten Nationen sehr selten, und

N 3   selbst

selbst den Irokesen fremde sind, gehören für den Griffel der Geschichte, und müssen als Theile der Characteristik dieses Krieges der Nachwelt überliefert werden.

Von allen königlichen Lustschlössern blieb Sans-souci, so wie das Schloß in Potsdam, allein unverwüstet. Hier commandirte der Oesterreichische General Esterhasy, der bey dieser Expedition noch allein Oesterreichs Ehre rettete, sich durch eine preiswürdige Mannszucht auszeichnete, die hier gesammleten Schätze der Kunst, des Geschmacks und der Pracht besah, bewunderte, allein auch beschützte, so daß nicht das geringste berührt wurde.

Der König hatte mit seiner Armee eben die Sächsische Gränze erreicht, als er von allem unterrichtet wurde. Kein Verlust war ihm schmerzhafter als die Verheerung in Charlottenburg. Bey dieser Gelegenheit siegte der gereizte Mensch über den Philosophen. In dem ganzen Lauf des Krieges war von den Preußen kein königlicher Pallast in Sachsen berührt, im Gegentheil sorgfältig von Soldaten geschützt worden. Nun aber befahl Friedrich das Jagdschloß Hubertsburg zu plündern. Das Freybataillon von Quintus Icilius erhielt diesen Auftrag: In wenig Stunden war dies Geschäfft geendigt, und zwar mit solchem Eifer, daß blos die nackten Mauern übrig blieben. Der Sächsische Hof war nicht sowohl über diese Rache, als über die unbedachte Veranlassung derselben unwillig. Die Befehlshaber entschuldigten sich mit der Wuth ihrer Soldaten, die man nicht hätte bändigen können.

Bey der Ankunft Friedrichs in Sachsen hatte sich die Reichsarmee bey Leipzig gelagert. Diese reiche Stadt, mit allen Bequemlichkeiten des Lebens so sehr wie wenig in Deutschland versehn, war beständig ein Gegenstand der Aufmerksamkeit großer und kleiner Heere. Freunde und Feinde buhlten unaufhörlich um ihren Besitz. Die Befestigung der Stadt war höch-

stens

stens hinreichend leichte Truppen abzuhalten, und nur
durch eine Armee außerhalb ihren Thoren konnte sie
behauptet werden. Anstatt der Festungswerke aber
hatte sie Reichthümer, und diese erzeugten mannigfaltige Unternehmungen; so daß keine Stadt in diesem
Kriege öfterer ihre Herren wechselte. Diesmal dachten
die Reichsvölker ernsthaft hier ihre Winterquartiere zu
machen, und die Einwohner, der großen Preußischen
Ausschreibungen müde, die unter allerhand Benen-
nungen vervielfältigt wurden, wünschten selbst sehnlich diesen Wechsel. Allein Friedrich schloß diese Gold-
grube nie aus seinem Plan aus. Kaum war er in
Sachsen angelangt, so schickte er den General Hülsen
nach Leipzig. Die Reichstruppen entfernten sich schleunig, und die Stadt wurde ohne Schwerdtstreich wieder in Besitz genommen.

Dauns Absicht war jedoch Sachsen durchaus zu
behaupten. Dresden, die größte und festeste Stadt
des Landes, so wie der größte Theil des Churfürstenthums, war in seinen Händen, und fast die ganze
Macht Oesterreichs jetzt in dieser so wichtigen Provinz
versammlet; überdem war der Winter schon eingebro-
chen, und der Feldzug schien zu Ende zu seyn. Der
König von Preußen aber war eben so fest entschlossen,
Sachsen nicht fahren zu lassen. Eine große Schlacht
mußte diese Streitfrage entscheiden, und hiezu war Friedrich völlig bereit. Daun hingegen wollte ohngeachtet seiner großen Uebermacht nichts wagen. Er
glaubte bloß vertheidigungsweise seinen Wunsch zu erreichen, und bezog daher das feste Lager bey Torgau,
wo im vorigen Jahr der Prinz Heinrich gestanden, und
wo Daun nie hatte wagen wollen ihn anzugreifen.
Da der König alle Hoffnung verlohr, seinen Gegner
freywillig zu einer Schlacht zu vermögen, so faßte er
den kühnen Entschluß, ohngeachtet aller Hindernisse,
das Lager der Oesterreicher zu stürmen. Er ließ sogar
den 2ten November des Abends öffentlich diesen Vor-

saz bey der Armee bekannt machen, und alle Maaßregeln zur Schlacht wurden für den folgenden Tag genommen.

Der 3te November war dieser in den Jahrbüchern der Kriege höchstdenkwürdige Tag, wo Menschenblut wie Wasser floß, wo der gänzliche Untergang beider so oft triumphirter Heere aufs Spiel stand, wo der Sieg wandelbar war, und endlich mitten in der Dunkelheit der Nacht von den Preußen errungen wurde.

Der König marschirte in drey Colonnen durch den Torgauer Wald. Sein Schlachtplan war von der erhabensten Art. Die Oesterreichische Armee sollte nicht bloß besiegt, sondern ganz vernichtet werden. Von dem Rückzug über die Elbe abgeschnitten, sollte den Ueberwundenen und Flüchtlingen bloß die Wahl bleiben, durchs Schwerd zu fallen, sich in den Fluß zu stürzen, oder die Waffen zu strecken. Beide Flügel der Oesterreicher, oder vielmehr die äußersten Krümmungen der halben Mondslinie, die Dauns Heer bildete, sollten zu gleicher Zeit angegriffen, und auf ihren Mittelpunct geworfen werden. Der General Ziethen wurde zu diesem Ende mit der Hälfte der Preußischen Armee abgeschickt, um die ohnweit Torgau liegenden Anhöhen von Siptitz zu besetzen. Schlug der König den Feind mit der andern Hälfte, so war die Oesterreichische Haupt-Armee ohne Rettung verlohren, Theresiens Kriegsmacht für den ganzen Krieg vernichtet, und der Name Torgau wäre so wie Cannas bey Dichtern und Geschichtschreibern unsterblich geworden.

Zur Erlangung dieses großen Ziels aber waren noch außerordentliche Hindernisse zu übersteigen. Daun stand mit dem Kern der Oesterreichischen Heere in einer höchst vortheilhaften Stellung; sein linker Flügel stieß an die Elbe, der rechte war durch Anhöhen gedeckt, mit großen Batterien versehn, und von der Fronte hatte er Waldungen und Moräste. Friedrich maschirte durch den Wald, wo er auf das Oesterreichische

eichische Dragoner - Regiment St. Ignon stieß, das einzeln marschirte, und ganz unvermuthet zwischen die Colonnen des Königs kam. Die Ausgänge des Waldes wurden sogleich von der Preußischen Infanterie besezt, während daß die Cavallerie das ganze feindliche Regiment von allen Seiten umzingelte. Den Zietenschen Husaren fiel vorzüglich dies Geschäfft zu, das sie mit großem Muth ausführten. Alle Dragoner, die nicht unter ihren Streichen fielen, wurden nebst ihrem General gefangen genommen. Der König setzte inzwischen seinen Marsch fort; er zog sich um den feindlichen rechten Flügel herum, und obwol seine Colonnen noch zurück waren, so griff er doch das Oesterreichische Heer ohne Zeitverlust mit der aus zehn Grenadier - Bataillons bestehenden Avantgarde an. Ein Canonenfeuer, das man in der Entfernung hörte, veranlaßte den König zu glauben, daß Ziethen schon mit dem Feinde im Handgemenge sey, und rechtfertigte diesen raschen Entschluß. Nie waren ihm die Augenblicke kostbarer. Es war zwey Uhr Nachmittag; nur noch wenige Stunden bis zur Dunkelheit übrig, und diese Stunden sollten Friedrichs Schicksal, ja vielleicht das Schicksal der Preußischen Monarchie entscheiden.

Dann empfing die Preußen mit einem Canonenfeuer, das noch nie auf dem Element der Erde, seit Erfindung des Pulvers, erlebt worden war. Zwey hundert Canonen standen hier gleichsam auf Einen Punct gerichtet, und ihre Feuerschlünde sprüheten ohnaufhörlich Tod und Verderben. Es war ein Bild der Hölle, die sich zu öffnen schien, ihren Raub zu empfangen *). Die ältesten Krieger beider Heere hatten

nie

N 5

---

*) Wenn man diese Beschreibung etwas zu lebhaft finden sollte, so wird man sie dem Verfasser verzeihen. Es ist nicht eine durch die Lectüre, oder durch gehörte Erzählungen erhizte Phantasie, die hier die Feder führt, sondern eine Skizze selbstgesehe-

nie eine solche Feuerscene gesehn; selbst der König brach
wiederholt gegen seine Flügel = Adiutanten in die Worte
aus: „Welche schreckliche Canonade! Haben sie je
„eine ähnliche gehört?,,   Auch war die Wirkung über
alle Vorstellung gräßlich.   In einer halben Stunde
lagen die 5500 Preußischen Grenadiers, die den Angriff thaten, todt oder verwundet auf der Wahlstatt
gestreckt, großentheils noch ehe sie ihre Gewehre hatten losfeuern können; nur 600 von ihnen waren am
folgenden Tage noch zum Dienste übrig.   Es regnete
stark; allein der Donner des Geschützes, der so gewalt-
sam und ununterbrochen die Luft zerriß, zertheilte die
Wolken in der Region des Kampfplatzes, und der
Himmel wurde etwas heiter.

Mittlerweile rückte die Haupt = Colonne aus dem
Walde an.   Noch ehe diese Preußen den Feind ins
Auge fassen konnten, fielen die Wipfel der Bäume von
den Kugeln zerschmettert auf ihre Häupter.   Das
Brüllen der Canonen wiederhallte gräßlich durch den
Wald.   Es waren gleichsam Posaunen des Todes.
Und nun beym Ausgang sahen die neuanrückenden
Preußen, die sich in Wogen durch den Pulverdampf
fortschlängelten, keine siegversprechende Scenen, son-
dern eine Wahlstatt voller Todten und scheuslich ver-
stümmelter Körper, die sich keuchend in ihrem Blute
wälzten.   Die Grenadiers, mit welchen man vereinigt
*)

gesehener Gegenstände.   Der Verfasser befand sich bey dieser Schlacht, und zwar bey dem ersten Bataillon des Regiments von Forcade, das im Corps des Königs an der Spitze
der Haupt = Colonne marschirte, und so auf den Feind losrückte.   Das andere Bataillon war bey dem Zietenschen Corps.
Hier war der Abschnitt des ersten Treffens, das so wie das
ganze Preußische Heer in zwey fast gleiche Armeen getheilt
wurde.   Dies einzige Regiment verlohr an Todten, Verwundeten und Vermißten in dieser mörderischen Schlacht über
800 Mann.   Es hatte sechs und zwanzig todte und verwun-
Offiziers; unter den letzten war auch der Verfasser.

zu triumphiren gedachte, waren nicht mehr; die Zietensche Armee in der Entfernung, deren Schicksal ungewiß, und der Feind hinter seinen zahlreichen Mordmaschinen unerschüttert. Die Preußische Artillerie versuchte ihre Canonen vorwärts zu bringen; allein wenn man die Pferde vorspannen wollte, so wurden sie todt zu Boden gestreckt; auch ihre Führer, die nicht entflohen, wurden niedergeschossen, und sowohl Räder als Lavetten zertrümmert. Dennoch geschahe ein neuer Angriff von der Infanterie, mit dem Muth und der Ordnung, wodurch sich die Preußen im Schlachtfelde so sehr auszeichnen. Die Oesterreicher, durch die Niederlage der Grenadiers angetrieben, waren vorgedrungen; Nunmehr aber mußten sie wieder zurück. Die Kartätschen wütheten schrecklich unter den Preußen. Ganze Rotten wurden weggerafft. Man rückte immer zusammen, um die Lücken auszufüllen. Alte Offiziers stürzten zu Boden, junge traten an ihre Stelle, flößten den Veteranen durch ihr Beyspiel Muth ein, und so ging es immer vorwärts: Anhöhen wurden erstiegen, und Batterien erobert.

Bald aber veränderte sich die Scene. Daun führte frische Truppen auf den Kampfplatz. Seine Cürassiers hieben auf die Preußische Infanterie ein, richteten ein entsetzliches Blutbad an, und trieben sie in den Wald zurück. Die Preußische Cavallerie kam ihrem Fußvolk zu Hülfe, wurde aber auch zurückgeschlagen. Ein neuer Angriff von der Reuterey war glücklicher; die Oesterreichische Infanterie kam in Unordnung, und einige tausend Gefangene wurden gemacht. Unter diesen war das halbe Regiment des Kaisers. Ihre ganze Linie war in Gefahr. Allein nun stürzte von allen Seiten die Oesterreichische Reuterey herbey, und die Preußen mußten der Ueberlegenheit weichen. Auch Friedrich griff mit seiner Infanterie von neuem an, jedoch ohne Erfolg. Die Nacht brach ein, die Kräfte waren erschöpft; der König selbst

ver

verwundet; und die Schlacht schien für ihn völlig verlohren. Daun fertigte Couriers mit dieser Nachricht
nach Wien ab, die, von blasenden Postillions umringt, unter dem lauten Jubel des Volks, in der Kaiserstadt ihren Einzug hielten, und einen vollkommenen
Sieg verkündigten.

Im Buch des Schicksals aber war nicht There-
stens, sondern Friedrichs Triumph geschrieben. Zieten war mit seiner Armee nicht unthätig gewesen. Er
hatte alle Schwierigkeiten überstiegen, um dem König zu
Hülfe zu kommen. Er näherte sich dem Dorfe Siptitz,
das in Flammen stand. Der Major von Möllendorf,
von der Garde, jetziger Generallieutenant, und durch
große Kriegstalente berühmt, rieth hier zu einem Manöver, das die glücklichsten Folgen hatte, und das
Loos des Tages bestimmte. Einige Bataillons marschirten durch das Dorf, bestürmten die dabey befindlichen Anhöhen und eine große Batterie. In kurzer
Zeit waren sie davon Meister. Andere Truppen, die
ihre Canonen mit den Händen zogen, von der Cavallerie gedeckt, folgten dieser Siegesbahn. Nun fing auf
diesen Anhöhen eine ganz unerwartete heftige Canonade an, die in der Dunkelheit die ohnehin große Verwirrung unter den Oesterreichern sehr vermehrte. Mittlerweile näherten sich die Truppen des Preußischen linken Flügels, die sich formirt hatten so gut sie konnten.
Lascy machte nun noch einen Versuch, die Anhöhen
wieder zu erobern, wurde aber zurückgeschlagen. Die
Preußen behaupteten den errungenen Posten. Dieser
glückliche Erfolg entschied die Schlacht, und die Oesterreicher dachten jetzt auf nichts, als auf einen Rückzug, den drey auf der Elbe geschlagene Schiffbrücken
begünstigten.

Dieser Fluß war durch sein Rauschen gleichsam
der Compaß der Oesterreicher in der dunkelsten Nacht,
wo der Himmel dicht mit Wolken überzogen war, und
man keine Hand vor Augen sehen konnte. Die Preußen

ßen hatten keinen solchen Wegweiser. Sie irrten in großen und kleinen Schaaren im Walde und auf der Wahlstatt umher. Ungewiß wo sich der Feind befand waren sie bey jedem Schritt aufmerksam, und voller Besorgniß. So wie Furchtsame in der Mitternachts-stunde in ihrer Einbildung lauter Gespenster sehn, so sahen die Preußen jetzt lauter Feinde. Haufen, die sich einander näheten, wurden sogleich wechselsweise beschossen, und dieses währte bis ein Theil den Irr-thum merkte, und sich zu erkennen gab. Auf diese Weise fiel eine Anzahl Preußen durch die Kugeln ihrer eignen Landsleute. Keine Befehle konnten ertheilt, keine konnten befolgt werden. Die Befehlshaber waren todt, verwundet, oder sie irrten selbst umher, ihre zerstreuten Haufen zu suchen. Die vierzehn Stunden lange Win-ternacht war entsetzlich kalt. Einigen Kriegsschaaren glückte es Holzstöße zusammen zu tragen, und Feuer zu machen, andre aber mußten dieses so nöthige Bedürfniß entbehren, und liefen wie die Unsinnigen im Finstern herum, um durch Bewegung ihre Leiber zu erwärmen. Die Soldaten hatten den ganzen Tag nichts gegessen, und waren durch die Blutarbeit entkräftet. Wer seinen Brodtsack noch besaß, oder ihn nicht leer fand, wußte doch nicht, wo er einen Trunk Wasser bekommen sollte. Vom Hunger, Durst, Müdigkeit und Kälte gequält, erwartete man sehnlich den Tag, und mit ihm neue Blutscenen. Der König brachte die Nacht in einer Dorfkirche zu, wo er sich seine schmerzhafte Wunde verbinden ließ, Raports annahm und Befehle ertheilte.

So hart indessen diese Lage der herumirrenden entkräfteten Soldaten auch war, so gab es doch in die-ser schrecklichen Nacht noch eine weit grausamere. Die Verwundeten, deren Zustand es nur einigermaßen er-laubte, suchten die nächstgelegenen Dörfer zu erreichen; die andern aber wurden durch ihr trauriges Loos am Boden des Schlachtfeldes gefesselt. Hier vor Kälte

erstarrt,

erstarrt, mit zerschmetterten Gliedern, abgerissenen Knochen, in ihrem Blute schwimmend, und aller Hülfe beraubt, wünschten sich diese Unglücklichen einen schleunigen Tod. Vielen hunderten aber waren noch vorher größere Martern vorbehalten. Eine Menge verworfener Menschen, Soldaten, Troßknechte und Weiber, schwärmten in dieser Blutnacht auf dem Wahlplatz herum, und beraubten die Lebendigen und die Todten. Nicht das Hemde wurde den hülflosen Verwundeten gelassen. Vergebens ließen diese laute Klagen erschallen; sie verlohren sich im allgemeinen Getöse, das tausendstimmig in die Wolken drang. Mancher Verwundeter wurde von diesen Unmenschen ermordet, aus Furcht vor Entdeckung. Viele waren an den Beinen verwundet, und zwar nicht gefährlich, nur konnten sie nicht gehn. Durch diese grausame Entblößung aber, in einer November-Nacht, nackend auf der beeisten Erde sich krümmend, wurden sie Opfer des Todes.

Der König war mittlerweile in der Dorfkirche voller Thätigkeit, und da ihm der Rückzug des Feindes noch unbekannt war, so sann er auf die Erneuerung der Schlacht. Er gab die dazu erforderlichen Befehle, noch ehe der Tag anbrach, und zwar sollte die Infanterie nicht feuern, sondern mit gefälltem Baionet auf den Feind losgehen. Nur die Morgendämmerung wurde erwartet, um die zerstreuten Haufen zu sammlen und in Schlachtordnung zu stellen. Kaum aber hatte der Tag das Leichenfeld erleuchtet, so wurde Friedrich gewahr, daß keine Oesterreicher hier mehr zu bekämpfen waren. Er sah sich Herr des Wahlplatzes; der Sieg war entschieden, und Sachsen behauptet. Die Oesterreicher gingen über die Elbe, und zogen sich längs den Ufern dieses Flusses nach Dresden, und die Preußen gingen in die Winterquartiere.

Daun war in dieser Schlacht schwer verwundet worden. Er hatte sich entfernt, und das Commando dem General Baccow übergeben, und da diesem gleich dar-

darauf durch eine Kugel der Arm zerschmettert wurde,
so fiel die Oberbefehlshaberschaft dem General D'Don-
nel zu. Dieser eilte nun Dresden zu decken, und das
feste Lager bey Plauen zu beziehn. Zieten verfolgte ihn
auf diesem Rückzug unabläßig, und machte viele Gefangene. Beide Heere waren durch diese blutige Schlacht
außerordentlich geschwächt worden. Die Oesterreicher zählten 9000 Todte und Verwundete, und 8000 Mann waren
gefangen worden; sie verlohren ferner funfzig Canonen,
dreyßig Fahnen und zwanzig Pontons. Der Verlust der
Preußen an Todten und Verwundeten war nicht geringer;
dabey waren 1500 Mann dem Feinde in die Hände gefallen.

Daun hatte sich vortrefflich vertheidigt, und die
Oesterreichischen Truppen außerordentliche Tapferkeit
bewiesen. Wenn daher gleich der hinkende Bote den
folgenden Tag nach Wien kam, und durch seine Nachrichten dem Jubelgeschrey ein Ende machte, so war
Theresia dennoch mit ihrem Feldmarschall sehr wohl zufrieden, der verwundet nach der Kaiserstadt reisete.
Sie war so großmüthig ihm einige Meilen entgegen zu
fahren, und ihn willkommen zu heißen. Ueberhaupt
ließ diese große Fürstin es nicht an Aufmunterung ihrer Truppen fehlen. Gewöhnlich war sie selbst gegenwärtig, wenn Kriegsschaaren bey Wien vorbeyzogen,
um zur Armee zu stoßen; sie sprach den Soldaten in
den gnädigsten Ausdrücken Muth ein, nannte sie
„meine Kinder!‟ lächelte mit Wohlgefallen, wenn
das Wort Mutter wie ein Lauffeuer durch alle
Glieder lief, und entließ sie nie ohne Geschenke.

Die Folgen dieses Sieges waren überaus wichtig.
Ganz Sachsen, Dresden ausgenommen, war nun
wieder in den Händen der Preußen, und ihre Winterquartiere gesichert. Friedrich war im Stande,
Truppen nach Schlesien, nach der Mark und nach
Pommern zu schicken, und die Feinde aus diesen Provinzen zu vertreiben; ja selbst ein Corps von 8000 Mann
zum Herzog Ferdinand stoßen zu lassen. Mecklenburg
wurde

wurde wieder in Besitz genommen. Laudon hatte Kösel belagert, jetzt aber gab er den Versuch auf, und zog sich nach Glatz; die Schweden wurden vom General Werner nach Stralsund getrieben, und die Russen gingen in ihre alten Winterquartiere nach Pohlen.

Der König nahm das seinige in Leipzig, wohin auch eine Menge Verwundeter nach der Schlacht gebracht worden waren. Diese Stadt mußte jetzo für ihren Patriotismus hart büßen. Die Einwohner hatten gewünscht die Reichstruppen als Bundsgenossen ihres Königs zu behalten, und diesen Wunsch laut geäußert. Nunmehr geschahen von den Preußen neue und verstärkte Forderungen. Ungeheure Geldsummen sollten bezahlt, und unermeßliche Lieferungen an Landesproducten gemacht werden. Der Magistrat schützte sein Unvermögen vor, das Verlangte zu verschaffen. Er berief sich auf schriftliche Versprechungen des Königs, die diesen Lieferungen ein Ziel setzten, welches man jetzt überschreiten wollte. Dies Ziel war eine Geld-Contribution von 500,000 Reichsthaler gewesen, die man abgetragen hatte. Die Entschuldigungen aber halfen nichts; und da man fortfuhr sich zu sträuben, wurden gewaltsame Mittel gebraucht. Man hatte hier schon mehrmalen die Farce gespielt, und mit Pechkränzen gedroht, ja solche wirklich an allen Häusern aufhängen lassen. Es hieß: Geld, oder die Stadt in Asche. Da die Einwohner aber gute Gründe hatten, dem König eine solche Grausamkeit nicht zuzutrauen, und das Unüberlegte dieser Drohung geldgieriger Unterbefehlshaber bald einsahen, so that sie auch nicht die geringste Wirkung. Man lächelte anstatt zu zittern; und die Pechkränze wurden wieder abgenommen. Nun sollten andre Versuche gemacht werden. Die vornehmsten Magistratspersonen und die reichsten Kaufleute wurden ins Gefängniß geworfen, und wie Missethäter behandelt. Man sperrte sie auf einander gehäuft in Zimmern ein, wo sie auf dem Stroh lagen.

Die

Die gemeinsten Bequemlichkeiten fehlten hier. Keine Better, keine warmen Speisen wurden ihnen erlaubt. Anfangs hatten hundert und zwanzig dieses Schicksal. Es dauerte aber nur zehn Tage; sodann ließ man sie los, bis auf siebenzehn der Vornehmsten, die vier Monat lang im Kerker ausdauern mußten. Personen, die des größten Wohlstandes gewohnt waren, mußten sich mit den gröbsten Nahrungsmitteln begnügen, ihre durch den Luxus des Zeitalters verzärtelten Leiber auf der harten Erde herum wälzen, und einen heimlich zugesteckten Suppentopf, den ihre schönen Töchter bey ihren Besuchen unter ihren seidenen Kleidern verbargen, als eine Beute betrachten. Sie lebten in Unreinlichkeit, und hatten lange Bärte wie die Juden. „Nun „ihr Hunde, wollt ihr bezahlen? „ war der gewöhnliche Morgengruß des Contributionsmeisters, der seine Privatvortheile bey dieser grausamen Behandlung fand. Abgesondert von einander hätte man vielleicht bald den Endzweck erreicht, allein in Gesellschaft sprachen sie sich einander Muth und Geduld ein. Es wurde ein sogenannter Esprit de Corps erzeugt, der allen Beleidigungen und Grausamkeiten trotzte. Nur erst, als man die sinnreiche Drohung äußerte, diese Häupter einer sehr reichen Stadt, Hausväter, deren Familien Tag und Nacht in Thränen schwammen, als Recruten nach Magdeburg zu liefern, und sie zu Füße mit den Ränzeln auf den Rücken dorthin zu schleppen, und als man wirklich Anstalten dazu machte, da erst sank ihnen der Muth. Man bewilligte alles, was nur zu leisten möglich war.

Diese Grausamkeiten, die in ihrem ganzen Umfange wohl nicht durch königliche Befehle erzeugt wurden, kosteten vielen das Leben. Der Gram legte Männer, Weiber und Kinder ins Grab. Eine Menge Menschen verließen Leipzig, der Handel stand großentheils stille, und die berühmten Messen waren jetzt nicht viel besser wie Jahrmärkte.

Archh. Kriegsgesch.   D   Die

Die Nothwendigkeit Friedrichs, ohngeachtet seiner theils von Feinden besetzten, theils verheerten Provinzen, gegen die größten Mächte Europens einen langwierigen und kostbaren Krieg zu führen, hatte ihn zu allerhand Hülfsmitteln veranlaßt, die nicht zu den gewöhnlichen gehörten. Das vornehmste derselben war, den Preußischen und Sächsischen Münzfuß zu erniedrigen. Die Münze war an den Berliner Juden Ephraim verpachtet, und dieser ließ jährlich eine unermeßliche Menge goldner und silberner Münzsorten von sehr vermischtem Gehalt unter Preußischen und Sächsischen Stempeln schlagen. Mit jedem Jahre wurde das Geld schlechter, so daß zuletzt der innere Werth der Augustd'or, die fast ganz aus Kupfer bestanden, nicht viel über einen Reichsthaler gutes Silbergeld betrug. Die alten Augustd'or galten anstatt der gewöhnlichen fünf Thaler, zwanzig Reichsthaler in circulirenden Silbermünzen. Hiermit wurden die Preußischen Truppen und alle Bedürfnisse der Armee bezahlt, die Civilbesoldungen berichtigt, und Handel getrieben. Ganz Norddeutschland war damit überschwemmt. Die größten Handelsstädte besaßen Millionen von diesem Zaubergelde, das ohne seine Form, Größe und Gepräge im geringsten zu verändern, immer schlechter an Gehalt wurde, und den Besitzer großer Summen mit eingebildeten Reichthümern täuschte. Selbst die Holländer waren damit reichlich versehn, und glaubten nach geendigtem Kriege mit dieser Münze Preußisches Holz und Getreide sehr wohlfeil kaufen zu können. Alle rohe und verarbeitete Producte, und überhaupt alle Kaufmannsgüter, stiegen im Preis nach dem Verhältniß des schlechten Geldes. Nur allein die nothdürftigsten Lebensmittel wurden nicht viel theurer, wie ehedem, weil sonst der gemeine Preußische Soldat sein Leben nicht hätte durchbringen können.

Die

Die Kaiserin Maria Theresia bediente sich eines
andern Mittels, die ungeheuren Geldbedürfnisse für
den gegenwärtigen Augenblick zu vermindern. Die
sämmtlichen Staabsofficiers, vom Major bis zum Feldmarschall, bekamen ihren Sold nicht in Geld, sondern
in Papieren. Diese waren nicht den Banknoten ähnlich, auch nicht zum Circuliren bestimmt, sondern eigentlich Staatsobligationen. Diejenigen, die nicht die
verheißene Bezahlung nach geendigtem Kriege abwarten
konnten, oder wollten, verkauften ihre Papiere mit einem
ansehnlichen Verlust, an eine vom Kaiser Franz ausdrücklich dazu errichtete Bank. Es waren seine eignen Schätze, ganz abgesondert von den Einkünften
seiner Gemahlin, die der Monarch auf diese Weise benutzte. Auch die meisten Lieferungen für die Truppen
wurden mit solchen Papieren bezahlt. Zu diesen Hülfsquellen kamen manche patriotische Aufopferungen. Der
Fürst Wenzel von Lichtenstein, der reichste Unterthan
des Oesterreichischen Staats, zeigte hier ein großes
Muster. Als Chef des Oesterreichischen Artillerie-
Corps unterhielt er einen Theil desselben auf eigne Kosten. Auch andre reiche Privatpersonen bewiesen auf
mancherley Art ihren Patriotismus, und die Dämen
des Wiener Hofes, um in ihrem Diensteifer nicht zu-
rückzubleiben, zupften Scharpie. Der Begriff von
Wohlthätigkeit gesellte sich mit diesem patriotischen Gedanken. Hiezu kam das erhabene Beyspiel der Maria Theresia, die mit ihren Kaiserlichen Händen zum
Dienst gemeiner verwundeter Soldaten selbst Scharpie
machte. Nun wurde es Ton, und endlich Seuche, die
sich in der ganzen Stadt ausbreitete. Die Weiber der
Handwerksleute leerten ihre alten Wäschschränke aus,
um durch Aufopferung ihrer Hemden auch thätigen
Antheil am Kriege zu nehmen. Der Leinwandshandel fing an in Oesterreich mehr als jemals zu
blühen, und die Scharpie wurde Fuderweise nach
den Feldhospitälern gesandt, so daß man endlich biss

bitten mußte, mit diesen guten Werken Einhalt zu
thun.

Die Hoffnung, Schlesien endlich noch zu erobern,
war in dieser Kaiserstadt jetzt nach einem fünfjährigen
fruchtlosen Kriege noch gar nicht geschwächt. Die
Einnahme von Glatz gab dieser Hoffnung vielmehr
neue Nahrung; dabey zeigten die mächtigen Bundes-
genossen immer noch den besten Willen. Sie betrachteten den Sieg bey Torgau wegen des großen Blutver-
lustes eben so wie eine Niederlage des Königs von
Preußen, und beharrten fester als jemals auf dem
Grundsatz, seine Gefangenen nicht zu ranzioniren. Es
fehlte ihm dennoch nicht an Soldaten. Da der Acker-
bau in seinen Staaten wegen der unaufhörlichen Verheerungen ganz danieder lag, so vertauschten tau-
sende von jungen Landleuten freudig den Pflug mit
der Muskete. Das Längenmaaß des Körper kam
jetzt nicht sehr in Betrachtung. Man brauchte nur
Menschen, und diese Menschen wurden sehr geschwind
zu Soldaten gestempelt. Gleich nach der Aushebung
solcher Recruten, noch ehe sie ihre vaterländische Provinz verließen, bemühten sich eine Menge abgeschickter
Officirs und Unterofficiers Tag und Nacht sie zu mo-
deln. Kaum ließ man sie zu Athem kommen. Hier
galt keine Kälte, kein Schnee, keine Dunkelheit, kein
Sonn- und Festtag. Unablässig wurden sie mondirt,
dressirt und exercirt, auf Plätzen, in Ställen und
Scheunen, so daß sie immer schon ganz geformt und
Soldaten ähnlich zu ihren Regimentern stießen und
gleich Kriegsdienste thun konnten.

Die Anzahl alter Soldaten war nach so vielen
Schlachten bey allen kriegführenden Heeren nur geringe. Bey den Preußen aber ersetzte der mit der
Muttermilch eingesogene militärische Geist den Mangel der Dienstjahre. Da so viele ihrer Officiers gefallen waren, und der König ihre Stellen ungerne anders als mit Edelleuten besetzte, so wurden immer

Jüng-

Jünglinge, weit entfernt vom männlichen Alter, aus dem Cadeten = Corps in Berlin gehoben, und zur Armee gesandt *). Diese Jünglinge aber waren völlig formirte Soldaten, und in allem, körperliche Kräfte allein ausgenommen, den Veteranen andrer Heere ähnlich. Ohngeachtet ihrer edlen Geburt unter der Muskete erzogen, zu grober Kost gewöhnt, und durch Wachten in Frost und Hitze abgehärtet; dabey waren sie mit allen Theilen des Dienstes vertraut, und voll hoher Begriffe von militärischer Ehre. Oft wurden sie bald nach ihrer Ankunft bey der Armee zu erheblichen Kriegsverrichtungen gebraucht, die sie so wie die ältesten Officiers mit männlichem Ernst, Sachkenntniß und Eifer vollbrachten. Bisweilen exercirten sie die Recruten der Regimenter in großen Haufen zusammengezogen; man gab ihnen kleine Commandos; man machte sie zu Adjutanten. Im Treffen munterten sie selbst alte Soldaten durch Zureden auf, und flößten ihnen durch ihr Beyspiel Muth ein. Die Oestereicher fanden oft unter den gemachten Gefangenen dergleichen Jünglinge, und da sie nur allein die Lebensjahre betrachteten, und um das übrige sich wenig bekümmerten, so schlossen sie darauf auf das große Menschenbedürfniß Friedrichs, der jetzt zu Kindern seine Zuflucht nehmen müsse, den Soldaten = Abgang zu ersetzen.

Dieser Abgang wurde aber auch zum Theil von Oesterreichischen Soldaten selbst ersetzt, die gegen Ende des Kriegs eben so häufig als die Preußen ausrissen. Es wurde mehr für die letztern gesorgt. Nie in dem ganzen Lauf von sieben höchstwandelbaren blutigen Feldzügen, fehlte es den Preußischen Heeren an Sold, nie an Brodt, nie an Fourage, sehr selten an Ge-

D 3   müsse,

---

*) Der Verfasser war noch nicht vierzehn Jahr alt, als er mit noch neun und dreyßig andern Cadets im December 1758 nach Breslau zum Hauptquartier des Königs geschickt wurde.

müſe, und noch ſeltener an Fleiſch. Gewöhnlich hatte
der Preußiſche Soldat auf drey auch mehr Tage Brodt
vorräthig. Die tägliche Portion war zwey Pfund;
ſelbſt nach verlohrnen Schlachten und nach zerſtörten
Magazinen, wurde ſein Brodtſack nie ganz leer. Das
Gemüſe kam immer durch veranſtaltete Zufuhr aus
Städten und Dörfern ins Preußiſche Lager, und
durfte nicht übertheuert werden. Die richtige Zahlung
und die gute Mannszucht munterten die Verkäufer
auf, ſolche Märkte zu beſuchen. Ueberdem gab der
König einem ieden Soldaten wöchentlich ein Pfund
Fleiſch. Die Regimenter kauften daher ganze Trif-
ten von Hornvieh, die nicht ohne die größte Nothwendigkeit vom Lager weit entfernt werden durften.

Dieſes Fleiſchgeſchenk, obgleich an ſich unbedeutend, zog eine Menge Ueberläufer zu den Preußiſchen
Fahnen. Die dem Menſchen angebohrne Freyheit,
ſieht ſlbſt bey rohen Kriegern mitten in der Sklaverey
einen mindern Zwang für ein beneidungswerthes Loos
an. Die gemeinen Soldaten bey den Oeſterreichern
waren gezwungen, den größten Theil ihres geringen
Soldes zur Feldhaushaltung herzugeben. Der Cor-
poral nahm das Geld, und fütterte ſeine Mannſchaft
nach Gutdünken; nur den Ueberreſt des Soldes bekam
der Soldat in die Hände. Von dieſem Zwange wußten
die Preußen nichts. Man munterte ſie durch Worte
zu einer geſelligen Haushaltung auf; das Commiß-
fleiſch und der gemeinſchaftliche Zeltkeſſel thaten ſodann
das Uebrige. Viele Ueberläufer geſtanden freymüthig,
daß dieſes ſie zur Deſertion bewogen habe.

Die Preußiſchen Ochſenhüter ſelbſt waren Soldaten, die auf dem Lande zu dieſem Geſchäffte gewöhnt,
den Prügel in die Hand nahmen und die Muskete
übern Rücken warfen. Als Eingebohrne war man
vor Deſertion ſicher, und ihre Waffen waren hinri-
chend herumſchwärmende Huſaren abzuhalten. Dieſe
Menſchen - Oeconomie erſtreckte ſich bey den Preußen
über

über alles; sie verringerte den Troß und die Bedürfnisse, beförderte die Ordnung, und erfüllte bey allen
Operationen den Zweck desto vollkommener. Jede Compagnie hatte ihren Schuster, ihren Schneider, die von
dem gewöhnlichen Dienst befreyt waren, und in Kriegs-
quartieren sowohl als in Lägern und auf Postirungen
für ihre Cameraden arbeiteten. Viele Compagnien hatten ihren eigenen Fleischer, der Vieh einkaufte, schlach-
tete, und für einen billigen Preis verkaufte: andre
Soldaten waren Marketender. Die Infanterie hatte
ihre Zimmerleute und Büchsenmacher; die Cavallerie
ihre Schmiede und Sattler; die Artillerie ihre Wagen-
macher. Alle waren Soldaten. Jeder Officier hatte
einen Bedienten, der ein Soldat war, königliche Mon-
dirung trug, und keine andre Dienste als mit seinem
Herrn that. Bey jeder Compagnie befand sich ein Un-
terofficier, der den Titel Capitain d'armes führte, und
sowol für Gewehr als Mondirungsstücke sorgen mußte;
desgleichen ein Fourier, der für Proviant und Fourage
sorgte, und das Lager abstach. Der Fourier hatte bey
dieser letztern Arbeit zwey Gehülfen, die Fourierschützen
genannt wurden, und auch Soldaten waren. Man
rief sie auf dem Marsch vor, wenn der Lagerplatz ge-
wählt war; oft auch machten sie eine Art von Avantgarde. Als Soldaten brauchten sie keine Bedeckung,
sondern sie gingen vielmehr selbst auf den Feind los,
wenn er ihr Lagerabmessen hindern wollte. Bey den
Desterreichischen Armeen war diese Kriegs-Oeconomie
nicht Sitte. Unter andern waren die Fouriers bür-
gerliche Personen, deren Begriffe, Grundsätze und
Handlungen, oft der Denkungsart und dem Interesse
der Soldaten ganz entgegengesetzt waren, und von
Subordination wenig wußten. Hieraus entstanden
häufig Streitigkeiten und Unordnungen, von denen
sich bey den Preußen keine Spur äußerte. Alles war
in ihren Lägern Soldat, und alles arbeitete folglich
einstimmig an einem gemeinschaftlichen Zweck. Der

militärische Handwerksmann, der in Winterquartieren, auf Postirungen und in Feldlägern von Wachten
und Commandos befreyt, ruhig sein Gewerbe trieb,
mußte jedoch zum Gewehr greifen, sobald es M a r s ch
hieß, oder der Feind sich zeigte. Keine Geschicklich-
keit, keine Arbeitsamkeit, kein Kunstfleiß, keine Gunst
der Befehlshaber schützte ihn gegen Schlachten und
Belagerungen. Er mußte in sein Glied tretten, und
mit seinen Mitsoldaten die Gefahr theilen, sobald
sich diese im Prospect zeigte; es mochte auf dem
Kampfplatz, oder in den Laufgräben, oder bey einem
Sturm seyn.

Ich kehre nun von diesen historischen Nachrichten,
der Aufbehaltung würdig, zu der Geschichte der Kriegsoperationen selbst zurück.

Die Franzosen eröffneten diesen Feldzug vom
Jahr 1760 mit 130,000 Mann, von denen 100,000
in Westphalen, und 30,000 am Rhein agiren sollten.
Broglio hofte dadurch die alliirte Macht zu trennen.
Die Ausführung seiner Entwürfe wurde jedoch durch
die geringe Unterwürsigkeit einiger vornehmen Befehlshaber sehr gehemmt, die mit des Marschalls rangwidri-
ger Beförderung sehr unzufrieden waren. Dies erzeugte
Unentschlossenheit, wodurch der Herzog Ferdinand Zeit
gewann, die Verstärkung der Brittischen Truppen
aus England über Embden an sich zu ziehn; so daß
allein die Brittische Armee unter seinem Commando
jetzt 20,000 Mann stark war.

Ferdinand wünschte nun die Franzosen anzugreifen, die Miene machten in Hannover einzudringen,
und setzte sich deshalb in Bewegung. Der Erbprinz
führte die Avantgarde, und stieß auf den Feind bey
Corbach. In der Meinung, es wäre bloß ein deta-
chirtes Corps, griff er es ohne Verzug an; allein dies
Corps hing mit der Französischen Hauptarmee zusammen, und wurde immer durch frische Truppen unterstützt; dagegen es dem Herzog Ferdinand nicht möglich
                                                    war

war, dem Erbprinzen zeitig genug zu Hülfe zu kommen. Es blieb diesem daher nichts als ein Rückzug
übrig, der mit vieler Ordnung geschahe. Die Französische Cavallerie wandte zwar alles an, ihn zu hindern; allein der Erbprinz setzte sich selbst an der Spitze
seiner Reuterey, und schlug die feindliche zurück. Die
Alliirten verlohren bey diesem Gefecht an Tobten,
Verwundeten und Gefangenen 800 Mann, und fünfzehn Canonen. Der Erbprinz selbst war verwundet,
und wurde ohnerachtet seines Verlusts, wegen seiner
großen Entschlossenheit und der weisen Maaßregeln,
womit er einer gänzlichen Niederlage zuvorkam, von
Freunden und Feinden gepriesen. Den 16ten July,
nicht länger als sieben Tage nach dem Treffen bey Corbach, griff er ein ander Französisches Corps bey Embs-
dorf an, das völlig geschlagen, und 2000 Mann zu
Gefangenen gemacht wurden; dabey erbeutete man
sechs Canonen, nebst einer Menge Bagage und Kriegsgeräthe.

Das Würtembergische Corps ging im Anfang dieses Feldzugs nach Hause, und wurde aus Französischen Diensten entlassen, weil der regierende Herzog
nicht dem Verlangen des Französischen Hofes gemäß
unter dem Commando des Sächsischen Prinzen Xaver
stehen wollte, der als Bruder der Dauphine einen
größern Einfluß zu Versailles als der Herzog hatte.
Die mißvergnügten Französischen Generals, der Graf
St. Germain, der Graf Luc, und der Marquis Voyer,
verließen nun auch die Armee, und entsagten dem
Dienst ihres Königs. Ihre Entfernung veranlaßte
viel Unordnung. Ferdinand wünschte diese zu benutzen,
und griff die kleinere Armee der Franzosen 35,000
Mann stark, die der Ritter May commandirte, bey
Warburg auf beiden Flanken, von vorne und im Rücken an. Das Treffen dauerte nicht lange; die Franzosen flohen, ließen 1500 Tobte auf dem Wahlplatz,
und 1600 Gefangene nebst zehn Canonen fielen den
Siegern in die Hände.   D 5   Der

Der Mangel an Festungen in Niedersachsen und Westphalen erzeugte hier eine große Lebhaftigkeit im kleinen Kriege, eine beständige Abwechslung bey den Eroberungen der Städte, und der Besitznehmung der Länder, die so schnell eingenommen, als wieder verlassen wurden. Bald waren die Franzosen Meister einer Provinz, die sie als ihr Eigenthum betrachteten, und daher Pächter aus Paris sandten, um sie nach ihrer Methode auszusaugen. Oft aber, ehe diese Pächter noch anlangten, war kein Dorf mehr von der zum Ruin geweihten Provinz in den Händen der Franzosen. Diese Französische Eroberungen machten daher wenig Eindruck, sie bestimmten gewöhnlich die Wahl der Alliirten, an welchem Ort man den Feind zuerst angreifen müsse. Jetzt ereignete sich eben ein solcher Vorfall. Während der Progressen der Hauptarmee war Minden, Cassel, Göttingen und Eimbeck weggenommen worden, und Hameln wurde mit einer Belagerung bedroht. Alles dieses aber war wegen Kürze der Dauer einem Traum ähnlich. Luckner erschien wenig Tage nachher, trieb die Eroberer zurück, und machte eine Menge Gefangene. Dagegen nahmen die Franzosen in Ziegenhayn auch 700 Alliirte gefangen; das Feldlazareth der Alliirten in Cassel fiel ihnen auch in die Hände, und sie machten Miene sich hier zu behaupten.

Broglio hatte eine ausserordentliche Uebermacht an Truppen, mit denen er aber wegen des herrschenden Mißvergnügens keine Schlacht wagen wollte; er verschanzte sich vielmehr nahe bey Cassel, und überließ es Ferdinand, durch streifende Parteyen die Unterhaltungsmittel der Franzosen zu schwächen, und ihre Magazine zu vernichten.

Die Engländer waren in dieser Zeit völlig Herren des Meers, und ihre Progressen in den andern Welttheilen gingen unaufhaltsam fort. Die Franzosen waren bey Quebeck total geschlagen worden, und ganz Canada war im Besitz der Sieger, die nun ihr Au-

gen-

genmerk auf die Französischen Inseln in West-
Indien richteten. Das Englische Cabinet, das
der große Pitt jetzt völlig beherrschte, beschloß
nun, wo möglich, den Krieg im Herzen Frankreichs zu führen. Diesem Entwurf zufolge wurde der
Erbprinz mit einem Corps nach Cleve geschickt, um
die Franzosen dort zu vertreiben. Er ging über den
Rhein, machte eine Menge Gefangene, und berennte
Wesel. Das anhaltende Regenwetter, wodurch die
Landstraßen ganz unwegsam wurden, und die Flüsse
anschwellten, hemmten aber seine Operationen sehr.
Dennoch wurden die Laufgräben vor dieser Festung den
10ten October geöffnet, und die Belagerung förmlich
angefangen. Die Wichtigkeit des Orts veranlaßte
Broglio die nachdrücklichsten Maaßregeln zu dessen
Entsatz zu nehmen. Der General Castries wurde mit einem starken Corps dazu abgeschickt, der nach forcirten
Märschen bey Rheineberg ankam. Ein Treffen war
nun unvermeidlich. Der Erbprinz griff den Feind lebhaft an, der nahe an einem Walde vortheilhaft postirt
stand. Man stritt von früh Morgens bis zum Abend
mit außerordentlichem Muth von beiden Seiten. Es
war jedoch den Alliirten nicht möglich, die Franzosen
aus dem Walde zu vertreiben. Alle Versuche schlugen
fehl. Der Erbprinz selbst schonte sich nicht; er wurde
abermals verwundet, und ein Pferd unterm Leibe erschossen. Die Alliirten zogen sich endlich mit der größten
Ordnung zurück, ohne vom Feinde verfolgt zu werden,
obgleich ihr Rückzug über die vom Strom zerrissene
Rheinbrücke gieng. Sie hatten einen vornehmen General, den Baron Wrangel, und einige hundert andre Französische Soldaten zu Gefangenen gemacht,
auch einige Canonen erbeutet. Das Treffen war blutig gewesen; die Alliirten zählten tausend Mann an
Todten, Verwundeten und Vermißten, und die Franzosen noch mehr. Nun wurde die Belagerung von
Wesel aufgehoben, und der Erbprinz lagerte sich bey
                                        Bruy-

Brunnen. Hier wurde abermals ein kleines Treffen geliefert, worin die Franzosen geschlagen wurden, und 1800 Mann verlohren.

Die Französische Hauptarmee stand indeß noch immer bey Cassel. Diese Truppen hatten auch Göttingen besetzt, verschanzt, und mit einer zahlreichen Garnison versehn. Ferdinand blokirte diese Stadt zwanzig Tage lang. Die Besatzung aber wehrte sich verzweifelt, und that den 12ten October einen wüthenden Ausfall, worauf die Belagerung aufgehoben wurde.

Man hielt hier jetzo den Feldzug für geendigt, allein Ferdinand war voll kühner Entwürfe, die er im tiefsten Winter ausführen wollte. Die Franzosen waren Meister von Hessen, und besaßen hier außerordentlich große Magazine. Ihre Armeen waren so postirt, daß sie einen ungeheuren halben Mond formirten, der sich von Göttingen bis Wesel erstreckte.

[1761] Es war am 11ten Februar 1761, als Ferdinand in vier Colonnen aufbrach, und die Französischen Quartiere von allen Seiten anfiel. Die Franzosen geriethen in die äußerste Bestürzung, und flohen ohne Stand zu halten. Sie ließen Cassel, Göttingen, Marpurg, kurz alle Plätze, die die stärksten Glieder ihrer großen Kette gewesen waren, hinter sich zurück. Cassel blieb mit 10,000 Mann, und Göttingen mit 7500 Mann besetzt. Die wenig befestigten Posten der Franzosen gingen einer nach dem andern vorlohren; sie vernichteten die Magazine, und flohen. Die Alliirten aber folgten ihnen so geschwinde auf dem Fuße nach, daß sie noch fünf große Magazine retteten. In einem derselben fanden sie 80,000 Mehlsäcke, 50,000 Säcke mit Haber, und eine Million Rationen Heu. Um die erlangten Vortheile auszudehnen, näherte sich der Hannöversche General Spörken mit einem Corps den Sächsischen Gränzen; seine Absicht war, sich hier mit

mit einem Preußischen Corps zu vereinigen. Die Sächsischen Truppen, in Verbindung mit den Reichstruppen, bemüheten sich aus allen Kräften, dieses zu verhindern. Es kam deshalb den 15ten Februar bey Langensalze zu einem blutigen Treffen, worin die Sachsen geschlagen wurden, und 5000 Mann verlohren. Die Folge dieses Sieges war, daß viele noch bis jetzt behauptete Posten auch verlassen wurden, und daß die Ueberläufer Schaarenweise ankamen. Alles dieses aber war nur von geringem Nutzen, so lange Cassel noch in Französischen Händen war. Die Belagerung dieser Stadt zeigte die größten Schwierigkeiten; sie war mit allem reichlich versehen; hiezu kam eine sehr zahlreiche Besatzung, und ein Befehlshaber voller Muth und Ehrgeiz. Dies war der Graf von Broglio Bruder des Französischen Heerführers.

Ferdinand postirte seine Armee, so daß er Marburg und Ziegenhayn blokiren, und die Belagerung von Cassel gegen alle Angriffe decken konnte, und nun wurden den 1sten März, mitten im Winter die Laufgräben geöffnet. Es war aber dem Heerführer Broglio zu viel an der Erhaltung dieses Orts gelegen: er zog daher alle seine Truppen am Niederrhein zusammen, rückte vorwärts, und fiel bey Stangerode den Erbprinzen an. Das Terrain war für die Franzosen vortheilhaft, und ihre Uebermacht entschied vollends den Sieg. Die Alliirten verlohren 2000 Mann, die zu Gefangenen gemacht wurden; dabey büßten sie zwölf Canonen und achtzehn Fahnen ein. Diesem Unfall folgten viele andre. Die Blokaden von Ziegenhayn und Marburg, endlich auch die Belagerung von Cassel wurden aufgehoben, und alle kürzlich in Besitz genommene Posten wieder verlassen. Ferdinand ging mit seiner Armee nach Paderborn, und die Franzosen waren nun von neuem Herren von ganz Hessen, und hatten einen offenen Weg ins Churfürstenthnm Hannover. Nichts hielt ihre fernern Operationen auf, als der Mangel

an

an Magazinen, deren Verlust nun von der größten
Wichtigkeit war. Beide Theile begnügten sich jetzt, in
ihren Winterquartieren ruhig zu bleiben.

Alle kriegführende Mächte zeigten eine Neigung
zum Frieden; allein ihre Forderungen dabey waren von
der Art, daß man nicht ernstlich daran arbeiten konnte.
Friedrich hatte indessen einen Verlust erlitten, der eine
ganze Provinz aufwog. Dies war Georg der Zweyte
König von England, der im October 1760 gestorben
war. Mit seinem Leben hörte der königliche Eifer auf,
den Krieg in Deutschland mit Nachdruck fortzuführen,
oder nach dem Ausdruck Pitts, America in Deutschland zu erobern. Die ganze Englische Nation, eh-
mals mit dem Landkriege nicht zufrieden, war jetzt
von dessen Nutzen überzeugt, und wünschte einstimmig die Fortsetzung. Pitt, der das Unterhaus beherrschte, war zwar noch am Ruder, seine Macht im
Cabinet aber nicht mehr die vorige. Er mußte solche
mit Lord Bute, dem Günstling des neuen Königs,
theilen; ein Minister, der aller Regierungsfähigkei-
ten beraubt, kein anderes Talent besaß, als das, sich
seinem Monarchen unentbehrlich zu machen, und ein
großes blühendes Reich von seiner Höhe herabzustür-
zen. Bute, der sein Unvermögen fühlte, das Staatsruder zu führen, und doch herrschen wollte, glaubte
im Frieden weniger Schwierigkeiten als bey äußerlichen
Unruhen zu finden; zudem hatte er Entwürfe zur
Ausdehnung der königlichen Gewalt, die im Kriege
nicht ausführbar waren. Sein Wunsch also war
Friede. Da aber alle andre Minister, das Parlament, und die ganze Nation entgegengesetzter Meinung waren, so durfte er die seinige noch nicht äußern.
Er arbeitete jedoch im Stillen, seinen Zweck zu erreichen. Die Wirkung zeigte sich bald. Der Tractat
mit Preußen wurde nicht erneuert, und Friedrich erhielt keine Subsidien mehr, obgleich Georg der Dritte
in seiner ersten Parlamentsrede feierlich versprochen hatte
die

die mit den Alliirten eingegangene Verbindungen zu erfüllen. Dies Versprechen erregte eine allgemeine Freude.
Das Parlament selbst äußerte solche in seiner Addresse
an den König, worinn die für Friedrich, von dem Senat
einer fremden Nation, so ehrenvolle Worte waren:
„Wir können die unerschütterliche Standhaftigkeit des
„Königs von Preußen, unsers Bundsgenossen, und die
„unerschöpflichen Hülfsmittel seines Geistes nicht genug
„bewundern. — Von ganzem Herzen, und ohne Ver-
„zug, bewilligen wir die Hülfsgelder zu seiner Unter-
„stützung. „ Bute aber wollte hievon nichts hören; erst
suchte man allerhand Ausflüchte, und endlich schlug man
die Bezahlung der Hülfsgelder geradezu ab.

Der König von Preußen vergaß in seinen Winterquartieren die Wissenschaften und Künste nicht. Er
widmete ihnen einen Theil seiner Zeit. Der Oberst
Quintus Icilius genoß seines täglichen Umgangs. Dieser gelehrte Officier, dessen Familien-Namen Guichard
war, besaß außerordentliche Kenntnisse in der alten und
neuen Litteratur, besonders hatte er die Tactik der Griechen und Römer studirt, und in seinen Schriften vortrefflich erläutert. Dieser Umstand erzeugte bey Friedrich die Idee, ihm den Namen eines Römischen Cen-
turio zu geben, den er auch mit ins Grab nahm. Da
der König nach der Torgauer Schlacht zum erstenmal
den Winter in Leipzig zubrachte, vermochte ihn Quintus
zu Unterredungen mit Professoren dieser Universität.
Die Vorurtheile Friedrichs gegen deutsche Gelehrte waren unbegränzt. Er würdigte keinen näher kennen zu
lernen, und las keine Bücher in seiner Muttersprache,
in der Voraussetzung, daß die deutsche Litteratur im
Jahr 1760 sich in eben dem Zustande wie 1730 befände;
einem Zeitpunct, wo der Hofnarr Gundling Präsident
der deutschen Academie der Wissenschaften in Berlin
war. Gottsched, den man damals als einen außerordentlichen Mann betrachtete, war am wenigsten dazu
geschickt, diese Vorurtheile zu besiegen, da er die Ehre
einer

einer Unterredung mit dem gekrönten Dichter hatte. Sein erworbener Ruhm bey seinen eingeschränkten Fähigkeiten, und sein gänzlicher Mangel an Witz und Geschmack, bestärkten vielmehr die vorgefaßte nachtheilige Meinung des Königs, und entschied sein Urtheil über diesen Gegenstand für sein ganzes übriges Leben. Friedrich ließ endlich, auf Quintus Anrathen den Professor Gellert zu sich kommen. Die gründlichen Kenntnisse dieses Gelehrten, sein guter Geschmack, und die Art seines Vortrags, setzten den König in Verwunderung, und erzeugten Lobsprüche, die den bescheidenen Gellert wahrhaft beschämten; *) selbst die Freymüthigkeit des Mannes, womit er dem Monarchen seine zu große Anhänglichkeit an die Franzosen, und seinen geringen Schutz der deutschen Litteratur vorwarf, mißfiel nicht. Es blieb jedoch nur bey e i n e r Unterredung, ohnerachtet der Erinnerung Friederichs, oft zu kommen; da Gellert, wie er in einem Briefe an Rabener sagt, die Lehre des Sirach: „dränge dich nicht zu den Königen," wörtlich befolgte.

Die so unerwartet entzogenen Brittischen Subsidien trugen vielleicht zu dem Entschluß Friedrichs nicht wenig bey, in dem nächsten Feldzug vertheidigungsweise zu verfahren. Die Oesterreicher, dieses von ihm ungewohnt betrachteten seine Behutsamkeit als eine Kriegslist, irgend einen großen Streich desto gewisser auszuführen, und gingen daher auch nicht angreifend zu Werke. Sie begnügten sich seine Bewegungen zu beobachten. Schlesien war immer noch das Hauptaugenmerk der Oesterreicher und Russen; der König marschirte also im Frühling dieses Jahrs dahin, und ließ den Prinzen Heinrich mit einer Armee in Sachsen zurück. In dieser Provinz blieb
auch

---

*) Der König, der, wie oben gesagt, die deutschen Gelehrten weder persönlich noch ihre Schriften kannte, bediente sich des Ausdrucks: C'est le plus raisonnable de tous le Savants Allemands.

auch Daun mit seiner Hauptarmee, und überließ es
Laudon, mit dem König sein Glück zu versuchen. Dieser Feldherr commandirte jetzt zum erstenmal eine große
Armee, womit er in Schlesien eindrang. Dabey sollte
seine Vereinigung mit der Hauptarmee der Russen, so
wie im vorigen Jahre, der Grund des Operationsplans
seyn. Der König gewann jedoch durch schnelle Märsche
den Vorsprung, und machte es den Russen, die aus
Pohlen gekommen waren, und gleichsam zum Zeitver-
treib Breslau von sieben Batterien beschossen, lange Zeit
unmöglich, über die Oder zu gehen. Es geschah erst
im August, und den 12ten dieses Monats erfolgte endlich
bey Striegau die so lange gewünschte, und seit vier Jahren vorbereitete Vereinigung. Der Oberbefehlshaber
der Russischen Armee war jetzt der Feldmarschall Butterlin; sein Heer war über 70,000 Mann, und das Oesterreichische 60,000 Mann stark. Friedrich hatte ihnen
nur 50,000 Mann entgegen zu setzen, und mit diesen
bezog er ein Lager bey Bunzelwitz, ohnweit Schweidnitz.
Die feindlichen Armeen umzingelten ihn hier, und formirten gleichsam einen halben Mond, so daß dem Könige blos
der Rücken frey blieb. Es waren kurz zuvor im Russischen
Hauptquatier zwey Wagen mit Gedächtnißmünzen an-
ge langt, die den Sieg bey Kunersdorf vorstellten, und
zu'm Andenken unter die Soldaten vertheilt wurden.
Friedrichs politische sowohl als seine militärische Lage war
in diesem Kriege oft höchst critisch gewesen; nie aber
war es die letzere mehr als jetzo. Eine Schlacht zu liefern, sonst sein bestes Hilfsmittel, wäre bey solcher
Uebermacht Verwegenheit gewesen. Selbst ein Sieg,
in seinem jetzigen Zustande so schwer zu erringen, konnte
nicht anders als sehr theuer erkauft werden, und wegen
der so zahlreichen feindlichen Heere nur wenig nützen;
dagegen eine Niederlage für den König die schrecklichsten
Folgen haben mußte. Er besann sich nicht lange, und
beschloß zum erstenmal in seinem Leben, eine Schlacht
sorgfältig zu vermeiden. Bey seiner Hauptarmee, dem

Kern seiner Kriegsmacht, war, besonders wenn er sich
an ihrer Spitze befand, nie von Verschanzungen die
Rede gewesen. Man war in seinen Lägern gewohnt,
blos dem Kriegsgebrauch gemäß, Erdhaufen für die Feldwachen der Infanterie aufzuwerfen, und Batterien für
das schwere Geschütz anzulegen; jetzo aber sollte das
ganze Lager verschanzt werden. Allein auch diese Handlung Friedrichs hatte das Gepräge des Außerordentlichen,
und wurde auf eine Art, und mit einer Geschwindigkeit ausgeführt, wovon man in der neuern Kriegsgeschichte kein Beyspiel findet.

Der Mittelpunct des Lagers war ungefähr eine
Meile von Schweidnitz. Der ganze Bezirk, wo die
Infanterie sich gelagert hatte, wurde jetzt zu einer Kette
von Linien; Verschanzungen mit tiefen Gräben, die
durch vier und zwanzig große Batterien an einander hingen; vor den Linien wurden Pallisaden eingerammt,
oder spanische Reuter gesteckt, und vor diesen noch drey
Reihen sechs Fuß tiefe Wolfsgruben. Eine iede Batterie hatte überdem zwey Flatterminen, oder mit Pulver, Kugeln und Haubitzgranaten gefüllte Gruben, die
in einer geringen Entfernung vor den Batterien angelegt
waren, und durch Röhren ins Innere derselben gingen.
Der König hatte auch noch an 150 Canonen aus
Schweidnitz genommen, um die Batterien zu verstärken.
So war das Lager bey Bunzelwitz beschaffen, das einer
Festung glich, und den Feinden die größten Hindernisse
zum Angriff entgegen stellte. War die Art der Befestigung bewunderungswürdig, so war es die Geschwindigkeit der Ausführung noch weit mehr; denn diese ungeheure, höchst mannigfaltige Arbeit, war das Werk von
drey Tagen. Die Hälfte der Armee arbeitete immer,
und die andre ruhete; und so ging es Tag und Nacht
ununterbrochen fort, bis alles fertig war. Wo die Verschanzungen am linken Flügel aufhörten, in einer großen
Ebene standen neunzig Escadrons Preußische Cavallerie, die begierig war, die von Seidlitz gelernten künstlichen

Neu-

Reuterey - Manövers auf diesem Terrain im vollem Lichte zu zeigen.

Es war gleich anfangs die Abscht der feindlichen
Feldherren, den König anzugreifen. Hierzu aber gehörte
ein Plan, und dieser konnte wegen entgegengesetzten
Meinungen, verschiedener sowohl politischer als militärischer Grundsätze zwischen den Oesterreichern und Russen,
mancher abweichenden Kriegsgebräuche, vieler Zweifel,
und mannigfaltiger Bedürfnisse, nicht in einem Tage
entworfen und geordnet werden. Friedrich benutzte diese
für ihn äußerst kostbare Zeit, und da die Zweifel seiner
Feinde gehoben, alles berichtigt, und die Heerführer
einstimmig zum Angriff entschlossen waren, so sahen sie
kein Preußisches Lager mehr, sondern eine Kette von
Festungswerken vor sich, die gleichsam wie durch Zaube-
rey aus der Erde hervorgegangen waren. Die Art diese
anzugreifen, oder vielmehr zu bestürmen, erfoderte neue
Entwürfe. Man mußte Ströme von Blut erwarten,
noch ehe man mit den Preußen im innern ihres Lagers
handgemein werden konnte. Die Muthigsten aller Heere
zagten bey dieser Unternehmung, die mehr als irgend
eine im ganzen Lauf des Kriegs entscheiden sollte.

Friedrich war indessen stündlich zur Schlacht bereit.
Bey Tage, wo man alle Bewegungen in den feindlichen
Lägern wahrnehmen konnte, mußten seine Soldaten ra-
sten; sobald aber die Abenddämmerung anbrach, wurden die Zelter abgebrochen, die ganze Bagage der Armee
unter die Canonen von Schweidnitz geschickt, und alle
Regimenter traten hinter ihren Verschanzungen ins Gewehr. So stand Infanterie, Cavallerie und Artillerie,
alle Nächte durch in Schlachtordnung. Der König befand sich gewöhnlich bey einer Hauptbatterie, wo ein
kleines Zelt für ihn geschlagen war. Seine ganze
Bagage wurde auch täglich alle Abend weggeschickt, und
des Morgens kam sie zurück. Erst nach Aufgang der
Sonne legten die Truppen ihre Waffen nieder, und schlugen ihr Lager wieder auf. Die Hitze war drückend, und,

   Brodt

Brodt ausgenommen, an Lebensmitteln großer Mangel. Die Soldaten hatten nichts zu kochen, und wurden der Quarantaine bey Wasser und Brodt höchst überdrüssig. Hiezu kam das Bedürfniß des Schlafs, das alle Tage dringender wurde. Die Kranken mehrten sich erstaunlich, und wurden immer Schaarenweise nach Schweidnitz gebracht. Das Mißvergnügen der Truppen bey der ganzen Armee war allgemein, und die Desertion würde sehr stark gewesen seyn, wenn die Linien bey Tage, und die Schlachtordnung in der Nacht nicht alles Außreißen unmöglich gemacht hätte. Dieser Umstand vermehrte die Unentschlossenheit der feindlichen Feldherren, und ihre Ungewißheit in Ansehung der Stärke und Schwäche der verschiedenen Lagerposten.

Der König erwartete alles von der Zeit und dem Hunger. Er selbst war von dieser Seite durch die reichlich gefüllten Magazine in Schweidnitz beruhigt, die es wenigstens an Brodt und Fourage nicht fehlen ließen. Der Mangel dieser nöthigsten aller Bedürfnisse aber konnte nicht lange bey den zahlreichen feindlichen Heeren ausbleiben, die in einem kleinen Bezirk zwischen Bergen eingeschränkt, unmöglich fortdaurenden Unterhalt finden konnten. Der Scheffel Korn war bis auf fünfzehn Reichsthaler gestiegen, und doch mußten die Einwohner den Kauf zu diesem hohen Preise als einen Gewinn ansehen. Den Russen wurde diese Noth zuerst unerträglich. Hiezu kam, daß der Preußische General Platten, den der König mit 7000 Mann den Russen in den Rücken geschickt hatte, einen Russischen Transport von 5000 Wagen weggenommen, die 4000 Mann starke Bedeckung geschlagen, 1900 Mann Gefangene gemacht, und drey ihrer größten Magazine zerstört hatte, dabey wurde selbst ihr Hauptmagazin in Posen von ihm bedroht. Nun schien es ihnen die höchste Zeit, abzuziehen. Nachdem man zwanzig Tage lang immer Entwürfe gemacht, und wieder verworfen hatte; nachdem die vereinigten Armeen zweymal zum Angriff früh Morgens ausgerückt, und sodann ohne Versuch wieder in die Läger eingerückt waren,

so

so wurden alle Plane aufgegeben, und Butterlin mar⸗
schirte mit der russischen Armee ab, ging den 13ten
Septemter über die Oder, und ließ Czernichef mit
20,000 Mann bey dem Osterreichischen Heere zurück.

Die Nachricht von dem Abzug der Russen erregte
einen Jubel im Preußischen Lager. Man frolockte als
ob man den herrlichsten Sieg erfochten hätte. Obgleich
Laudons Heer immer noch weit stärker, als das königliche
war, so hörten dennoch alle Vertheidigungsmaaßregeln der
Preußen mit einmal auf. Kein Lager wurde des Abends
mehr abgebrochen; keine Bagage wurde mehr wegge⸗
sandt; es geschah kein nächtliches Ausrücken mehr; die
Schweidnitzer Canonen wurden zurück in die Festung
gebracht; die Flatterminen ausgeleert; die Wolfsgruben
zugeworfen; die spanischen Reuter verbrannt, und ein
großer Theil der Verschanzungen eingerissen; dabey war
die Communication mit dem platten Lande wieder of⸗
fen, und das preußische Lager wurde jetzt mit allen
Nothwendigkeiten reichlich versehen.

Friedrich blieb nicht länger in dieser Stellung, als
vierzehn Tage nach dem Abmarsch der Russen; er sah
den Feldzug noch nicht als geendigt an, und wünschte
ihn noch durch Thaten auszuzeichnen. Laudon stand in
einem festen Lager, und bezeugte keine Lust zu schlagen.
Der König glaubte ihn durch drohende Märsche daraus
zu entfernen, und nach Böhmen zu treiben, oder auch
eine vortheilhafte Gelegenheit zur Schlacht zu finden.
Diesem Entwurf zufolge brach er aus seinem Lager auf,
und entfernte sich zwey Tagemärsche von Schweidnitz.

Diese Festung war, so wie alle Preußische Festun⸗
gen, nur schwach besetzt, und überdem bestand ein großer
Theil der Besatzung aus Ueberläufern und andern sehr
unzuverlässigen Leuten. Der Ort selbst, obgleich so oft
belagert, und durch mancherley Kriegsscenen berühmt,
war nichts weniger als eine Hauptfestung. Der Com⸗
mandant aber, General Zastrow, schien durch seine Er⸗
fahrung, Klugheit und Kriegswissenschaft diese Mängel

P 3

zu

zu erſetzen. Zudem war jetzo, da ſich der König in der Nähe befand, keine Belagerung denkbar. Auch war Laudon weit von dieſem Gedanken entfernt; allein zu einer Ueberrumpelung machte er die zweckmäßigſten Anſtalten. Erzniſchef bot dazu ſein ganzes Corps an, davon aber nur 800 Ruſſiſche Grenadiers angenommen wurden. Das Geheimnißvolle der Vorbereitungen, die Kenntniß der Lebensweiſe des Commandanten, der ein großer Freund der Tafelfreuden war, und die ſehr ſchwache Beſatzung, alles dieſes ſicherte den Anſchlag. Es waren 240 Stücken Geſchütz in der Feſtung, allein nur 191 Artilleriſten. Zaſtrow ahndete nichts; und war ſo über alle Vorſtellung unbeſorgt, daß er nur ſelten Reuter ausſchickte, die Bewegungen des Feindes auszuſpähen. Laudon hatte daher die beſte Gelegenheit, alles ungeſtört und unbeobachtet anzuordnen. Er ließ erſt die Feſtung durch leichte Truppen umringen, und den 1ſten October durch Croaten einen falſchen Angriff machen, während welchen zwanzig Bataillons, in vier Colonnen vertheilt, mit Sturmleitern und Faſchinen anrückten, und ohne bemerkt zu werden, an vier verſchiedenen Orten der Außenwerke um drey Uhr nach Mitternacht anlangten. Hier verweilten ſie nicht lange; ſie ſtürzten in den bedeckten Weg, drangen in die Außenwerke, vertrieben die Beſatzung, oder hieben ſie nieder, richteten die eroberten Preußiſchen Canonen auf die Feſtung, und nun ſtürmten ſie den Hauptwall.

Man hatte rathſam befunden, durch Brandwein den Muth der ſtürmenden zu beleben; daher achteten ſie keine Gefahr. Die Ruſſen beſonders drangen in unordentlichen Haufen wie unſinnig vor. Sie kamen in der Finſterniß an eine ausgehöhlte Tiefe in den Werken; die Zugbrücke war abgebrochen. Man hatte an dieſem Orte keine Hinderniſſe erwartet. Die Vorderſten machten Halt, und riefen nach Leitern und Faſchinen; einigen Ruſſiſchen Befehlshabern aber ſchien dieſes zu weitläuftig; ſie glaubten dieſe Tiefe eben ſowohl

mit

mit Menschen anfüllen zu können, und trieben die Hin=
tersten an, vorwärts zu drücken. Die Unglücklichen,
die sich an der Spitze befanden, wurden nun durch die
große andringende Gewalt in den Abgrund gestürzt,
und so maschirten die Folgenden über ihre Leiber weg.
Die Russen hieben alles nieder, was ihnen vorkam.
Auf einer Bastion, die beynahe erstiegen war, rief man
am Pardon; der Gegenruf der wüthenden Russen war:
„Nichts Pardon!„ Ein Preußischer Artillerist wollte
in dieser Lage nicht ungerochen sterben: er zündete ein
Pulvermagazin an, wodurch er sich mit einer Anzahl
Preußen und 300 Feinde in die Luft sprengte. Den
letzten Angriff that der Commandeur des Laudonschen
Regiments, Graf von Wallis, auf ein Haupt = Fort,
das von den Preußen auf das tapferste vertheidigt
wurde. Zweymal wurden die Oesterreicher zurückgetrie=
ben. Wallis aber rief ihnen zu: „Wir müssen die Fe=
„ stung ersteigen, oder ich will hier umkommen. Ich
„ habe dies unserm Chef versprochen. Unser Regiment
„ führet seinen Namen. Laßt uns also siegen oder ster=
„ ben. „ Diese Anrede that Wunder. Die Officiers
trugen selbst die Leitern herbey und nun wurde das Fort
mit Kriegswuth erstiegen. Bey der ganzen Unterneh=
mung gebrauchten die Oesterreicher keine Canonen, bis
sie die Preußischen in der Festung erobert hatten. Bis
dahin waren ihre Waffen das Baionet und der Säbel.

Nach einem dreystündigen Sturm, mit Anbruch
des Tages, war die Festung Schweidnitz erobert, und
befand sich nebst der 3000 Mann starken Besatzung mit
allen Arsenälen und Magazinen, ohne vorhergegangene
Belagerung und ohne alle Capitulation, in den Händen
von Preußens Feinden. Laudon, um seine Soldaten
von der Plünderung abzuhalten, hatte ihnen statt der
Beute 100,000 Gulden versprochen, wodurch der großen
Unordnung zum Theil gesteuert wurde. Die Plünde=
rung dauerte nur einige Stunden. Die Wallonischen
Grenadiers nahmen daran keinen Theil. Selbst Lau=

dons Versprechen der Entschädigungsgelder hatte für sie
keinen Reiz. Sie riefen einmüthig: „Führen Sie uns
„ nur an, um Ruhm zu erwerben, wir brauchen kein
„ Geld. „ Der Commandant Zastrow war sinnreich genug, sich gegen seinen Monarchen zu rechtfertigen, und
auf eine gute Vertheidigung zu berufen. Friedrich antwortete, daß ihm der Vorfall ein Räthsel wäre, und
daß er sein Urtheil verschieben wollte. Er hatte wahrscheinlich seine Ursachen, nach geendigtem Kriege diesen
General nicht vor ein Kriegsgericht zu ziehen, und begnügte sich, ihn seines Dienstes zu entlassen.

Laudon hatte jetzt den Oesterreichischen Waffen wieder einen höchst wichtigen Vortheil errungen. Durch die
Eroberung von Schweidnitz waren die Oestereicher nach
sechs blutigen Feldzügen zum erstenmal in Stand gesetzt,
Winterquartiere in Schlesien zu machen. Die Belohnung des Feldherrn war aber keinesweges der Größe des
Dienstes angemessen. Undank war sein Lohn, und eine
förmliche Bestrafung wäre erfolgt, wenn nicht der Kaiser Franz und der alte Fürst Wenzel von Lichtenstein, den
die Kaiserin wie einen Vater ehrte, ihn mit ihrem ganzen Einfluß geschützt hätten. Diese mächtigen Gönner,
für die Ehre ihres Hofes besorgt, gingen noch weiter;
sie bewirkten, um durch solche nichtswürdige Hofcabalen
nicht dem ganzen Europa Stoff zum Gespötte zu geben,
daß Laudon von der Kaiserin nicht allein einen gnädigen
Brief, sondern auch Geschenke erhielt. Das Vorge-
fallene wurde ihm jedoch nicht verziehn. Sein Verbrechen war: eine so wichtige Sache ohne Anfrage, und
ohne Erlaubniß des Hofkriegsraths in Wien, unternommen zu haben; eine Formalität, die wahrscheinlich durch
die damit verknüpfte Verzögerung den ganzen Entwurf
vernichtet hätte.

Die überaus schleunige Beförderung Laudons zu
den höchsten Kriegswürden, und zwar ohne alle Ränke
und Hofgunst, blos wegen persönlicher Verdienste, und
dieses in einem Lande wie Oesterreich, war ein in unserm

serm Jahrhundert noch nicht erlebtes Beyspiel. Der
Croaten - Major Laudon, der noch im Jahre 1757 um
die Ausfertigung der kaiserlichen Befehle bey den Schrei-
bern der Oesterreichischen Dicasterien demüthig sollici-
tiren und ihre Bequemlichkeit abwarten mußte, wurde
im Jahre 1761 von ganz Europa als die größte Stütze
von Theresiens Thron betrachtet, und war es auch im
eigentlichen Verstande. Er war es, der den Plan des
Ueberfalls bey Hochkirch entwarf. Er hatte durch die
Wegnahme des großen Preußischen Transports in Mähren Olmütz gerettet. Er hatte das Fouquetsche Corps
geschlagen, und diesen großen General gefangen genommen. Er hatte Glatz erobert. Er, und nicht Soltikow, hatte den König bey Kunersdorf geschlagen; viele
andre große, obgleich minderwichtige Vortheile, hatten
ihm die Oesterreicher zu verdanken, und jetzt hatte er
Schweidnitz erobert.

Die großen Kriegstalente dieses Heerführers schienen jedoch von dem Glück zu Friedrichs Vortheil bestimmt zu seyn. Laudon war vor dem Kriege in Berlin,
und wünschte Preußischer Hauptmann zu werden. Der
König schlug das Gesuch ab, und nun entfernte sich aus
seinen Staaten ein dem Anschein nach sehr unbedeutender Mann, der aber vom Schicksal ausersehn war, auf
den ganzen Krieg den größten Einfluß zu haben. War
Laudon nicht bey Theresiens Heeren, so hätte man nicht
sieben Feldzüge durch gekämpft, und alle Kriegsoperationen Friedrichs nebst ihren Folgen wären ganz anders gewesen. Den Entwurf zur Ueberrumpelung von Schweidnitz hatte er dem Kaiser mitgetheilt, und zugleich die
Schwierigkeiten dargelegt, die zögernde Formalitäten
bey einer solchen Unternehmung erzeugen würden. Nichts
konnte den glücklichen Erfolg sichern, als die Geschwindigkeit der Ausführung. Des Königs Operationen waren ungewiß, und die geringste Entdeckung des Geheim-
nisses machte den Versuch ganz unmöglich. In dieser
Lage nahm es der Kaiser auf sich, ihn bey seiner Ge-

P 5

mahlin

mahlin zu vertreten; und er war es auch, der ihr die erste Nachricht von einem Glücksfall brachte, der mehr als eine gewonnene Schlacht werth war. Theresia, ungewohnt durch diesen Canal Kriegsnachrichten zu erhalten, und auf ihre Autorität höchst eifersüchtig, bezeugte in den ersten Augenblicken keine Freude darüber. Sie war aufgebracht, und der hintangesetzte Hofkriegsrath flammte ihren Zorn noch mehr an. Keine Gründe wurden angehört, und Laudon wäre ohne die Edelmuth Franzens und Lichtensteins verlohren gewesen.

Die so unerwartete Neuigkeit von dem Verlust von Schweidnitz setzte die Armee des Königs von Preußen in die äußerste Bestürzung. Kein Vorfall, kein Unglück in dem ganzen Kriege, hatte eine so starke Wirkung auf die muthvollen Preußen. Man hatte jetzt alle Früchte eines ehrenvollen höchst mühseligen Feldzugs auf einmal eingebüßt, und man befürchtete nicht ohne Grund die Last einer neuen Winter-Campagne. In jedem Fall war eine langwierige Belagerung gewiß zu erwarten. Hiezu kamen schreckliche Nachrichten aus Pommern. Die Aussichten in die Zukunft wurden immer trüber. Dieser muthlose Zustand aber dauerte nicht lange. Die Standhaftigkeit Friedrichs belebte sein ganzes Heer. Er versammelte die vornehmsten Officiers, meldete ihnen selbst seine Unfälle und seine Hoffnungen, und stellte es jedem frey, der hoffnungslos seinen Dienst verlassen wollte. Keiner nutzte dieses Anerbieten, und alle fühlten neue Kräfte. Nie wünschte der König und seine Armee so sehnlich eine Schlacht. Laudon aber, mit seinem Glücke zufrieden, obgleich sonst gern zum Kampf bereit, gab jetzt keine Gelegenheit dazu; er blieb in seinem Lager bey Freiburg, wobey er mit Sachsen, Böhmen und Mähren Gemeinschaft behielt. Der König hingegen verlegte seine Truppen in die Cantonnirungsquartiere, und nahm in Strehlen an der Ohlau sein Hauptquartier.

Hier war es, wo ihm durch Verrätherey ein außerordentliches Unglück bevorstand. Der Baron Warkotsch,

ein

ein Schlesischer Edelmann, der in der Nähe von Strehlen Güter besaß, hatte dem König im Hauptquartier
aufgewartet, und an seiner Tafel gespeist. Diese gute
Aufnahme konnte jedoch nicht den bösen Anschlag unter-
drücken, den die Sorglosigkeit Friedrichs in Rücksicht auf
seine persönliche Sicherheit erzeugte. Nichts war leichter, als ihn hier in der Nacht aufzuheben. Sein Quartier war außerhalb den Stadtmauern von Strehlen, und
seine ganze Bedeckung daselbst eine Compagnie Grenadiers, von denen nur dreyßig Mann die Wache hatten.
In der Stadt selbst lagen 6000 Mann; allein auf ihren
Beystand war bey einer raschen Ausführung, zumal in
der Dunkelheit der Nacht, gar nicht zu rechnen. Ein
nahgelegener Wald begünstigte die Unternehmung außerordentlich. Es war dazu nur ein Trupp wohlberittener
Husaren und ein entschlossener Anführer erforderlich.
Noch ehe man in der Stadt hätte zu den Waffen greiffen
können, wäre der König gefangen und entfernt gewesen.
Der Wald, der zu Laudons Heer führte, hätte allen
Versuchen der Preußen, ihren Monarchen zu befreyen,
ein Ziel gesetzt. Warkotsch sahe dieses vollkommen ein;
er schmiedete daher einen Entwurf, und theilte ihn einem Oesterreichischen General mit. Man versprach dem
Verräther eine Belohnung von 100,000 Ducaten. Ein
Priester, Namens Schmidt, war die Mittelsperson, und
auch an ihn wurden die Briefe bestellt. Der Fanatismus hatte jedoch keinen Antheil an diesem Verbrechen;
denn Warkotsch war lutherischer Religion. Ein Jäger,
in seinem Dienst stehend, war hiebey immer der Bote.
Diesem Menschen aber schien aus verschiedenen Gründen der Briefwechsel verdächtig. Endlich eröffnete er
einen Brief, der den ganzen Plan enthielt, und den er
sogleich zum Könige brachte.

Auf diese Weise entging Friedrich der größten Ge-
fahr, die noch je über seinem Haupt geschwebt hatte.
Warkotsch und sein Spießgesell, der Priester, fanden
Mittel zu entkommen, da ein abgeschickter Offizier eben

im Begriff war sie gefangen wegzuführen. Die Güter
des Verräthers wurden eingezogen, und er nebst dem
Priester im Bildniß geviertheilt. Als dem König das
Urtheil zur Unterzeichnung vorgelegt wurde, sagte er
scherzend: „ das mag immer geschehen; denn die Por-
„traits werden vermuthlich eben so wenig taugen, als
„ die Originale selbst.„ Bald nach diesem Vorfall bezog der König die Winterquartiere längs der Oder von
Brieg bis Glogau, und nahm das seinige in Breslau.

Während der Zeit, daß diese Auftritte in Schlesien
geschahen, hatten die Russen ihre große Uebermacht in
Pommern benutzt. Der General Tottleben, dessen
Treue wegen der gelinden Behandlung Berlins verdächtig geworden war, wurde in Verhaft genommen, und
nach Petersburg geschickt. Romanzow erhielt nun den
Auftrag, Colberg abermals zu belagern. Er näherte
sich der Festung im August mit einem ansehnlichen Corps.
Eine Russische Flotte von ein und zwanzig Linienschiffen,
drey Fregatten und drey Bombardier-Galiotten, unter
Anführung des Admirals Mischakow, kam aus Cron-
stadt, mit welcher sich eine Schwedische Escadre von
sechs Linienschiffen und zwey Fregatten vereinigte, um
diese dritte Belagerung eines nicht sehr beträchtlichen
Orts mit aller Macht zu unterstützen. Der Besitz desselben war jedoch für die Russen äußerst wichtig, weil sie
dadurch festen Fuß in Pommern zu erhalten hofften.
Der Preußische General, Prinz von Würtemberg, suchte
dieses aus allen Kräften zu verhindern. Er verschanzte
sich mit 6000 Mann unter den Canonen von Colberg.
Romanzow mußte also die Laufgräben zuerst gegen dies
verschanzte Lager aufführen. Man beschoß dieses sowohl
als die Festung mit der größten Lebhaftigkeit. Die Gegenwehr war eben so nachdrücklich. Der Prinz von
Würtemberg im Lager, und der tapfere Commandant
Heyden innerhalb der Festung, machten durch ihre vortreflichen Anstalten den Feinden jeden Fußbreit Erde
streitig. Das Bombardement ging von der Land- und
See-

Seeseite ununterbrochen fort; nur wenige Stunden des Tages wurde innegehalten. Ein Sturm wüthete unter den vereinigten Flotten im Anfang des Octobers. Ein Russisches Linienschiff scheiterte, und sank mit der ganzen Besatzung in den Abgrund des Meeres; ein Hospital Schiff gerieth in Brand, und wurde von den Flammen verzehrt. Nun eilten die Flotten von den Pommerschen Küsten weg, und die Belagerten konnten nun zu Wasser aus Stettin Lebensmittel erhalten, woran es in der Festung schon anfing zu fehlen.

Die Russen hatten eine Hauptschanze erobert, die den Preußen von der äußersten Wichtigkeit war, daher sie nach einem sehr lebhaften Gefecht wieder von ihnen weggenommen wurde. Romanzow wollte den Besitz abermals erkämpfen. Hieraus entstand ein mörderisches Treffen, das viertehalb Stunden zum größten Nachtheil der Russen dauerte, die über 3000 Mann verlohren, und abziehen mußten.

Der Winter näherte sich, und mit ihm häuften sich die Schwierigkeiten bey den Russen. Romanzow setzte jedoch die Belagerung muthig fort. Er erhielt eine große Verstärkung von Butterlin, der nach dem Abzuge aus Schlesien sich auch nach Pommern gewandt hatte. Auch der Prinz von Würtemberg wurde durch den General Platen verstärkt, und der Preußische General Knobloch mit 2000 Mann nach Treptow geschickt, um die Proviant-Transporte nach Colberg zu decken. Diese Verfügungen, so klein im Verhältniß gegen die Operationen so zahlreicher Feinde, war alles, was Friedrich in seiner jetzigen Lage zur Rettung des Orts veranstalten konnte. Nie verführen die Russen in diesem Kriege mit größerm Eifer, als jetzt. Knobloch wurde von 8000 Mann in Treptow angegriffen; er vertheidigte sich in diesem offnen Ort, der kaum Mauern hatte, und ohne Lebensmittel war, fünf Tage lang; endlich aber mußte er sich mit 2000 Mann zu Kriegsgefangenen ergeben. Das Bedeckungscorps unter den Canonen von Colberg erschwerte

schwerte den Unterhalt der Besatzung, und war überdem
bey der täglich wachsenden Macht der Feinde ein schwa-
cher Schutz für die Festung. Man hatte größere Wahrscheinlichkeit, ihr durch Operationen im Felde nützlich zu
seyn. Der Prinz von Würtemberg sowohl als Platen
verließen daher das verschanzte Lager, und zogen sich
nach Stettin.

Alles wurde nun versucht Colberg mit Proviant zu
versehen. Heyden mit seiner schwachen Besatzung achtete
wenig auf das zahlreiche Belagerungsheer; seine
Wünsche waren nur allein auf B r o d t gerichtet. Der
Mangel daran wurde immer größer, und die Soldaten
sowohl als die bewaffnete Bürger erhielten anstatt der
gewöhnlichen zwey Pfund, nur täglich ein Pfund Brodt.
Dennoch wollten sie von keiner Uebergabe hören. Heyden, der bey Romanzows Aufforderung sie um ihre Meinung befragte, erhielt zur Antwort: „Wir wollen uns
„wehren, so lange Pulver und Brodt da ist.„ Platen
setzte sich in Bewegung, diese so nöthigen Bedürfnisse
der Festung zuzuführen; allein er verlohr einen Theil
des Transports, und wurde nach Stettin zurückgetrieben. Der Prinz von Würtemberg versuchte auch
sich dem belagerten Orte zu nähern, allein es war ihm
wegen der feindlichen Uebermacht unmöglich durchzukom-
men; auch kleine Transporte waren nicht hereinzubrin-
gen, da der Russische General Berg mit einem starken
Corps die Gemeinschaft zwischen Stettin und Colberg
gänzlich gesperrt hatte; desgleichen war ein Fort in den
Händen der Russen, das den Hafen von Colberg commandirte, wodurch auch alle Hülfe von der Seeseite abgeschnitten wurde. Werner, der diese Festung im vorigen Jahre so muthig entsetzt, und in dieser Gegend gewohnt war den Meister zu spielen, hatte das Unglück
gehabt, in einem großen Scharmützel von den Russen
gefangen zu werden. Er war von dem Prinzen von
Würtemberg mit einem Corps abgeschickt, den Russen
in den Rücken zu kommen, ihre Magazine zu verheeren
und

und die Zufahr abzuschneiden. Werner, der keine Furcht
kannte, unterließ die nöthige Behutsamkeit; er befolgte
die erhaltenen Instructionen nicht genau, zerstreute seine
Truppen, und fiel nach einer verzweifelten Gegenwehr
unter den Streichen eines sehr überlegenen Feindes. Es
blieb den Belagerten also gar keine Hoffnung mehr übrig;
da jedoch Heyden noch etwas Brodt hatte; so setzte er
seine Vertheidigung fort. Den Russen fehlte es an
nichts, da man sie zu Wasser mit allem versorgte. Es
war im December, und fror hart. Der Commandant
ließ die Mauern mit Wasser begießen, die durch den
Frost spiegelglatt wurden. Die Russen stürmten, allein
es war ihnen unmöglich die Wälle zu ersteigen. Jeder
Sturm wurde mit großem Verlust abgeschlagen. Endlich war der übrige Vorrath von Brodt völlig aufgezehrt,
und der durch Feuer und Kugeln unüberwindliche Heyden wurde nun durch Hunger gezwungen, sich den 16 ten
December nach einer viermonatlichen sehr merkwürdigen
Belagerung zu ergeben.

Nach der Eroberung von Colberg war diese thatenvolle
Pommersche Campagne geendigt, in welcher die Preußischen
Feldherren trotz des widrigen Glücks großen Ruhm einernd-
teten. Der Prinz von Würtemberg ging nun nach Mecklenburg, und Platen stieß mit seinem Corps in Sachsen zum
Prinzen Heinrich, der sich den ganzen Feldzug durch gegen
die große Oesterreichische Armee unter Daun, und gegen
die Reichsarmee in dieser Provinz behauptet hatte; und
nun machten die Russen zum erstenmal Winterquartiere
in Pommern und in der Neumark, so wie die Oesterreicher in Schlesien. Der Verlust von Colberg und von
Schweidnitz in einem so kurzen Zeitraum war daher für
den König ein sehr großes Unglück Alle Kriegsbedürfnisse und Lebensmittel für die Russischen Heere in Pommern konnten jetzo leicht zur See herbeygeführt werden,
und die Oesterreicher hatten nun in Schlesien festen Fuß.
Die Feinde jetzt aus diesen Provinzen zu vertreiben, erforderte viel Blut, viel Zeit, und noch mehr Glück.
Es waren hiezu mehr Kräfte als jemals vonnöthen. Wo

aber

aber sollten diese gefunden werden? Die alten Solda=
ten lagen auf den Schlachtfeldern eingescharrt. Die
Einkünfte aus dem größten Theil der Preußischen Staa=
ten blieben entweder ganz aus, oder waren doch sehr
geschwächt; die noch übrigen Sächsischen Quellen singen
auch an zu versiegen; die Englischen Hülfsgelder wur=
den nicht mehr bezahlt; Dresden und ein Theil von
Sachsen war in Oesterreichischen Händen, und alle feind=
liche Heere in der besten Verfassung, weiter um sich zu
greifen. Der König befand sich in einer üblern Lage,
als ie am Schluß eines Feldzugs, ohne einmal eine
Schlacht verlohren zu haben. Der fortdaurende Muth
seiner Truppen, der ungeschwächte Eifer und die rastlose
Thätigkeit seiner erfahrnen Feldherren, eine noch nicht er=
schöpfte Schatzkammer, und ein Geist voller Hülfsquel=
len, machten iedoch diese Unfälle erträglich. Man hatte
viel gewonnen, da man die Hoffnung nicht verlohren
hatte. War aber diese gleich das Loos Friedrichs und
seines Heers, so dachten doch seine Bundsgenossen und
seine Anhänger inn = und außerhalb Deutschland ganz
anders. Man zitterte vor dem Fall des Mächtigsten un=
ter den deutschen protestantischen Fürsten, des bisher so
furchtbar gewesenen Rivals der Oesterreichischen Monar=
chie: so entschlossen als fähig, die Rechte mindermächti=
ger Reichsstände gegen die unbefugte Ausdehnung der
kaiserlichen Gewalt zu beschützen, die protestantische Re=
ligion im Reich gegen den Fanatismus zu beschirmen, und
die Staatsverfassung Germaniens aufrecht zu erhalten.

In dieser für den König von Preußen so schreckli=
chen Lage schwebte ihm noch ein Unglück über dem Haupt,
größer wie alle, und das er nicht einmal ahndete. In
Magdeburg befanden sich damals eine ungeheure Menge
Gefangene von so vielen Nationen: Oesterreicher, Rus=
sen, Franzosen, Sachsen, Schweden und Reichsvölker.
Es war die Hauptfestung der Preußischen Staaten.
Hier wurde der königliche Schatz, das Problem so vie=
ler lebenden Staatsmänner und der Nachwelt, desglei=
chen das Archiv der Preußischen Monarchie aufbewahrt;
                                                    hier

hier hatte die königliche Familie nebst vielen Vornehmen
des Landes ihren Aufenthalt; hier war das große Kriegs-
magazin Friedrichs, und der Mittelpunct seiner Macht;
und eine Menge Kostbarkeiten waren hier von Privatpersonen aus allen Preußischen Provinzen in Sicherheit
gebracht. Die neuere Geschichte liefert kein Beyspiel,
daß mit der Behauptung oder dem Verlust einer einzigen Stadt das Schicksal einer ganzen Monarchie ver-
knüpft gewesen wäre. Magdeburg verlohren, und alle
Triumphe im Felde waren vergebens erfochten, und der
Krieg zu Ende. Diese Festung war jedoch nicht nach
dem Verhältniß ihrer großen Wichtigkeit besetzt. Die
Besatzung bestand aus einigen tausend Mann. Es waren theils Landskinder, theils Ausländer, theils Ueberläufer. Indessen war eine Belagerung wegen der dazu
nöthigen großen Anstalten, wegen der wahrscheinlichen
Dauer, und wegen der Preußischen Heere im Felde,
nicht ausführbar. Friedrich hätte Sachsen, Schlesien,
ja alles preisgegeben, um Magdeburg zu retten. und die
zahlreichsten Belagerungs-Armeen wären, verschanzt oder
unverschanzt, unter den Mauern dieser Festung mit Wuth
angegriffen worden. Die Gewißheit einer solchen nach-
drucksvollen Operation, wendete jeden Belagerungsver-
such ab; und der König blieb wegen Magdeburg ganz
unbesorgt.

Was aber durch äußere Gewalt nicht thunlich war,
konnte durch Verrätherey ausgeführt werden, und zu
dieser wurde mehr als Ein Entwurf gemacht. Friedrich
hatte keinen Gedanken von einer hier möglichen Gefahr,
als der von ihm verfolgte Kaiserliche Rittmeister Trenk,
im scheuslichsten Kerker unter der Last seiner Ketten
auf Mittel sann, Magdeburg zu überrumpeln; und es
fehlte wenig, so wäre das Schicksal eines Monarchen,
den die größten Mächte Europens mit Anstrengung aller
ihrer Kräfte nicht bezwingen konnten, von einem der nahen Verwesung geweiheten, in Eisen geschmiedeten Manne
bestimmt worden; der auf seinem Leichensteine ruhend,
sehr verschimmeltes Commißbrodt aß, allein dennoch die

Rechte der gekränkten Menschheit tief fühlte, und nichts als Freyheit und Rache athmete. Glücklicherweise für den König unterblieb der kühne Versuch.

Da alle großen Mächte in Europa Friedrichs Untergang beschlossen hatten, und der König von England, der einzige mächtige Bundsgenosse, seinen Zustand mit Gleichgültigkeit betrachtete, so wandte er sein Augenmerk auf Asien, und versuchte durch Unterhändler, sowol den Großsultan als den Tatar-Chan zu Einfällen in Ungarn und Rußland zu bewegen. Der Ruf von Friedrichs Thaten war bis in jenen Welttheil gedrungen und sein Name wurde am schwarzen Meer, und an der Chinesischen Mauer, so wie am Ganges mit Ehrfurcht genannt. Die Morgenländischen Völker, mit der Geographie unbekannt, waren in Erstaunen verlohren, daß ein Fürst, dessen Existenz nie zu ihren Ohren gekommen war, den mächtigsten Nationen der westlichen Welt in einer Reihe von Jahren durch die Waffen Widerstand that, und nicht überwältigt werden konnte. Die Türken schüttelten am meisten die Köpfe. Sie kannten die furchtbare Macht der deutschen Sultanin, die gewaltigen Kräfte des Russischen Reichs, und von den Kriegstalenten der Schweden hatten sie die höchsten Begriffe.*) Wie alle diese, vereinigt mit dem mächtigen Französischen Sultan, nicht fähig wären, einen kleinen König zu unteriochen, dieses war ihnen ein unerklärbares Räthsel. Die Gesandten der kriegführenden Höfe, die in Constantinopel von den Türken darum befragt wurden, schoben die Schuld aufs Glück. Die Muselmänner aber waren damit nicht befriedigt; ihre Hochachtung für den König von Preußen wuchs, und die Ottomannische Pforte würde, durch eigne Staatsvortheile angefeuert, da der Waffenstillstand mit Oesterreich zu Ende ging, im Jahre 1761

*) Achmet Effendi, türkischer Gesandte am Berliner Hofe im Jahre 1764, frug einen Preußischen Officier, ob im siebenjährigen Kriege die Schweden nicht die fürchterlichsten von allen Feinden der Preußen gewesen wären. Die verneinende Antwort schien ihn sehr zu befremden.

1761 wahrscheinlich mit Preußen ein Bündniß gemacht
haben, wenn der Französische Hof, der beständig so
großen Einfluß auf die Rathschläge des Divans hat, die
Ausführung nicht verhindert hätte.

In Westphalen, wo der Herzog Ferdinand wegen
der feindlichen Uebermacht vertheidigungsweise verfuhr,
und die Franzosen ihrer zerstörten Magazine halber in
den Cantonirungsquartieren aufgehalten wurden, war
es erst mitten im Sommer, als man den Feldzug eröffnete. Soubise machte die erste Bewegung am Ende des
Juny, und ging mit seiner Armee über den Rhein; er
rückte vorwärts nach Münster zu, bis er auf den Erbprinzen von Braunschweig stieß, auch Broglio brach von
Cassel auf, um sich mit Soubise zu vereinigen, und sodann mit vereinigter Macht die Alliirten anzugreifen.
Er traf auf dem Marsch das Corps des Hannöverschen
Generals Spörken an. Dieser, obgleich vortheilhaft
postirt, wollte sich mit einer so großen Armee nicht ein-
lassen; er zog sich zurück, und überließ den Franzosen
800 Gefangene, 19 Canonen und 170 Wagen.

Ferdinand blieb nicht unthätig. Er ließ das Schloß
zu Marburg und Ziegenhayn belagern. In letztern Ort
wurden binnen achtzehn Tagen 1500 Bomben geworfen:
Die Stadt ging im Feuer auf, allein die Französische
Besatzung wehrte sich tapfer; und da ein unaufhörliches
Regenwetter es unmöglich machte, die Laufgräben förmlich zu eröffnen, so wurden beide Belagerungen aufgehoben. Die Belagerung von Cassel aber, die die Alliirten im Anfang des März unternommen hatten, wurde
muthig fortgesetzt. Der Graf von Broglio, Bruder
des Herzogs, commandirte in der Stadt. Er hatte sich
auf eine lange Vertheidigung vorbereitet, und vieles
Pferdefleisch einsalzen lassen. Die schönen Gärten vor
der Stadt wurden dem Erdboden gleichgemacht. Nun
wandte er alle Kräfte an, den Feind abzuhalten: Es
glückte auch, so daß vier Wochen nach geöffneten Laufgräben die Belagerer wieder abzogen. Ferdinand ließ
indessen die Franzosen beständig durch leichte Truppen

harrassiren, zerstörte ihre neuangelegten Magazine, und
sing ihre Transporte auf. Dies veranlaßte Broglio,
nachdem er sich mit Soubise vereinigt hatte, zu dem Ent=
schluß, die Alliirten zu einer Schlacht zu zwingen. So=
bald Ferdinand diese Absicht merkte, bezog er das feste
Lager bey Hohenover. Broglio griff ihn hier den 15ten
July mit einem heftigen Feuer an. Man focht bis es
dunkel wurde; die Franzosen wurden zurückgeschlagen,
und zogen sich in die Gebüsche an der Salzbach. Das
Treffen aber wurde am folgenden Morgen mit Anbruch
des Tages von Broglio erneuert. Beide Französische
Armeen näherten sich in Schlachtordnung. Das Feuer
aus dem großen Geschütz und Musketen war schrecklich,
und dauerte fünf Stunden. Die Franzosen konnten kei=
nen Fußbreit Grund gewinnen. Endlich bemächtigten sich
die Alliirten einer Anhöhe, brachten die Feinde in Ver=
wirrung, und schlugen sie zurück; sie ließen ihre Todten,
ihre Verwundeten, und viele Canonen im Stich, und
flohen. Es wurden eine Menge Gefangene gemacht,
worunter sich das ganze Französische Regiment Rouge
befand. Der linke Flügel der Franzosen, der mittler=
weile mit dem Erbprinzen im Handgemenge gewesen war,
gab nun auch den Streit auf, und zog sich zurück. Die
Natur des Grundes erlaubte es der Cavallerie nicht, die
Fliehenden zu verfolgen, und den Sieg desto glänzender
zu machen. Der Verlust der Franzosen in diesem Tref=
fen war 5000 Mann an Todten, Verwundeten und
Gefangenen, die Alliirten zählten 300 Todte und 1000
Verwundete. Wenig Tage nachher hatte der Prinz Al=
bert Heinrich von Braunschweig, der erst kürzlich bey der
Armee angekommen war, um seinem großen Bruder und
Onkel nachzueifern, das Unglück bey einem elenden
Scharmützel durch einen Schuß tödlich verwundet zu
werden. Soubise schickte selbst zwey der erfahrensten
Wundärzte ins Lager der Alliirten, die diesen edlen
Jüngling doch nicht zu retten vermochten.

    Obgleich Ferdinand die Ehre des Siegs hatte, so
war doch dadurch nichts gewonnen. Bey der großen

Ueber=

Uebermacht der Feinde kam ihr Verlust in keine Betrachtung; auch würden sie wahrscheinlich neue Versuche gemacht haben, um mit ihren zwey vereinigten Heeren die
schwache Armee der Alliirten dennoch in die Enge zu treiben, allein die Französischen Feldherren stimmten gar
nicht zusammen. Es herrschte eine alte Feindschaft unter ihnen, und bald nach dem Treffen trennten sich beide
Armeen. Beide zogen sich zurück; Broglio marschirte
nach Cassel, und Soubise ging über die Röhr. Der
erstere hätte bald das Unglück gehabt, beym Recognosciren gefangen zu werden. Ein Preußischer, schwarzer
Husar hatte ihn bereits beym Rockkragen gefaßt, indem
er über eine Hecke wegsetzte: allein das Pferd des Husaren stürzte, und Broglio entkam glücklich; zehn seiner
Adjutanten aber und 200 Reuter von seiner Bedeckung
wurden gefangen. Auch der Erbprinz von Braunschweig
war wenig Tage zuvor diesem Schicksal nahe, als er
bey Unna die Franzosen recognoscirte. Sie umringten
ihn plötzlich, allein er bahnte sich mit seiner Bedeckung
den Weg durch den feindlichen Haufen.

Ferdinand sahe sich nun auch genöthigt seine Macht
zu theilen, um beide feindliche Armeen zu beobachten,
die endlich wieder vorrückten. Broglio's Absicht war
durchaus, in Hannover so weit wie möglich einzudringen,
und Soubise drohete Münster zu belagern, das er blos-
kirt hielt; allein er hatte an dem Erbprinzen einen sehr
wachsamen Gegner, der die Stadt Dorsten wegnahm,
wo sich ein großes Magazin und die Feldbäckerey befand.
Alles dieses wurde zerstört, über hundert Backöfen zertrümmert, und die Besatzung zu Gefangenen gemacht.
Nun war Soubise gezwungen sich über die Lippe
zurückzuziehn.

Broglio aber war zu stark, um sich von Hannover
abhalten zu lassen. Ferdinand bemühte sich, ihn in
nachtheiligen Posten zu einem neuen Treffen zu bringen,
und war daher immer in der Nähe; der Französische
Feldherr aber vermied sorgfältig sich einzulassen. Da
Gewalt dieses Vorrücken nicht hemmen konnte, nahm

Ferdinand seine Zuflucht zur List. Er marschirte eiligst nach Hessen, und schnitt der Französischen Armee die Zufuhr von dorther ab. Diese meisterhafte Kriegsoperation gelang. Broglio ging sogleich nach Hessen zurück. Ferdinand marschirte nun nach Paderborn, um die Franzosen zu beobachten, wenn sie ihren Anschlag auf Hannover erneuern sollten. Der Erbprinz, der jetzt wegen Münster nichts mehr zu fürchten hatte, stieß nun zur großen Armee, und vernichtete auf dem Marsch die Französischen Magazine, die er in unbefestigten Dertern antraf.

Mittlerweile ging Soubise wieder über die Lippe, und sandte Parteyen aus, die Westphalen durchstrichen und das Land grausam verheerten. Broglio schickte Detachements nach dem Harzwalde, und ließ schwere Contributionen eintreiben. Der Prinz Xaver von Sachsen, belagerte Wolfenbüttel, das sich nach einem Bombardement von fünf Tagen ergab. Nun richtete er seine Augen auf Braunschweig; allein der Erbprinz und sein Bruder Friedrich eilten ihrer bedrängten Hauptstadt zu Hülfe, und verjagten die Belagerer nach einem hitzigen Gefecht mit Verlust von mehr als tausend Mann, und einigen Canonen; so daß sie nicht allein die Belagerung sofort aufhoben, sondern auch Wolfenbüttel verließen.

Ein Detachement von der Armee des Soubise nahm Osnabrück weg, und behandelte die Einwohner dieser Stadt ganz barbarisch, weil sie nicht sogleich eine ungeheure Brandschatzung bezahlen konnten. Ein ander Detachement erschien vor Embden, wo zwey Compagnien Brittischer Invaliden die Besatzung ausmachten. Diese wurden durch die Versprechungen der Franzosen, und das Bitten der erschrockenen Einwohner, zur Uebergabe der Stadt vermocht. Man achtete aber die Versprechungen wenig, und setzte ganz Ost-Friesland in Contribution. Die Größe der geforderten Summen, die der Einwohner Kräfte weit überstiegen, und die grausame Art sie einzutreiben, setzten das ganze Volk in Verzweiflung. Die Bauern rotteten sich zusammen, bewaffneten sich,

so gut sie konnten, fielen über ihre unmenschlichen Feinde
her, und jagten sie zum Lande hinaus. Viele dieser
braven Bauern mußten aber nachher, da ein ander Französisches Detachement ankam, ihre Selbstvertheidigung
mit dem Strange büßen.

Die Reichsstadt Bremen war längst ein Dorn in
der Franzosen Augen gewesen. Die vortheilhafte Lage
dieses Orts an der Weser, die Größe und der Reichthum
desselben, die Nachbarschaft des Meers, alles lud zu
dem Besitz ein. Hiezu kam, daß die Stadt voller Magazine für die alliirte Armee war, die große Leichtigkeit sie
von der Seeseite immer zu füllen, und die Communication mit Stade. Die Franzosen hatten schon bey Frankfurt am Main gezeigt, daß man die Reichsstädte nöthi-
genfalls feindlich behandeln müßte. Klagen dieser Art
beym Oberhaupt des deutschen Reichs waren ohne Wirkung. Die Einnahme von Bremen wurde daher von
den Franzosen beschlossen; allein das Gerücht ihrer
Grausamkeit, und die Beyspiele davon, die man in
allen benachbarten Ländern gesehen hatte, trieb die Einwohner zu dem Entschluß, sich lieber bis auf den letzten
Mann zu vertheidigen, als solch einem Feinde die Stadt
einzuräumen. Er wurde mit Verlust abgewiesen, und
zog sich schleunig zurück. Ferdinand verstärkte die Besatzung durch einige Brittische Bataillons, um ähnliche
Versuche desto nachdrücklicher zu vereiteln.

Die Franzosen bemüheten sich mittlerweile, in den
eroberten Provinzen durch allerhand Mittel ihre Bedürfnisse zu sichern. Die Hannoveraner mußten eine große
Anzahl Katzen liefern, weil sich in den Französischen
Magazinen eine ungeheure Menge Mäuse einfanden. Da
nun die Katzen das Einsperren nicht vertragen konnten, so
wurden Lieferungen von Füchsen und Igeln ausgeschrieben.
In Göttingen wurden die Schuster, deren Arbeit schlecht
gerieth, auf öffentlichem Markt geprügelt, wobey die ganze
Schustergilde gegenwärtig seyn mußte. Die Studenten
dieser hohen Schule begaben sich in großer Anzahl nebst verschiedenen Professoren nach Clausthal, um Ruhe zu haben.

Q 4.   Der

Der Winter näherte sich. Es war November. Broglio zeigte eine ihm ungewöhnliche Unthätigkeit; er stand unbeweglich in einem festen Lager bey Eimbeck, und hatte mehrere Detachements abgeschickt. Diese Schwächung, und die Entfernung der Armee des Soubise, erzeugte bey Ferdinand den Wunsch einer Schlacht. Er wandte alle Mittel an, Broglio dazu zu vermögen, allein vergebens. Ihn in seinem festen Lager anzugreifen, war eine zu gewagte Unternehmung. Ferdinand begnügte sich daher, Bewegungen zu machen, als ob er Broglio's Communication mit Göttingen abschneiden wollte. Er blokirte auch wirklich diese für die Franzosen äußerst wichtige Stadt, die mit einem auserlesenen Corps von 5000 Grenadiers de Franche besetzt war. Ihr Anführer war der General Vaur, ein Greis, der sich schon bey achtzehn Belagerungen befunden hatte, und an den Armen und Schenkeln lahm geschossen war. Er machte vortreffliche Anstalten. Die späte Jahrszeit kam ihm zu Hülfe; die Gewässer schwollen an; es rissen Krankheiten unter den alliirten Truppen ein, die Menschen und Pferde wegrafften. Selbst die Transporte konnten wegen der vielen todten Pferde nicht fortkommen, womit die Landstraßen gleichsam bedeckt waren. Die Alliirten gaben nun alle Hoffnung auf, sich dieser Stadt zu bemeistern, die überdem auf sechs Monat mit Proviant versehen war. Durch diese versuchte Blokade wurde jedoch Ferdinands Zweck völlig erreicht. Der Französische Feldherr marschirte zurück, und bezog in und um Cassel die Winterquartiere. Soubise ging mit seiner Armee nach dem Niederrhein, und quartierte sie längs diesem Fluß ein. Auch die Alliirten, die nun in Westphalen keinen Feind mehr hatten, bezogen in dieser Provinz ihre Winterquartiere.

Ferdinand wandte nun seine Sorgfalt an, die von den Franzosen in Westphalen und Ost-Friesland zerstörten Magazine wieder anzufüllen. Theils geschah der Einkauf in Holland und England, theils in den Häfen an der Ostsee, wo man die Vorsicht gebraucht hatte, eine große Menge Lebensmittel und Getreide sowohl für die

Armee

Armee, als für die ausgeleerten Provinzen im Voraus
aufzukaufen; Maaßregeln, die durch die allzeit fertigen
Guineen erzeugt wurden, und ohne welche der größte
Mangel sich in den ausgesogenen Ländern ausgebreitet
haben würde.

Mittlerweile arbeiteten Oesterreicher und Russen,
sich in den eroberten Preußischen Ländern immer mehr
festzusetzen. Noch nie hatten sie es dahin bringen können, hier zu überwintern. Jetzt betrachteten die Kaiserlichen Schlesien als ihr ungezweifeltes Eigenthum. Den
Unterthanen in den eroberten Bezirken wurde auf Befehl des Hofes Getreide zu Bestellung ihrer Felder an-
geboten, und in Schmiedeberg ein wöchentlicher Getrei-
denmarkt angelegt; auch mußten verschiedene ansehnliche
Kaufleute aus den Gebirgstädten nach Prag kommen,
weil man wegen des Handels neue Einrichtung treffen
wollte. Man hatte im Anfang dieses Jahres Miene
gemacht in Augsburg einen Friedens - Congreß zu halten; auch waren die Gesandten der Kaiserhöfe bereits
dazu ernannt, und ihre Tafelgelder genau bestimmt.
Alle diese Zubereitungen aber hatten keinen Erfolg, und
jetzt vollends wurde an keinen Frieden mehr gedacht.

Friedrich ohne Beystand und fast ohne Hoffnung,
sah nun standhaft seinem Untergang entgegen. Er schien
nun ganz unvermeidlich. Siege konnten die Fortschritte
seiner Feinde zwar hemmen, allein ihnen die eroberten
Festungen wieder zu entreißen, dazu gehörten langwierige, ungestörte Belagerungen, und eine Reihe glücklicher Schlachten. Der Operationsplan des Königs in
dieser Lage zum bevorstehenden Feldzuge ist ein Geheimniß. Er wurde verworfen, oder doch ganz abgeändert,
da ihm eine neue Sonne aufging. Das Glück hatte
diesen großen Regenten bey so vielen Gelegenheiten be-
günstigt, seinen erhabenen Geist unterstützt, und die
Erwartungen aller seiner Feinde getäuscht; allein die
größte Wohlthat Fortunens war bis zu dem critischen Zeitpunct aufbehalten, wo der gekrönte Weise, durch die
gewaltige Uebermacht der feindlichen Heere von allen

Seiten gedrängt, seinem harten Schicksal gelassen ent=
gegen sah. Keine Großmuth war von Feinden zu hof=
fen, die uneingedenk des Nationalruhms und der Nach=
welt, alle Kräfte mächtiger Reiche anstrengten, um
durch ihre colossalische Verbindung einen einzigen zu un=
terdrücken. Nichts geringers, als das Ende der Preußi=
schen Monarchie, war zu erwarten. Friedrichs durch=
dringender Geist konnte nicht durch leere Hoffnungen ge=
täuscht werden. Manchmal gewannen die Besorgnisse
die Oberhand in seiner Seele. Indessen war er zu allem
vorbereitet. Er hatte nicht einmal Maaßregeln für den
Fall genommen, wenn er das Unglück haben sollte gefan=
gen zu werden, sondern er trug auch in diesem Feldzuge
Gift bey sich, um den letzten Schlägen des widrigen
Schicksals zuvorzukommen. Der Oberst Quintus Ici=
lius, der Freund und tägliche Gesellschafter des Helden,
hat diesen geheimen merkwürdigen Umstand aufgezeichnet.

[1752] In diesen hoffnungslosen Augenblicken brachte
ein Courier dem König die Nachricht von dem Tode der
Russischen Kaiserin Elisabeth, die den 25 sten Decem=
ber 1761 starb. Dieser Abtritt aus der Welt, von ei=
ner einzigen Person, veränderte den ganzen Horizont des
politischen Himmels. Alle Entwürfe der Bundsgenossen,
alle Operationsplane, alle Hoffnungen von Preußens
Feinden, alle neue Staatssysteme, wurden nun auf ein=
mal vernichtet, und die Russen, die schrecklichsten Feinde
der Preußen, wegen ihrer Verheerungen, jetzt durch
das bloße Wort ihres neuen Beherrschers, zu Friedrichs
Freunden umgeschaffen. Dieser Thronfolger, Peter der
Dritte, hatte in eben dem Grade eine Zuneigung gegen
den König von Preußen, als die Kaiserin Elisabeth ihn
haßte. Eine der ersten Handlungen des neuen Regen=
ten war daher, Friedrich seiner Freundschaft zu versichern.
Diese Versicherung folgte gleich ein Waffenstillstand,
und dann bald der Friede; diesem ein Bündniß, dem
Bündniß ein vertrauter Briefwechsel, und die letzte
Stuffe Peters war ein Enthusiasmus für den König,

der

der keine Gränzen kannte, und sich auf mannichfaltige
Art äußerte.

Elisabeth hatte dieses erwartet, und war daher mit
ernstlichen Verfügungen zur Fortsetzung des Kriegs in
die andre Welt gegangen. Noch auf ihrem Todbette
hatte sie von dem Russischen Senat das Versprechen gefordert, nicht ohne den Beytritt der Bundsgenossen mit
Preußen Friede zu machen. Es geschah dennoch, da
sie kaum die Augen geschlossen hatte. Die Russischen
Truppen machten Anstalten, das Königreich Preußen,
Pommern und die Neumark zu räumen. Das eroberte Colberg wurde wieder zurückgegeben; die Kriegsgefangenen
befreyt und das Russische Corps unter Czernichef, von der
Oesterreichischen Armee abgerufen. Peter rieth nun ernstlich zum Frieden; da man aber in Wien davon nichts
als unter unannehmbaren Bedingungen hören wollte, so
erhielt Czernichef Befehl, mit seinen 20,000 Russen zum
König zu stoßen, und ihm unbedingt zu gehorchen.

Diese Begebenheit, eben die Truppen bey den Preußischen Heeren zu sehen, die man seit sechs Jahren mit
Erbitterung bekämpft hatte, schien sowohl den Preußen
als den Oesterreichern ein Traum zu seyn. Die letztern
glaubten sie anfangs gar nicht; selbst die Kaiserlichen
Officiers, die in Breslau gefangen waren, die folglich
alles mit eignen Augen sahen, und mit eignen Ohren hörten, hielten das Ganze für ein ersonnenes Gerücht, den
Muth der Truppen zu beleben; und da Czernichef nebst
andern Russischen Generals sich von ihren Truppen entfernten, und nach Breslau mit einem großen Aufzuge
zum König kamen, so behaupteten sogar gefangene Kaiserliche Generals, daß alles nur Blendwerk, und die
mit Russischen Ordensbändern gezierten Russischen Befehlshaber verkleidete Preußische Officiers wären *).
Alle Zweifel aber hatten ein Ende, da sich das Russische
Corps

*) Der Verfasser, der damals in Breslau im Winterquar-
tier stand, hat diese sonderbaren Urtheile zu seinem Erstaunen
gehört. Ein Beweis, wie wenig man den Charakter des großen
Fürsten kannte, mit dem man so lange Krieg führte.

Corps im Juny mit der Armee des Königs wirklich vereinigte.

Der Krieg bekam nun eine andere Gestalt. Alle Staaten Friedrichs, von Breslau bis an die Russischen Gränzen, waren nun von den Feinden befreyt, und keine verheerende Einfälle mehr zu besorgen; auch die Schweden, des Kriegs müde, und aus Furcht vor den Russen, hatten im May mit Preußen Friede gemacht. Peter, der Preußische Uniform trug, des Königs Bildniß vor den Augen der Russen küßte, und ihn gleichsam als seinen Oberherrn betrachtete, wollte in Person mit einem großen Heer zu ihm stoßen, und man war berechtigt außerordentliche Dinge zu erwarten.

Mit diesen glänzenden Hoffnungen eröffnete Friedrich den Feldzug vom Jahr 1762, dem auch der Kronprinz Friedrich Wilhelm beywohnte. Er betrat jetzt in seinem ersten Jünglingsalter die kriegerische Laufbahn, die alle Prinzen seines Hauses, ohne Ausnahme, betreten hatten. A l l e opferten dem Kriegsgott, und stellten dadurch ein von Seiten einer ganzen königlichen Familie, in allen ihren Zweigen, noch nie in der Geschichte aufgezeichnetes Beyspiel dar. Der Kronprinz war an der Seite des Königs in allen Gefahren, und bildete in dieser großen Kriegsschule seinen militärischen Geist, dessen Größe sich im Bayerschen Kriege zeigte, wo Friedrich selbst der Lobredner der Kriegstalente seines würdigen Thronfolgers war.

Friedrich, durch so viele außerordentliche Eigenschaften über andre Sterbliche erhaben, rächte hier gleichsam die wegen seiner Geistesgröße gedemüthigte Menschheit. Das Vertrauen auf seinen neuen Bundsgenossen schwächte nun bey ihm die Sorgfalt für seine braven Truppen, denen er jetzo zum erstenmal die sogenannten Winter - Douceurs entzog; Gelder die für die große Menge armer Officiers, die bloß von ihrem Solde leben, zu ihrer Ausrüstung gegen den neuen Feldzug unentbehrlich waren, und jetzt ganz ohne Noth, im Zeitpunct des Glücks, zurückgehalten wurden. Keine Scheinursache wurde

wurde nicht einmal angegeben, warum man dieses so
nöthige, so gerechte, so pflichtmäßige Geschenk, das ie=
den Winter ausgetheilt worden war, ietzt patrioti=
schen, ihren König anbetenden Kriegern versagte *).
An die Stelle dieses Geschenks traten scharfe Verordnun=
gen, die unbedeutende Formalitäten zum Gegenstande
hatten. In dem ganzen Laufe des Kriegs hatten sich
die Officiers auf Märschen gewöhnlich des Degens an=
statt des Espontons bedient, das im Felde ganz entbehr=
lich war, und zur Vertheidigung nichts taugt. Nun
aber mußten diese Paradezeichen bey allen Gelegenhei=
ten gebraucht werden, und so ging es mit vielen andern
Kleinigkeiten, die ietzo erst hervorgesucht den ruhigen un=
besorgten Feldherrn verriethen.

Die Oesterreicher zogen nun ihre ganze Macht nach
Schlesien, nachdem sie ein ansehnliches Corps zu der
Reichsarmee geschickt hatten. Sie waren Meister von
Glatz, von Schweidnitz und vom Gebirge. Da die
Belagerung der letztern Festung gewiß erwartet wurde,
so machte man außerordentliche Anstalten sie zu sichern.
Viele tausend Bauern und Soldaten mußten den ganzen
Winter durch arbeiten, um iede bey Schweidnitz liegende
Anhöhe zu einem Fort umzuschaffen. Die Gebirge selbst
stellten eine Kette befestigter Terrassen dar. Die Si=
cherheitsmaßregeln waren eben so sorgfältig in Ansehung
Schweidnitz selbst beobachtet worden. Man hatte 12,000
Mann auserlesener Truppen hier in Besatzung gelegt;
reichlich versehn mit Proviant, Munition und allen an=
dern Bedürfnissen. Der General Guasco, ein durch
Muth und Kriegserfahrung ausgezeichneter Befehlsha=
ber, wurde zum Commandanten ernannt, und ihm der
General Gribauval, der größte Ingenieur in Europa,
zur Unterstützung zugegeben.

So

*) Ein ieder Subaltern Officier erhielt 50, ein Capitain 500
 Reichsthaler u. s. w. Mit diesem Gelde wurde der Abgang
 der Pferde und der im verflossenen Feldzuge ruinirten Feld=
 equipage ersetzt. Die Compagnie = Chefs mußten dafür die
 zahlreichen Feldbedürfnisse ihrer Soldaten anschaffen, so daß
 dies Geld eine sehr gerechte Wohlthat war.

So war Schweidnitz beschaffen, als der König, mit dem Russischen Corps vereinigt, in die umliegenden Gegenden rückte. Diese Vereinigung konnte erst Ende des Juny geschehn, wodurch die Operationen aufgehalten wurden. Nun aber schickte der König den General Neuwied mit einem Corps nach Böhmen, um die Oesterreicher zu zwingen, ihre hinter sich liegende Magazine zu decken, und dadurch sich von der Communication mit Schweidnitz zu entfernen. Bey diesem Corps befanden sich auch 2000 Cosaken. Diese letztern schwärmten ihrer Gewohnheit gemäß herum, und streiften bis an die Thore von Prag. Friedrich hoffte durch diese Bewegung, im Rücken der feindlichen Armee, Daun von seinen Anhöhen bey Burkersdorf herunter zu bringen. Dieser Feldherr aber blieb unbeweglich stehen. Die Preußen kamen mit Beute beladen aus Böhmen zurück, und nun wurden alle Anstalten zur Belagerung von Schweidnitz gemacht. Es war iedoch nicht möglich sie zu unternehmen, so lange die Oesterreicher noch die befestigten Berge inne hatten; sie mit Gewalt von dort zu vertreiben, erforderte einen sehr gefährlichen Versuch, wobey der Erfolg ungewiß war.

In dieser Lage war man, als sich in Rußland eine außerordentliche Revolution ereignete. Der Kaiser, Peter der Dritte, der eben erst den Thron dieses großen Reichs bestiegen hatte, wurde von demselben heruntergestürzt. In der kurzen Zeit seiner Regierung hatte er durch übereilte Maaßregeln, unüberdachte Gesetze und Mangel an nöthiger Vorsicht, alle Volksklassen wider sich empört. Die Soldaten und Priester, sonst so selten einstimmig, waren es hier. Man haßte den Monarchen, der dem einen Stand seine Vorrechte, und dem andern seine Bärte nehmen wollte. Der Senat wurde von ihm gänzlich vernachläßigt, und der Russische Adel so wie die ganze Nation mit außerordentlicher Verachtung behandelt. Die deutschen erhielten einen entschiedenen Vorzug; auch formirten deutsche Truppen seine Leibwache. Die Fundamentalgesetze

des Reichs wurden von ihm wenig geachtet, und ganz
seinem Willen untergeordnet. So gut dieser auch war,
so zweckwidrig war die Verfahrungsart Das Volk
wünschte, ohne zu wissen warum, die Fortsetzung eines Kriegs, der Rußland Geld und Menschen kostete,
und dessen glücklichster Erfolg der Größe des ungeheuren Staats nur einen sehr geringen Zusatz geben konnte.
Der Kaiser stemmte sich gegen diese Volksmeinung;
auch er wollte Krieg, allein nicht wider, sondern mit
Preußen, gegen alle Feinde Friedrichs, und wider Dännemark. Zu allen diesen den Russen mißfälligen Entwürfen, Gesinnungen und Verordnungen, kam noch die
üble Behandlung seiner Gemahlin, die in der Schule
häuslicher Widerwärtigkeit gebildet, dort ihren großen
Geist genährt, ihre erhabenen Talente entwickelt, und
die Liebe der Nation in einem hohen Grade erworben
hatte. Peter erklärte laut seinen Vorsatz sie zu ver-
stoßen, und ein Kloster war schon zu ihrer Wohnung
ausersehen, wo sie den Rest ihrer Tage traurig verleben sollte; denn selbst ihren Sohn wollte er von der
Thronfolge ausschließen. So sinnreich arbeitete dieser
Monarch, seinen Fall unaufhaltbar zu beschleunigen.
Es bedurfte in dieser Lage nur eines Winks von Catharina, und ihr Tyrann war ohne Krone. Die Selbsterhaltung zwang sie endlich diesen großen Schritt zu
thun, und in wenig Stunden war der mächtige Kaiser, dessen Befehle von den Ufern des baltischen Meers
bis zum südlichen Ocean als Göttersprüche befolgt werden mußten, von allen Menschen verlassen, ohne Blutvergießen entthront, und ein armseliger hoffnungsloser
Gefangener. Catharina wurde nun von allen Zungen
in ihrem unermeßlichen Reich als Selbstherrscherin aller
Reußen ausgerufen. Peter entsagte der Krone förmlich, und sechs Tage nachher gab er seinen Geist auf.

Diese große Begebenheit der Entthronung, die
wegen der darauf erfolgten glorreichen Regierung in
den Russischen Jahrbüchern die glänzendste Epoche
macht, geschah den 9ten July, und da der Senat und
das

das Volk durchaus den Krieg wider Preußen erneuert
haben wollten, so wurden auch wirklich die nöthigen Befehle schon dazu ausgefertigt. Diesen Befehlen folgte
den 16ten July ein Manifest, worin die Huldigung
der neuen Kaiserin von allen Unterthanen in den eroberten Preußischen Provinzen verlangt wurde. Das
Vorurtheil der Russischen Nation, als ob Friedrich ihrem entthronten Kaiser die so allgemein mißfälligen
Neuerungen angerathen, und seine Entwürfe bestimmt
hätte, trug zu diesem Kriegsgeschrey das meiste bey.
Selbst Catharina hielt ihn nicht für ihren Freund. Obgleich in Pommern gebohren, und nicht ohne Liebe für
ihr schon so sehr verheertes Vaterland, so gab sie doch
dem Strom nach, um den ärgsten Feind Rußlands, wie er in ihrem ersten Manifest betitelt wurde,
vollends zu Grunde zu richten.

In dieser Stimmung war jedermann; der Krieg
war beschlossen, und das Huldigungsmanifest eben abgeschickt worden; als man am nächstfolgenden Tage
des erblaßten Peters Privatpapiere untersuchte. Die
Briefe Friedrichs erregten allgemeines Erstaunen. Ihr
Inhalt war ganz anders, als man vermuthet hatte. Es
waren weise Regierungs-Rathschläge, und die ernst-
lichsten Ermahnungen an den neuen Kaiser, seine Leidenschaften zu mäßigen. Alle so empörenden Neuerungen waren von diesem vermeinten Feind Rußlands eifrig widerrathen worden; auch Catharina hatte nicht
Ursache, mit seinen sie persönlich betreffenden Aeußerun-
gen unzufrieden zu seyn. Friedrich hatte ihren Gemahl
beschworen, sie, wenn gleich nicht mit Zärtlichkeit, doch
mit anscheinender Hochachtung zu behandeln. Die Kaiserin wurde dadurch bis zur Thränen gerührt; die anwesenden Senatoren verstummten; und der Haß hörte
sofort auf. Die Kriegsbefehle wurden widerrufen,
und der Friede bestätigt.

Friedrich war eben im Begriff, die Oesterreicher
auf ihren verschanzten Bergen anzugreifen, als er von
Peters Fall so schreckliche Nachricht aus Rußland ver-
nahm,

nahm, der gleich darauf ein Befehl an Czernichef folgte, mit seinem Corps sogleich die Preußische Armee zu verlassen. Der König mußte bey den veränderten Gesinnungen des Rußischen Hofs erwarten, daß eben dieses Corps in wenig Tagen abermals zu seinen Feinden stoßen, oder abgesondert gegen ihn agiren würde. Es hing von ihm ab, diese 20,000 Mann zu entwaffnen, allein er handelte auf eine ganz entgegengesetzte Art. Er entließ die Rußen mit allen Beweisen freundschaftlicher Achtung. Sie wurden auf dem Rückmarsch, eben so als ob es noch ein Preußisches Hülfscorps wäre, so lange sie sich in den königlichen Ländern befanden, mit allem Nöthigen versehn. Das großmüthige Betragen des Königs verursachte, daß die Rußischen Generals sich sehr ungerne vom Preußischen Heer entfernten. Czernichef besonders trennte sich mit Leidwesen von Friedrich, der ihn überaus reichlich beschenkte.

Der befohlne Abmarsch der Rußen blieb einige Tage ein Geheimniß, sowohl für sie selbst, als für die Preußen. Auch im Oesterreichischen Lager ahndete man nichts davon. Es waren Anstalten in Rücksicht auf die Verpflegung eines so großen marschirenden Corps erforderlich, die nicht in einem Tage gemacht werden konnten. Diese kostbare Zeit benutzte Friedrich auf eine meisterhafte Art. Er beschloß, die Verschanzungen der Oesterreicher jetzt ohne Verzug anzugreifen, wobey er den Vortheil hatte, daß die Rußen immer noch ihren Raum in der Schlachtordnung einnehmen, und sich bey einem Anfall vertheidigen würden; auch war er gewiß, daß Daun einen Theil seiner Truppen diesem Corps entgegen setzen, und sich dadurch schwächen müßte. Zugleich wünschte er auch den Rußen bey ihrem Abschiede einen auffallenden Beweis von dem Muthe und der Kriegsgeschicklichkeit der Preußen zu geben. Den 20sten July, sobald es Nacht war, wurde an einer großen Batterie in der Ebene gearbeitet, die vor den verschanzten Bergen lag. Man hatte auf dieser Ebene kein Preußisches Lager, ja nicht einmal Posten gesehn; jetzt aber in der

R   Nacht

Nacht formirte sich eine Truppen-Linie, die bey anbrechendem Tage in Schlachtordnung stand. Eine ungeheure Batterie mit 45 Haubitzen besetzt, war fertig, und schien gleichsam in wenig Stunden aus der Erde hervorgewachsen. Sobald man nur um sich sehn konnte, fingen die Preußen ein entsetzliches Feuer an. Die Oesterreichische Cavallerie, die in den Thälern zwischen den Gebirgen postirt war, wurde durch die Haubitz-Granaten begrüßt, in große Unordnung gebracht, und tief in den Schlund der Berge getrieben. Nun griff man die Verschanzungen selbst mit einem heftigen Bombardement und mit Stürmen an. Verschiedene der besten Preußischen Regimenter, unter Anführung des General Möllendorf, wurden zu diesem gefährlichen Dienst bestimmt. Weder die senkrechten Berge mit ihren aufgeworfenen Erdhaufen und Wolfsgruben, noch die Pallisaden und Canonen, die aus jedem Berge ein Fort machten, konnten die Fortschritte der Preußen hemmen. Es wurde auf allen Seiten gestürmt, wo man nur festen Fuß hinsetzen konnte. Der General Möllendorf fand einen minderbeschwerlichen Zugang zu diesen Anhöhen. Er benutzte ihn sofort, und da wegen des steilen Anhangs keine Pferde herankonnten, so griffen die Soldaten vom Regiment des Kronprinzen eine Canone an, und trugen sie auf den Berg herauf. Der Feind floh nun allenthalben, und in vier Stunden waren alle diese mit so großer Mühe verschanzten Berge erobert, 1400 Mann von den Feinden getödtet, und 800 zu Gefangenen gemacht. Man erbeutete eine Anzahl Canonen, und trieb die Oesterreicher ganz auf ihre Hauptarmee zurück. Während dieses Vorganges waren alle Truppen, sowohl Preußen als Russen, so entfernt sie auch vom Kampfplatz seyn mochten, unter Waffen, um die große Oesterreichische Armee zu beobachten, die sich jedoch ruhig verhielt. Die vornehmsten Russischen Generals befanden sich als Zuschauer beym König in den Kampfthälern. Dies war ein außerordentliches Kriegsschauspiel, das Friedrich den abziehen-

henden Russen gleichsam auf den Weg gab. Er hatte
die Zufriedenheit, diese seine Alliirten in den wenigen
Wochen ihrer Anwesenheit nie gebraucht zu haben.
Die Cosaken ausgenommen, die mit dem General Neuwied nach Böhmen marschirten, stand das Russische
Corps allemal ruhig in ihren Lägern. Kein Russe blu-
tete für den König von Preußen, der, nach wie vor,
ohne fremden Beystand mit seinen Feinden focht.

Den nächstfolgenden Tag nach diesem großen Gefecht am 22sten July verließen die Russen die Preußische
Armee. Die Befehlshaber höchst ungerne, weil sie
keine solche Kriegsschule mehr zu finden hofften; der
gemeine Soldat aber gerne, weil er außer seinem Brodt,
das ihm regelmäßig gereicht wurde, an andern Lebensmitteln Mangel litt, die er bey seinem sehr geringen
Sold nicht zu kaufen vermögend war, und in Schlesien nicht geplündert werden konnte. Zwey Pfund
Brodt täglich, ohne andre Speise, war für den Russischen Magen nicht hinreichend. Diese hungrigen Krieger zeigten daher, wenn sie Preußische Officiers sahen,
mit Achselzucken auf ihren Mund, und manche liefen
ins Lager der Preußen, um Brodt zu bekommen; erhielten sie welches aus Mitleiden, so warfen sie sich
dankend ihren Wohlthätern zu Füßen, und eilten damit wie mit einer Beute zurück.

Daun hatte durch das unglückliche Postengefecht
bey Burkersdorf alle Communication mit Schweidnitz
verlohren, und der Weg dahin von allen Seiten war
jetzt dem König offen, der nun die letzten Anstalten
zur Belagerung dieser Festung machte, die jedoch erst
den 8ten August ihren Anfang nahm. Der General
Tauenzien wurde aus Breslau abgerufen, und erhielt
das Commando des Belagerungscorps, das aus zwanzig Bataillons Infanterie nebst einigen Regimentern
Cavallerie bestand, und mit einer sehr zahlreichen Artillerie versehen war. Zwey Armeen, eine unter dem
König, und die andere unter dem Herzog von Bevern,
deckten diese Belagerung. Sie war, militärisch betrachtet,

die merkwürdigste des ganzen Kriegs, sowohl in Anse=
hung der Kunst des Angriffs und der Vertheidigung,
als der Dauer, und wegen mancherley Nebenumstände.
Es ereignete sich dabey ein Vorfall, der noch nie erhört
war. Zwey Franzosen, Gribauval und Le Fevre, com=
mandirten als Ingenieurs inn = und außerhalb der Fe=
stung. Der erstere stand noch in Französischen Dien=
sten, war aber von Ludwig dem Funfzehnten wegen
seiner großen Fähigkeiten zur Oesterreichischen Armee
gesandt worden, und Le Fevre diente dem König Frie=
drich. Beide waren gute Freunde, und beide Schrift=
steller. Beide hatten in Ansehung der Belagerungs=
kunst eigne Systeme, die sie öffentlich in ihren Schrif=
ten vertheidigt hatten. Nun zeigte sich die seltene Ge=
legenheit, die Güte ihrer Theorien durch die Ausübung
gegeneinander vor den Augen aller cultivirten Natio=
nen zu beweisen. Die Materialien zu diesen Experi=
menten, Menschenblut, Eisen und Pulver, waren ihren
Versuchen überlassen. Le Fevre wollte vorzüglich durch
Minen die Festung einnehmen, und zwar in kurzer
Zeit. Er erfüllte sein Versprechen nicht, und man war
genöthigt großentheils nach den alten Regeln zu ver=
fahren. Das Bombardement war sehr lebhaft, und
wurde Tag und Nacht ununterbrochen fortgesetzt. Eben
so lebhaft war die Vertheidigung; die Artillerie in der
Festung wurde sehr wohl bedient, und fast alle Nächte
geschahen Ausfälle, jedoch mit geringer Wirkung.

Daun, entschlossen den Ort zu entsetzen, wartete
nicht länger als sechs Tage mit seinem Versuch, dessen
Erfolg ihm unfehlbar schien. Zwischen dem Oesterreichi=
schen Heere und Schweidnitz, bey Reichenbach, stand
das große Preußische Corps unter dem Herzog von Be=
vern, von der königlichen Armee abgesondert. Dieses
sollte von allen Seiten angegriffen und vernichtet wer=
den, noch ehe der entfernte König Hülfe senden konnte.
Man rechnete auf die große Uebermacht, und hoffte die
Scene von Maxen hier erneuert zu sehn. Vier Corps,
unter Lascy, D'Donel, Beeck und St. Ignon, griffen
die

die Preußen zu gleicher Zeit von vorne, auf beiden Flügeln und im Rücken an. Der Herzog verhielt sich dabey wie ein großer Feldherr. Die Feinde fielen in die
Bagage der Preußen, die ganz verlohren zu seyn schien.
Einige Generals wollten sie mit ihren Brigaden vertheidigen, allein der Befehlshaber verbot es. „Wenn
„wir geschlagen werden, sagte er, so dürften wir in
„unsrer Lage schwerlich etwas von der Bagage retten;
„siegen wir aber, so soll sie bald wieder unser seyn.„
Diesem weisen Grundsatz zufolge, wodurch Friedrich
auch im Jahr 1745 die Schlacht bey Sorau gewann,
überließen die Preußen ihre Bagage der Plünderung
der Feinde, und fochten, ohne sich zu trennen. Sie
machten allenthalben Front, und verließen sich auf die
Thätigkeit ihres Königs, der sie nicht verlassen würde.
Ihr Vertrauen war auch nicht vergebens; denn gleich
nach den ersten Canonenschüssen hatte sich der Prinz
von Würtemberg zu Pferde geworfen, und eilte an der
Spitze der Reuterey des Königs mit verhängtem Zügel
herbey, und so stürzte er auf O'Donels Corps, das
gleich über den Haufen geworfen wurde. Dieser Cavallerie folgte im vollen Trabe die sogenannte reitende
Artillerie von der königlichen Armee, und hinter ihr
Friedrich selbst mit einem Corps Infanterie. Noch vor
seiner Ankunft aber waren die Feinde schon ganz aus
dem Felde geschlagen. Ihr Verlust war 1200 Todte
und Verwundete und 1500 Gefangene. Die Preußen
zählten 1000 Todte und Verwundete; von ihrer Bagage war nur sehr wenig verlohren gegangen. Dann
marschirte nun nach Glatz, und überließ Schweidnitz
seinem Schicksal.

Die Belagerung wurde mittlerweile durch acht und
sechzig Canonen, und zwey und dreyßig Mörser und
Haubitzen beständig fortgesetzt. Die Besatzung, obgleich
ohne Hoffnung des Entsatzes, verlohr dennoch den Muth
nicht. Es fehlte in der Festung nicht an Lebensmitteln,
die der Soldat wohlfeil kaufen konnte; überdem erhielt
ein jeder des Morgens ein Glas Brandwein, und des

 Mit-

Mittags einen Trunk Wein. Nach Verlauf eines Monats aber verlangte der Commandant, General Guasco, zu capituliren. Er wollte einen freyen Abzug, der aber rund abgeschlagen wurde. Le Fevre's künstliche Minen erforderten jedoch viel Zeit, und thaten nur geringe Wirkung. Es waren sogenannte Druckkugeln; eine vortrefliche Erfindung Belidors, wodurch die Mineur-Wissenschaft, sowohl in ihren Grundsätzen, als in der Ausübung, eine große Erweiterung bekam, und die jetzt zum erstenmal anwendbar gemacht wurde. In dem Lauf dieser Belagerung wurden vier dieser Druck-kugeln zubereitet, gefüllt und angezündet, wovon einige ganz mißglückten. Bisweilen begegneten sich die beyderseitigen Mineurs unter der Erde, da sie denn, so lange sie noch durch Erdwände von einander abgesondert waren, Rauchkugeln, hernach aber ihre Pistolen gebrauchten. In einer größern Entfernung bediente man sich der Dampfminen, wodurch die Minengänge der Belagerer eingestürzt wurden. Die Kaiserlichen Mineurs waren den Preußischen an Anzahl überlegen, wodurch viele Versuche der letztern vereitelt werden mußten. Le Fevre war in der größten Verzweiflung; er weinte über seine fehlgeschlagene Hoffnung, und suchte jetzt, nichts weiter als den Tod, daher er sich auch an die gefährlichsten Oerter hinwagte.

Das Feuer über der Erde wüthete indessen unaufhörlich unter beiden Theilen. Jede Stunde, bey Tag und bey Nacht, hatte ihre Todten. Die Freywilligen in der Festung, die bisher die gefährlichsten Arbeiten unternommen, fingen nun an es überdrüssig zu werden. Die Belohnungen, die sie erhielten, waren für sie sichere Unterpfänder ihrer Todes. Man hob alle schwere Unternehmungen für sie auf. Friedrich besuchte fleißig die Laufgräben, und war mit den unerwarteten Verzögerungen sehr unzufrieden. Er machte selbst zweckmäßige Anordnungen, die seine große Einsicht in die Belagerungskunst bewiesen. Die Eroberung des Orts schien schon vielen sehr zweifelhaft, und es war

nach

nach einer zweymonathlichen Blutarbeit gewiß, daß Schweidnitz in zwey bis drey Wochen entweder eingenommen, oder die Belagerung aufgegeben werden müßte. Endlich kam ein Zufall den Belagerern zu Hülfe. Eine Haubitz-Granate fand den Weg zu einem Pulvermagazin in der Festung, und zündete es an. Eine ganze Bastion vom Fort Jauernick mit zwey Oesterreichischen Grenadier-Compagnien wurde dadurch in die Luft gesprengt; acht Officiers, die eben an diesem dem Kriegs-Dämon geweiheten Ort Tafel hielten, wurden dabey auch in einem Nu Opfer des Todes. Der Knall war so erschrecklich, daß die umliegenden Berge davon erbebten.

Nun wurden Anstalten zu einem Sturm gemacht. Guasco aber wartete diesen nicht ab. Er ergab sich den 9ten October, 63 Tage nach geöffneten Laufgräben. Die noch übrige Besatzung, 9000 Mann stark, wurde zu Kriegsgefangenen gemacht. Der König ehrte des Commandanten bewiesene Tapferkeit, und zog ihn zur Tafel. Er vergaß großmüthig, daß dieser Italiener bey der Eroberung von Dresden sich gegen die Preußische Besatzung sehr unanständig betragen hatte. Die Preußen fanden in der Festung 353 Stück Geschütz, 55,400 Kugeln, Bomben und Granaten, und noch über 1000 Centner Pulver. Desgleichen an Proviant 2000 Centner Mehl, 740 Centner Zwieback, und 25,000 Brohte. Die Gefangenen, sowohl Officiers als Soldaten, wurden nach Preußen geschickt, wohin man sie auf Schiffen von Stettin aus transportirte. Diese Belagerung kostete den Preußen 3033, und den Oesterreichern 3552 Todte und Verwundete. Die erstern hatten dabey 172,000, und die letztern 125,000 Bomben- und Canonenschüsse gethan.

Der König machte nun Anstalten nach Sachsen zu marschiren. Zuvor aber schickte er den General Neuwied mit zwanzig Bataillons und fünf und vierzig Escadrons dahin ab, um die Armee des Prinzen Heinrich zu verstärken. Dieser große Feldherr war hier auch sehr thätig gewesen. Der General Belling,

der

der bisher gegen die Schweden gestanden, hatte, nach dem mit dieser Nation geschlossenen Frieden, Mecklenburg verlassen, und Heinrichs Armee verstärkt. Nun fand sich dieser Prinz stark genug vorzurücken, und lange Zeit die Vereinigung der Oesterreicher mit den Reichstruppen zu verhindern. Er griff bey Döbeln den Oesterreichischen General Serbelloni an, und schlug ihn mit einem Verlust von 2000 Mann in die Flucht. Serbelloni fiel einige Wochen nachher nun seinerseits die Preußischen Vorposten an; allein er wurde zurückgetrieben, und büßte abermals über 1000 Mann ein. Noch andre große Gefechte geschahen unter Seidlitz Anführung bey Auersbach und bey Töplitz, wobey dieser General die Feinde schlug, ihnen 600 Wägen abnahm, und eine Menge Gefangene machte. Heinrich hatte sich bey Freiberg gelagert, und die Oesterreicher hatten sich während der Zeit mit den Reichstruppen vereinigt. Die Feinde verließen sich auf ihre Uebermacht, und gaben den Preußen eine vortheilhafte Gelegenheit zu schlagen. Die Schlacht geschah bey Freiberg den 29sten October. Sie dauerte nur zwey Stunden, allein sie war blutig und entscheidend. Die Oesterreichischen leichten Truppen wurden über den Haufen geworfen, die Reichsarmee in ihren Verschanzungen angegriffen, und bis über die Mulde zurückgeschlagen. Die regulären Regimenter der Oesterreicher, die auch ein Corps Preußen vor sich sahen, hielten sich allein zu schwach, den Preußen den Sieg streitig zu machen, und zogen sich zurück. Daun hatte den Sächsischen Prinzen Albert mit einer Verstärkung nach Freiberg abgeschickt, allein sie kam zu spät. Die Sieger zählten an diesem Tage 1400 Todte und Verwundete; die Feinde hatten 3000 Todte und Verwundete, 4400 Mann von ihnen waren gefangen, und 28 Canonen nebst 9 Fahnen erbeutet worden.

Die geschlagenen Armeen marschirten nach Böhmen, wohin ihnen Kleist mit einem fliegenden Corps nachgeschickt wurde, der dort verschiedene Magazine

zerstörte, und fast bis an die Thore von Prag brand‑
schatzte. Der König erhielt die Nachricht von der ge‑
wonnenen Schlacht auf seinem Marsch nach Sachsen.
Die Winterquartiere seiner Truppen wurden dadurch
beschleunigt. Er zog eine Kette von Thüringen durch
Sachsen, durch die Lausitz und durch Schlesien, und
schloß mit den Oesterreichern einen Waffenstillstand.
Diese hatten von allen ihren Eroberungen jetzt am
Ende des siebenten Feldzugs nur noch einen kleinen
District bey Dresden, und die Grafschaft Glatz inne.
Sie fanden den von den Russen befreyten König von
Preußen nun zu mächtig; sie wünschten sich Erholung,
und waren daher mit dem Waffenstillstand sehr wohl
zufrieden; der sich jedoch nur auf Sachsen und Schle‑
sien erstreckte.

Die Alliirten hatten den Feldzug mit ungünsti‑
gen Aussichten eröffnet. Obgleich 20,000 Russen zu
ihnen stoßen sollten, deren Marsch bereits regulirt war,
und für welche man auch schon Magazine anlegte, so
schien doch die Hauptstütze in England zu sinken. Das
neue brittische Ministerium war dem Kriege in Deutsch‑
land sehr abgeneigt, und zeigte daher nicht den gering‑
sten Eifer, Ferdinands Operationen zu unterstützen.
Da es jedoch dem herrschenden Minister, Lord Bute,
noch nicht rathsam schien, dem Willen der ganzen Na‑
tion Hohn zu sprechen, so wurden im Frühling eine
Anzahl Recruten, wie auch ein neues Regiment Berg‑
schotten, nach Deutschland geschickt. Die Truppen
der Alliirten setzten sich indessen am Ende des Winters
in Bewegung. Der Erbprinz griff das Schloß Arens‑
burg an, das von den Franzosen besetzt, und zur Er‑
haltung ihrer Communication mit Cassel sehr nothwen‑
dig war. Der Commandant Muret verlangte einen
freyen Abzug. Dieser wurde nicht gestattet, sondern
das Castell mit großer Lebhaftigkeit beschossen. Nach
einer sechsstündigen Canonade ergab sich Muret mit
240 Mann auf Gnade und Ungnade. Auf beiden
Seiten wurde nicht ein einziger Mann getödtet, auch

keiner

keiner verwundet, einen Englischen Officier allein ausgenommen. Der Erbprinz benutzte seine Vortheile,
und näherte sich dem Rhein, hob allenthalben Recruten aus, brandschatzte, und nahm Geißel mit. Diese
Fortschritte trieben die Französischen Marschälle ins
Feld. Soubise und Etrees commandirten am Ober-
rhein, und der Prinz von Conde am Niederrhein.
Man ward bald gewahr, daß Broglio nicht mehr das
Commando hatte. Eine Menge Unfälle, die in diesem Feldzuge die Franzosen bestelen, rächten die Ungnade, worin dieser Feldherr unverdient bey seinem
Hofe gefallen war. Ferdinand rückte nun vor, griff die
Franzosen bey Wilhelmsthal an, und trieb sie nach einem sehr hitzigen Gefecht bis unter die Canonen von
Caffel; andre eilten über die Fulde. Sie ließen 4000
Todte und Gefangene auf dem Wahlplatz zurück. Unter den letztern war der größte Theil der Grenadiers
de France. Die Cavallerie der Alliirten konnte nicht
zum Treffen kommen, sonst wäre die Niederlage vollkommen gewesen. Die gefangenen Französischen Officiers hatten ihre ganze Bagage eingebüßt. Ferdinand
ersetzte diesen Verlust auf eine sehr großmüthige Art.
Er gab ihnen den Tag nach dem Treffen ein prächti-
ges Gastmal. Unter dem Desert befand sich ein großer verdeckter Aufsatz. Als man im Begriff war von
der Tafel aufzustehen, sagte der Herzog zu den Officiers, indem er auf das Verdeckte zeigte: „Hier,
„meine Herren, wird noch etwas für Sie seyn.„ Da
keiner von ihnen den Deckel wegnehmen wollte, that
es Ferdinand selbst. Die Officiers erstaunten, da sich
in diesem mysteriösen Gericht eine Menge goldener Uh-
ren, Dosen, Ringe und andre Kostbarkeiten befanden,
wovon jeder jetzt nach Belieben zulangte.

Um die Franzosen nun auch aus ihrem festen Lager
bey Caffel zu vertreiben, schnitt ihnen Ferdinand die
Communication mit Frankfurt ab. Der Französische
General Rochambeau, der diese deckte, wurde angegriffen, und nach einer hartnäckigen Gegenwehr in
die

die Flucht geschlagen.   Die ansehnlichen Magazine bey Rothenburg fielen dadurch in die Hände der Alliirten. Ein andrer Sieg wurde den 23sten July bey Lutternberg erfochten, wo das Corps des Prinzen Xaver angegriffen und geschlagen wurde. Man nahm 1000 Sächsische Grenadiers nebst 500 Cavalleristen gefangen, dabey erbeutete man funfzehn Canonen. Der Prinz Friedrich von Braunschweig war auch so glücklich, die Feinde vom Kratzenberge zu vertreiben, und eine Menge Gefangene zu machen.

Die Franzosen wurden durch diese Unfälle so geschwächt, daß der Prinz Conde der großen Armee in Hessen eiligst zu Hülfe marschirte. Der Erbprinz setzte sich ihm entgegen, und griff ihn den 1sten September bey Johannisberg an. Das Glück erklärte sich anfangs für die Alliirten, allein die vortheilhafte Stellung der Franzosen, ihre Uebermacht, und eine gefährliche Wunde, die der Erbprinz im Unterleibe empfing, entschieden den Sieg. Ferdinand der sich in der Nähe befand, kam noch zu rechter Zeit den zurückgeschlagenen Truppen zu Hülfe, um eine gänzliche Niederlage abzuwenden. Die Alliirten verlohren an diesem Tage 2400 Mann.

Nun geschah die Vereinigung der Französischen Armeen, die jetzt wieder anfingen offensive zu agiren. Sie belagerten das Schloß Amöneburg an der Ohm. Die Brücke über diesen Fluß wurde von den Alliirten vertheidigt. Beide Heere schickten immer frische Truppen ab, um das Gefecht zu unterstützen, das unter einem heftigen Feuer vierzehn Stundenlang dauerte. Die Passage mußte foreirt werden, wenn die Franzosen Cassel retten wollten. Die Nacht machte dem Kampf ein Ende, der jedem Theil beynahe 1000 Mann an Todten und Verwundeten gekostet hatte. Keiner hatte gesiegt. Da man jedoch mehr um Ehre, als um wesentliche Vortheile stritt, und die Franzosen es bey ihrer großen Macht länger aushalten konnten, so gab Ferdinand den streitigen Posten auf, und zog seine Truppen zurück. Den folgenden Tag ergab sich Amöneburg.   Der

Der Winter war in der Nähe. Es wurde zwar an dem Frieden gearbeitet; allein er war doch nicht gewiß. Ferdinand wünschte daher den Feldzug durch eine auffallende Handlung zu beschließen, und richtete seine Augen auf Cassel. Die Eroberung dieser Stadt, wodurch das ganze Landgrafthum von den Feinden befreyet wurde, mußte ihm die größten Vortheile gewähren. Dem Prinzen Friedrich von Braunschweig, Bruder des Erbprinzen, der sich schon in sehr jungen Jahren des seinem Hause eignen Heldengeistes würdig gezeigt hatte, wurde diese Belagerung von Cassel aufgetragen. Den 16ten October öffnete man die Laufgräben. Angriff und Vertheidigung waren gleich lebhaft. Die Besatzung that starke, aber fruchtlose Ausfälle. Man war hier auf keine Belagerung vorbereitet. Alle Bedürfnisse fehlten. Keine Zufuhr war zu hoffen, da Ferdinand alle Wege besetzt, und sich so vortheilhaft postirt hatte, daß es den Franzosen unmöglich war, den Belagerten Hülfe zu senden. Man theilte der Besatzung gleich anfangs Pferdefleisch aus. Die Hungersnoth riß aber bald so stark ein, daß man in der Stadt ein Pfund vom schlechtesten Kuhfleisch mit zwey Gulden bezahlte. Dieser Mangel an dem Nothwendigsten zwang die Besatzung, sich den 1sten November zu ergeben. Zwey Tage nachher wurden die Präliminarien unterzeichnet, die dem Kriege zwischen Frankreich und England ein Ende machten. Ferdinand entließ nun seine Truppen mit einer rührenden Rede, die allen Anwesenden Thränen auspreßte. Er dankte für ihr bezeigtes Zutrauen, und für ihren Gehorsam, und schloß mit der Versicherung, daß das Andenken, mit so braven Völkern für sein Vaterland gestritten zu haben, nicht eher als mit dem Ende seiner Tage erlöschen würde. Alles war in England voll von dem Lobe dieses großen Heerführers. Der brittische Senat schickte ihm eine förmliche Danksagung, und setzte ihm eine jährliche Pension von 3000 Pfund Sterling auf Lebenszeit aus. Die Englische Armee, die

von

von 25,000 jetzt bis auf 17,000 heruntergekommen war, trat nun ihren Rückmarsch an. Der Zug der Truppen ging nach Holland, wo Englische Transportschiffe auf sie warteten.

Das mächtige Frankreich war jetzo von allen kriegführenden Mächten diejenige, die den Frieden am sehnlichsten wünschte; da die Finanzen dieser Monarchie völlig erschöpft, der Handel außerordentlich geschwächt, die Seemacht vernichtet, und die entfernten Besitzungen von den Britten erobert worden waren. Das Königreich hatte in allen seinen Provinzen überaus großen Mangel an baarem Gelde, das in ungeheuren Summen nach Deutschland geschickt wurde, oder durch die Caper nach England gekommen war. Ludewig der Funfzehnte, die Prinzen von Geblüte, und der vornehmste Adel von Frankreich, schickten ihr Silbergeschirr nach der Münze; allein dieses Hülfsmittel war der Größe des Uebels nicht angemessen; dabey war es ein auffallender Beweis von dem über allen Ausdruck herrschenden Mangel. Auch andre patriotische Handlungen schlugen fehl. Die Stände großer Provinzen und einige ansehnliche Städte rüsteten auf ihre Kosten Kriegsschiffe und Caper aus, allein ohne Erfolg; sobald sie in der See erschienen, wurden sie eine Beute der Engländer. Man wollte mit 6000 flachen Böten eine Landung in England vornehmen, und die Zeit der Ausführung war nahe, als das Geheimniß der Landungsplätze, worauf alles ankam, von einem Irrländer, Namens Maccallester, dem Englischen Hofe verrathen wurde. Eine Menge dieser platten Fahrzeuge gingen bald nachher an den Französischen Küsten zu Grunde. Das Unglück verfolgte die Franzosen zu Wasser und zu Lande. Voltaire sagt: „Frankreich war durch seine Verbindung mit Oe„sterreich in sechs Jahren mehr an Geld und Menschen „erschöpft worden, als durch alle Kriege mit diesem Hause „in einem Zeitraum von zweytausend Jahren.„

In dieser schrecklichen Lage fing auch die letzte Hoffnung an zu fehlen, da Frankreichs neuer Bundsgenosse,

der

der König von Spanien, in einem einzigen Jahre von
den Engländern außer Stand gesetzt worden war, den
Krieg länger fortzusetzen. Die Havanna, der Schlüssel
zu den Amerikanischen Provinzen der Spanier, das
Bollwerk ihrer Gold- und Silber-Märkte, war nebst
den großen dort angehäuften Schätzen verlohren gegangen; das reiche Manilla war weggenommen; das von
den Spaniern eroberte Portugall fast gänzlich befreyet;
Pondichery zerstört; und Canada nebst allen wichtigen
Französischen Inseln in America in Brittischen Händen. Der Dreyzack Neptuns schien nun auf Jahrhunderte den Engländern gesichert. Die Flotten aller
Völker erschienen im Dunkeln vor ihrer colossalischen
Meeresmacht, die als ein auf dem Element des Wassers
noch nie gesehenes Meteor glänzte; ein Meteor, das
in allen Welttheilen Brittische Trophäen beschien, und
Stralen bis zu beiden Polen warf. Alle diese Eroberungen, durch die seltenste Tapferkeit, durch Ströme
von Blut, und eine zahlreiche Generationen drückende
Nationalschuld erkauft, wurden, Canada ausgenommen,
den Feinden in einem Frieden wieder zurückgegeben, der so
sonderbar, so außerordentlich wie der Krieg selbst war.

Friedrich wurde durch diesen Frieden, dessen Urheber Lord Bute war, seinen Feinden überlassen; und
als wenn man dem von ganz Europa bewunderten
Helden geflissentlich Hindernisse in den Weg legen wollte,
so wurde im Tractat ausdrücklich stipulirt, daß Hannover, Hessen, Braunschweig, und andere Provinzen
der Alliirten, von den Franzosen geräumt und zurückgegeben werden sollten, in Ansehung der Preußischen Provinzen in Französischen Händen aber, Clève,
Geldern, und andre in Westphalen gelegene, hieß es
bloß, daß sie geräumt werden sollten. Der zwischen
England und Preußen geschlossene Tractat, dessen vier-
ter Artikel ausdrücklich besagte, daß kein Theil weder
einen Separat-Frieden, noch einen Waffenstillstand
ohne des andern Beystimmung machen solle, kam bey
den neuen Brittischen Ministern in gar keine Betrachtung.

tung: Das königliche und National-Intresse, die
National-Ehre, und die Gesinnungen des Volks wurden dabey gänzlich aus den Augen gesetzt; daher auch
der Tag der Friedens-Proclamation in ganz Groß-
brittanien ein Trauertag war. Der Preußische Gesandte in London protestirte förmlich gegen diesen tra-
ctatwidrigen, treulosen Frieden, in so weit er seinen
Herrn betraf, allein vergebens. Er wurde den 10ten
Februar 1763 ratificirt. Dies Verfahren machte auf
Friedrich den tiefsten Eindruck, und erzeugte bey ihm
eine Abneigung, nicht gegen den schuldigen Hof, sondern gegen die unschuldige ihn anbetende Englische Nation, die nie einstimmiger als zu seiner Rettung gewesen war, und alle seine Siege mit ausschweifenden
Freudensbezeugungen gefeyert hatte. Nie wurde ein
ausländischer Fürst von den Britten so vergöttert, als
Friedrich: Die größten Redner des Parlaments von
allen Fuctionen wurden nicht müde, ihn bis zum Himmel zu erheben, die Englischen Dichter besungen seine
Triumphe, und der Pöbel verbrannte die Bildnisse
seiner gekrönten Feinde auf den öffentlichen Plätzen.
Diese Nationalstimmung eines freyen und so sehr cultivirten Volks, die so viel auf der Waagschaale des Ehr-
geizes wiegt, konnte jedoch die politischen Sünden des
Cabinets zu St. James nicht in Friedrichs Gemüthe
aussöhnen. Die ganze Brittische Nation, die er nie
recht kannte, mußte es entgelten. Ihr edler Enthusiasmus für ihn, und ihre so bereitwillig für eine fremde
Sache gegebene Subsidien, wurden sehr geschwind vergessen. An die Stelle der Dankbarkeit trat eine Abneigung, die Friedrich auf mannigfaltige Art äußerte,
und die auch nicht eher, als mit seinem Leben erlosch.

    Der Haß, der zwischen kriegführenden Nationen
beständig wächst, war nach und nach zu einer sehr großen Höhe bey den Oesterreichern und Preußen gestiegen,
wovon diese Geschichte viele Beyspiele geliefert hat.
Die erstern besonders, die damals in der Cultur noch
so weit zurück, und leer an Kenntnissen waren, zeich-

neten

neten sich in diesem Nationalhaß aus. Nach ihren politischen Begriffen war der Krieg Friedrichs eine straf-
bare Empörung gegen Kaiser und Reich, und nach
ihrem religiosen Wahn bekämpfte man Ketzer, deren
Ausrottung verdienstlich war. Die gemeinen Preußischen Soldaten in der Gefangenschaft wurden in das
für die Missethäter bestimmte Stockhaus in Wien gesteckt, und dort durch Mißhandlungen gezwungen,
Oesterreichische Dienste zu nehmen. Die Gefangenen
Preußischen Officiers aber wurden in kleinen Städten
aufbehalten, damit der Gift ihrer Meinungen sich nicht
weiter verbreiten möchte. Nach diesen Grundsätzen
wurden sie sehr ungroßmüthig behandelt. Man gab
ihnen in fünf Monat keinen Sold, und überließ ihren
Unterhalt der Barmherzigkeit mitleidiger Menschen.
Der gefangene General Fouquet glaubte zum Besten
seiner untergebenen hülflosen Officiers laut darüber klagen zu müssen. Er, der Freund seines Königs, voll
Enthusiasmus für den Preußischen Dienst, und überzeugt, daß man ihn wegen dieser Eigenschaften in Wien
persönlich haßte, äußerte aber seine Beschwerden mit
zu vieler Hitze. Er bediente sich Ausdrücke in Ansehung
der Kaiserin und ihrer Minister, die nur allein in England ungestraft gesagt werden können. Die Ahndung
blieb nicht aus. Fouquet wurde nach Carlstadt in
Croatien gebracht, und dort eingesperrt. Der König
brauchte Repressalien und ließ vier Oesterreichische General-Lieutenants, die bisher in der Stadt Magdeburg ohne alle Einschränkung gelebt hatten, nach der
Citadelle in engere Verwahrung bringen. Dieses veranlaßte eine besondere Correspondenz zwischen dem
Markgrafen Carl von Preußen und dem General Laudon.
Man machte sich von beiden Seiten sehr bittre Vorwürfe,
wodurch die Sache jedoch nicht besser wurde. Die Repressalien dauerten fort. Auf Befehl der Kaiserin wurden nun
auch vier Preußische General-Lieutenants, die gefangen
waren, nach Kuffstein gebracht. Friedrich, der eine weit
größere Anzahl gefangener General-Lieutenants hatte,
wies

wies darauf allen übrigen die Citadelle zu ihrem Aufenthalt an, wozu sich einige sehr ungerne bequemten, ja einer
mit Gewalt gezwungen werden mußte, sein gutes Logis
in der Stadt mit einem Festungszimmer zu vertauschen.
Hier blieben sie bis nach geschlossenem Frieden, der
auch der Erlösungstermin der Preußischen Generals
war. Fouquets Leiden für die Sache des Königs blieb
nicht unbelohnt. Nie war Friedrich dankbarer, als
gegen diesen Feldherrn, der nach dem Kriege, von seinem Regiment und Souvernement entfernt, ganz nach
seiner Phantasie lebte, und die Freundschaft seines
Monarchen mit ins Grab nahm.

Der König von Preußen benutzte mittlerweile den
geschlossenen Waffenstillstand, der sich aber nur auf
Sachsen und Schlesien, und überhaupt bloß auf die
Preußischen und Oesterreichischen Provinzen erstreckte,
um ein Corps von 10,000 Mann ins Reich zu schicken.
Er wollte die feindlichen Reichsstädte mit Gewalt zur
Neutralität bringen. Der Husaren = General Kleist erhielt den Auftrag, den er auch mit so viel Geschwindigkeit als Klugheit ausführte. Er erschien in Franken, das fast ganz wider Friedrich verbündet war.
Bamberg und andre wichtige Städte wurden eingenommen. In ersterer Stadt wurde die Contribution auf
eine Million Thaler fortgesetzt, und nun ging der Marsch
auf Nürnberg, das deutsche Venedig, zu. Diese Deutsche
Reichsstadt stellt ein besonderes Bild dar; der Sprache und den Sitten nach germanisch, allein der Staatsverfassung, der Gesetzgebung und dem politischen Eigendünkel nach, ganz venetianisch; die Regierung von
gewissen Familien ausschließungsweise verwaltet; geringe Freyheit des Bürgers: Seltenheit weiser Gesetze
zur Beförderung der Industrie; und hohe Begriffe von
ihrer Wichtigkeit. Der Magistrat dieser Reichsstadt
ließ dem Preußischen General die Thore öffnen, nachdem sie ihm eine Capitulation im barbarischen Reichs-
styl herausgesandt, und die Abgeordneten ihre Freyheit
in Sæcularibus & Ecclesiasticis, in Civilibus & Mili-

tari-

taribus umständlich erörtert hatten. Diese Sprache
war für den Husaren = General neu; er versprach auf
alles zu antworten, sobald er in der Stadt seyn würde.
Die Antwort blieb auch nicht lange aus. Sie war
aber in einem andern Styl: eine starke Brandschatzung
von 1500,000 Reichsthalern, und die Ausräumung
des Zeughauses. Kleist ließ seine Husaren während
dieser Operation nicht unthätig; sie schwärmten allenthalben herum, erpreßten Contributionen, und verbrei-
teten Schrecken bis an die Ufer der Donau. Hier befreyeten sie die sämmtlichen Geißeln, die von den Reichstruppen in dem Lauf des Kriegs aus den Preußischen
Ländern fortgeschleppt worden waren. Man kannte
die Preußen in den südlichen Reichsländern bisjetzt nur
durchs Gerücht. Hinter den Mauern der Städte verlachte man gewöhnlich kleine Trupps von leichter Reuterey. Jetzt aber kamen Husaren dieses Volks, stiegen von ihren Pferden, und bestürmten die Städte.
So wurde die freye Reichsstadt Windsheim eingenommen; und die freye Reichsstadt Rothenburg an der Tau-
ber eröffnete ihre Thore 25 Preußischen Husaren, die
auch mit einem Sturm droheten. Die bewaffneten
Bürger kamen von den Wällen herunter, und bezahl-
ten 100,000 Reichsthaler Brandschatzung.

Die Husaren, die auf allen Seiten feindliche, sehr
schlecht besetzte Provinzen vor sich sahen, streiften immer vorwärts, und kamen bis eine Meile von Regensburg. Die Amphictionen des deutschen Reichs geriethen
in Bestürzung. Diejenigen besonders, die den ganzen
Krieg durch wider den König von Preußen auf dem
Reichstag gestimmt hatten, befürchteten seine Rache.
Viele machten Anstalten sich zu retten; die Donau-
schiffe wurden mit Kostbarkeiten beladen, und der Reichstag schien zu Ende zu seyn. In dieser Verlegenheit,
da Selbsterhaltung das Motto war, wurden alle politische Grundsätze und Entwürfe, kurz alle andere Betrachtungen, aus den Augen gesetzt. Der von der Majorität so sehr angefeindete, und seit sieben Jahren mit
der

der größten Erbitterung verfolgte, Preußische Gesandte
Plotho wurde nun förmlich um Schutz ersucht. Man
flehete bey ihm um Sicherheit für eine Reichsversamm-
lung, die so unermüdet beschäftigt gewesen war, den
Untergang seines Monarchen zu bewirken. Der Magistrat zu Regensburg schickte eine feyerliche Deputa-
tion an ihn, und flehete um die Gnade des Preußischen Monarchen. Plotho, mit großer Vollmacht versehn, ertheilte den erbetenen Schutz, und die Preußischen Husaren ließen sich nicht mehr in der Nähe von
Regensburg blicken.

Die Oesterreichischen Truppen hatten dieser gan-
ten Expedition gelassen zugesehn, da sie sich durch den
Waffenstillstand gebunden glaubten. Endlich aber langten Befehle aus Wien an. Ein starkes Corps Oesterreicher kam aus Böhmen, und vereinigte sich mit den
Reichstruppen unter dem Prinzen von Stolberg. Diese
Armee rückte nun in Franken ein; auch der Prinz Xaver näherte sich mit einem ansehnlichen Corps Sachsen
und Franzosen von der Seite von Würzburg. Kleist,
zu schwach sich mit einem ganzen Heer in ein Treffen
einzulassen, zog sich zurück, und kam mit vielen Geißeln,
großen Geldsummen, und einer Anzahl Nürnberger
Canonen glücklich nach Sachsen zurück.

Die Reichsstände zeigten nun thätig ihre Abneigung, den Krieg fortzusetzen. Bayern gab von dieser
Neutralitäts - Gesinnung den stärksten Beweis. Die
churfürstlichen Truppen besetzten die Pässe an der Donau, und verweigerten den Oesterreichern den Durchzug; auch waren die Bayern und Pfälzer die ersten,
die sich von der Reichsarmee absonderten, und ohne auf
die Widersetzung der Reichs - Generalität zu achten, in
der Mitte des Januars ihren Rückmarsch nach Hause
antraten. Mecklenburg hatte schon im December einen
Separat - Frieden mit Preußen geschlossen, und dem
König 120,000 Reichsthaler Contributions - Reste bezahlt, die der König von Dännemark vorschoß.

[1763] Mit dieser glänzenden Operation der Preußen im Reich wurde der Krieg beschlossen, dessen Ende Maria Theresia nun auch ernstlich wünschte. Die Hoffnung, Schlesien zu erobern, war schon nach dem Abtritt von Rußland und Schweden gänzlich verschwunden, und der Krieg wurde seitdem nur Ehren halber fortgesetzt. Man machte jedoch Oesterreichischer Seits einen Entwurf, die Länder des Königs von Preußen, die die Franzosen bisher inne hatten, in Besitz zu nehmen; und die Franzosen, die durch die Treulosigkeit oder Nachlässigkeit der Englischen Minister, laut den Worten des Friedens, zu keiner Rückgabe der Preußischen Provinzen, sondern zu einer bloßen Räumung verbunden waren, zeigten sich auch nicht abgeneigt, sie den Oesterreichern zu überliefern. Der Abzug wurde daher so lange verzögert, bis sich bey Rüremonde ein Corps von Theresiens Truppen versammelt hatte. Friedrich aber, dem es ietzt nicht an Soldaten fehlte, und der überdem die nunmehr unbeschäftigen Hessen und Braunschweiger zu seinem Dienste bereit fand, machte wirksame Gegenanstalten, und schickte ein Corps Truppen nach Westphalen. Hiedurch wurde der Entwurf vereitelt, da die Franzosen denselben nicht durch ihre Waffen unterstützen wollten. Die Preußen nahmen daher schon im December von allen diesen Oertern ruhigen Besitz.

Die Lust, den Krieg fortzusetzen, wurde nun in Wien immer schwächer. Friedrich, der ietzt seine so lange entbehrte Provinzen, das Königreich Preußen, und die Westphälischen Länder wieder besaß, schien ohne Bundsgenossen und ohne Subsidien, nach sieben Feldzügen, so furchtbar und mächtig als iemals. Man erwartete ihn mit seinen von allen Seiten zusammengezogenen Heeren schon wieder in Böhmen zu sehn. Theresia befand sich mit ihren Armeen nun ganz allein, ohne Alliirten, auf dem Kampfplatze, nachdem alle Reichsstände, des Kriegs herzlich müde, und durch die

Preußi-

Preußische Reichs-Invasion geschreckt, nach und nach
ihre Truppen zurückriefen. Der Geldmangel war zwar
in Oesterreich nicht so wie in Frankreich allgemein;
allein die Finanzen des Staats waren äußerst zerrüt-
tet; die Schatzkammer, die selbst im Anfange des Kriegs
nicht gefüllt gewesen war, befand sich, troz allen Anleihen, Auflagen und politischen Hülfsquellen leer, und
die Bedürfnisse wurden immer dringender. Bey Friedrich hingegen zeigte sich keine Spur des Mangels;
an Anleihen ausländischer oder einheimischer Capita-
lien wurde bey ihm nie gedacht, und was wirklich erstaunungswürdig ist, seine Unterthanen mit keiner einzigen neuen Auflage beschwert. Indessen hatte in dem
Laufe dieses Kriegs Deutschland außerordentlich gelit-
ten. Ganze Kreise waren verheeret worden, und in
allen übrigen war Handel und Gewerbe im Stocken;
und dieses ohngeachtet der Geldströme aus Frankreich,
England, Rußland und Schweden, die theils von
den Armeen selbst, theils durch die Subsidien nach
Deutschland gebracht wurden. Man hat diese Gelder
über 500 Millionen Reichsthaler berechnet. Ganz
Hinter-Pommern, und ein Theil von Brandenburg,
war eine Einöde. Andre Länder befanden sich in einem nicht viel bessern Zustande; es fehlte entweder
gänzlich an Menschen, oder doch an Männern. Die
Weiber gingen in vielen Provinzen hinter dem Pflug;
in andern fehlten auch diese. Man sahe große Strecken
fruchtbares Land, wo die Spuren des vormaligen Acker-
baus nicht mehr merkbar waren. Die Americanischen
Wüsteneyen des Ohio und Oronoko zeigten itzt ihr rau-
hes Bild in den cultivirten Feldern Germaniens, an
der Oder und Weser. Ein Officier schrieb, daß er sieben Dörfer in Hessen durchritten, und darin nur einen einzigen Menschen gefunden habe. Dies war ein
Prediger, der sich Bohnen kochte.

Diesem so ausgebreiteten Jammer machte der 15te
Februar ein Ende. An diesem Tage wurde der Friede
auf dem Schlosse Hubertsburg in Sachsen geschlossen,

nach-

nachdem sich zwey Tage zuvor der Reichstag in Regensburg förmlich neutral erklärt hatte. Nur einige Wochen waren zu diesem so wichtigen Friedensgeschäft erforderlich, weil man die zweckmäßigsten Maaßregeln ergriff, es abzukürzen. Die Friedensräthe waren keine Staatsminister und Ambassadeurs, die sich gewöhnlich mehr durch Gepränge, Gastmähler und Ceremonien, als durch Arbeit auszeichnen, sondern drey wegen ihrer Klugheit und Thätigkeit wohlbekannte Männer, die mehr mit Verdiensten als mit Titeln prangten. Es waren der Oesterreichische Hofrath von Kollenbach, der Preußische Legationsrath von Herzberg, nachheriger ruhmvoller Staatsminister Friedrich Wilhelms, und der Sächsische Geheime Rath von Fritsch. Diese mit großer Vollmacht versehn, entwarfen die Friedensartikel, deren Inhalt vorzüglich die Räumung der im Kriege eroberten oder besetzten Länder und Oerter betraf; wobey von jeder Seite auf Entschädigung Verzicht gethan wurde. Man befand sich also nach sieben blutigen Jahren auf eben dem Punct, wo man ausgegangen war. Das Ziel der Feinde Friedrichs war nicht verrückt, sondern gänzlich verfehlt. Der Held, dessen Untergang in den Augen aller Sterblichen unvermeidlich schien, der selbst mitten unter seinen Triumphen an seiner Rettung zweifelte, machte jetzt Friede, ohne von allen seinen Staaten ein Dorf zu verlieren.

So endigte sich dieser siebenjährige Krieg: eine der denkwürdigsten Weltbegebenheiten, die je in den Jahrbüchern irgend eines Reichs verewigt sind; den erstaunungswürdigsten der Vorwelt gleich; ein Krieg, der reich an außerordentlichen mannigfaltigen Scenen, die Erwartungen aller Menschen täuschte, und für die Feldherrn, Staatsmänner und Philosophen jedes Volks und jedes Zeitalters lehrreich seyn wird.

Rügen

enemün
I.Used